The Church, Mysticism, Sanctification
and the Natural in Luther's Thought

The Church, Mysticism, Sanctification and the Natural in Luther's Thought

Lectures Presented to the Third International Congress
on Luther Research

Järvenpää, Finland   August 11–16, 1966

Edited by Ivar Asheim

Fortress Press, Philadelphia

Foreword

The Third International Congress for Luther Research in Järvenpää had its own character in contrast to its two predecessors, the first in Aarhus, Denmark, in 1956 (cf. *Lutherforschung heute*, Lutherisches Verlagshaus, Berlin 1958) and the second in Münster, Germany, in 1960 (cf. *Luther und Melanchthon*, Vandenhoeck & Ruprecht, Göttingen, and Muhlenberg Press, Philadelphia, 1961). This time more than 110 participants from all parts of the world came to the Church Institute of the Lutheran Church of Finland at Järvenpää. Its seclusion and beautiful setting provided an excellent atmosphere for conversation and for becoming mutually acquainted. Special benefit was gained from the presence and participation of Roman Catholic Luther scholars as well as from the contribution by representatives of the "left wing" of the Reformation. In this way the interconfessional character of Luther research was made increasingly manifest.

The Preparatory Committee, under the direction of Professor Regin Prenter of Aarhus, had decided not to choose a general theme for this occasion and in its place appointed three subjects, "The Question of the Continuity of the Church in Luther", "Luther and Mysticism", and "The Problem of the Natural in Luther". For each subject one main lecture and two supplementary lectures were appointed. Because of the difficulty, however, involved in deadlines, those asked to present supplementary lectures often did not receive copies of the main lectures in time. The lectures in such instances had to be written with only general orientation as to the subject matter of the main lectures.

Two innovations were greatly welcomed at Järvenpää and were recommended for further consideration in future. The one was to have a colloquy on "The Problem of Sanctification for Luther in His Controversy with the Enthusiasts" (the two introductory lectures are also included here) and the other to hold a seminar on "Texts in Luther's Writings with reference to the Dating of His Reformation Discovery". The seminar and the colloquy were suggested in order to make the Congress actually a working congress. Since the seminar was able only to take up, in the three sessions at its disposal, a small part of the assigned questions, it was decided not to publish the minutes of the seminar. They may, however, be obtained in mimeographed form from the Department of Theology of the Lutheran World Federation (150 route de Ferney, Geneva/Switzerland).

A whole morning's session was devoted to an exchange of views on open questions and tendencies that exist in Luther research. Discussion repeatedly referred to the many suggestions in Professor Gordon Rupp's opening lecture, "Luther: The Contemporary Image". In place of short lectures on the present situation of Luther research in various lands, *Lutherische Rundschau/Lutheran World* devoted its July 1966 issue to "Luther Research since 1945" with contributions on Scandinavian, American, and Roman Catholic Luther research.

In conclusion, on behalf of the Commission on Theology of the Lutheran World Federation, which this time, too, was responsible for the financial arrangements and organization, I would again like to thank the participants, the lecturers, the various chairmen, the Church of Finland with all its staff in Helsinki and at Järvenpää, and especially the President of the Congress, Professor Lennart Pinomaa. In particular I would like of thank my colleague in the Department of Theology, Pastor Niels Hasselmann, who had the chief responsibility for the technical arrangements of the Congress and for the publication of this volume. I would also like to thank Vandenhoeck & Ruprecht which has accepted the task of publishing in this volume the Järvenpää lectures in the original languages, and Fortress Press for distributing the volume in the United States.

Geneva, November 1966

Ivar Asheim,
Director of the
Department of Theology of the
Lutheran World Federation

Table of Contents

LUTHER: THE CONTEMPORARY IMAGE

Opening Lecture by E. GORDON RUPP

That to each generation there is a different Luther, reflected and distorted in the mirror of the age, is commonplace among us in the light of the surveys of Luther literature throughout four centuries by Zeeden, Herte, Stephan, Otto Wolff, Bornkamm. One who looks back on the last twenty-five years of Luther studies may ask what images have been broken and made, and how has it gone with the quest of the historical Luther?

In the 1940's one image at least was shattered. Many of you have seen the striking picture of Dresden after the bombing, and of the statue of Luther, which had toppled from its pedestal face down among the rubble. A false image involved in terrible judgment? A Luther, if not Hitler's "Spiritual Ancestor" at least dangerously assimilated to what von Loewenich has called a "deutsch-protestantischen Kulturprotestantismus". Of this you can find traces even in Karl Holl, but by far the most striking evidence is the alteration made in Gerhard Ritter's fine study "Luther: Gestalt und Symbol", between the first edition of 1925 and the fourth of the 1940's.

And then in the 1950's the Luther film, a Lutheran Luther, for the film moves to its climax in the founding of Lutheranism, and not improperly, since Luther's greatest creative achievement was to beget this mighty brood of Lutherans, his spiritual children, taught and trained by him along the way to heaven. A Luther serious and impressive, but not so much fire in his belly as glowing charcoal: obedient rebel, but perhaps more obedient than rebel, whose sonorous "Eyn' feste Burg" is far from being a Christian "Marseillaise". A Luther who has broken through from one orthodoxy into another, and not into some enthralling new dimension—

> "Like some watcher of the skies
> When a new planet swims into his ken".

In contrast is the image of Luther in the 60's, in John Osborne's play "Luther". It is based on the most intelligent essay on Luther in English of our time, Erik Erikson's "Young Man Luther"—a brilliant but one-sided and entirely unconvincing psychological study. But though Osborne's play, which shows Luther as an Angry Young Professor, is more lop-sided still, it has moments of genuine insight, and at least here is a Luther who is alive and exciting and who has moved history.

9

"There was excitement that day. In Worms that day, I mean ... he fizzed like a hot spark in a trail of gunpowder going off in us ... he went off in us and nothing could stop it and it blew up ... I just felt sure that nothing could ever be the same again ... something had taken place, something had changed and become something else, an event had occurred in the flesh ... like, even like when the weight of (Christ's) that body slumped on its wooden crotch piece (the Cross) and the earth was dark"[1]

And I have another memory of an equally distorted image of Luther in the 1960's, the exhibition put on by the Communists in the museum on the Wartburg which showed Luther not as the religious prophet, but as a supreme artist with words, a poet of genius, laying his impress deep on the shaping of the German language. Here, too, there is truth. I myself was drawn to read Luther by the beauty of the quotations from him in the footnotes to Karl Barth's Dogmatics. Luther has much more in common with John Henry Newman than most people realise—but certainly this, that both draw us not only because what they say is true but because at the same time it is profoundly beautiful and moving.

These public images of Luther have been haphazard and almost accidental. What of the serious, persistent search for the historical Luther, Lutherforschung and Lutherdeutung, which for concentration and scope ranks next to Biblical studies in the Protestant world? Two valuable essays by Walther v. Loewenich and Gerhard Müller show the diversity and range of Luther studies in the last twenty-five years[2].

Some time ago, the Swiss historian M. Dufour of Geneva accused me of portraying in the Cambridge Modern History a Luther who has come straight down out of heaven. But so, of course, Luther did. The exciting thing about human beings, and a reason for the historical study of great men, is to seek the "X" in their equation, the point at which they cease to be explained by heredity and environment, and the thought world of their contemporaries. In his famous sonnet to Shakespeare, Matthew Arnold speaks of genius as being like a mountain, about whose cloudy base men probe and search, but whose summit is beyond them, open to the skies. His words are true of Luther, too.

"Others abide our question. Thou art free,
We ask and ask: thou smilest and art still,
Out-topping knowledge. For the loftiest hill
That to the stars uncrowns his majesty ...
Spares but the cloudy border of his base
To the foil'd searching of mortality".

---

[1] *Luther,* John Osborne: 1961, p. 86.

[2] W. von Loewenich, „Zehn Jahre Lutherforschung" in *Von Augustin zu Luther,* 1959, pp. 307 ff. — G. Müller, „Neuere Literatur zur Theologie des jungen Luther", *Kerygma und Dogma,* 1965, pp. 325 ff. These essays are mainly concerned with Germany.

But, of course, it would be folly to think of Luther as unrooted in and unrelated to history. If the theologian treats his ideas seriously *coram Deo*, the historian is equally properly concerned with his actions *coram hominibus*. It is most important that, to use a quaint English phrase which Luther would have appreciated, we look at Luther from a "worm's eye view". I hope that in this present Congress we are going to do both these things.

It is becoming plain that some of the most important clues for further Luther studies, like in the 15th century, are being held up for lack of sufficient monographs and more clarification of that complex religious and theological jungle of the half century before the Reformation, of which important areas are unmapped and unexplored. Our present programme supports this view. And here, too, we may pay tribute to the emerging edition (WA 55) of Luther's First Lectures on the Psalms.

We salute a team of splendid scholars, spanning two generations, proof were it needed of the recovery of German scholarship from the handicaps of the 1930's and 40's, as it is the crown of the great Weimarana. And here we find support for the assertion that it is as we relate Luther most clearly to his context, match his ideas most nearly with those of his contemporaries, that we find more and more evidence of his freedom and independence and originality. In an age of melting labels, and the dissolving of categories, Lortz's "Unklarheit" touches truth at this point; the way was open for this kind of independent break-through by Luther, and by others as well.

The discovery and editing, the publishing and the discussion, of most important documents and sources in this century has made it inevitable that Luther studies should be focussed, almost obsessed, with the "Young Luther". Controversy has spiralled, as perhaps it will always do, about the question of Luther's break-through, about *Justitia Dei*. Ernst Bizer's "Fides ex auditu" came as a kind of nemesis upon the hybris of some theologians who were beginning to regard this as a closed question and to speak of a consensus of agreement among scholars. We must be grateful to him for the depth and liveliness of his discussion, and not least for the important reminder that Luther did indeed rethink almost everything under the pressures of the great church struggle in those agonizing months 1517—21 when you might say of him, as G.K. Chesterton said of H.G. Wells, "You can almost hear him growing in the night". But this whole long controversy has pressed us back on the documents, has provoked first rate essays, though anybody who has read them all from Vogelsang to Oberman must be a little like Bunyan's "Valiant for Truth" and say, proudly but a little ruefully, "though with difficulty I have got hither, yet now I do not repent me of all the troubles I have been at to arrive where I am".

Here I have only one comment and two footnotes to add on this theme. I am for an early date, before 1515. I cannot bring myself to believe that Luther's Lectures on Romans were written by one who was held up, blocked, cut off from the whole dimension of Paul's thought about the gospel. Then I think we ought to treat seriously Luther's reminiscence of 1545 to the effect that his new perception of the meaning of the *Justitia Dei* illuminated a whole set of other divine attributes which he now saw as dynamic, moving and given to men. He rejects, that is, as he later said, the view that God is related to the world like a sleepy nursemaid rocking a cradle with her toe, but here is a God who meets men creatively and dynamically in personal encounter. If this part of Luther's testimony is important then it bears on the date, for this doctrine is plainly evidenced in the Psalms and Romans lectures. My second footnote is that Luther's problem lay within this one word *Justitia*. "It is the single words that trouble me" is a genuine insight of John Osborne. It is not a question of combining *Justitia* with some other word like the divine *misericordia*—about which Luther had known all along. It is the search for the kernel inside the nut, within the notion of *Justitia*. And here, by way of illustration, I would draw attention to a word to which Professor Bornkamm has already drawn attention[3], to the word *Epieikia* or *Aequitas*, in German "Billigkeit", in English "Equity". For this is treated as a part of justice itself in the 5th Book of Aristotele's Nichomachean ethics, on which Luther lectured and which he later singled out for special praise[4]. But here *Epieikia* appears as a higher kind of justice, which intervenes in a special case, when universal justice and written law breaks down. And it is interesting that in English law this "Equity" appears as an appeal from written law, directly to the conscience of the King. As far as I know, Luther never discusses "Billigkeit" in relation to *Justitia*. The word becomes important for him in his discussions about earthly government in the 1530's and we could do with a monograph on his use of the word. If ever his lectures on Aristotle turn up, it would be interesting to see what he says about "Equity" at this point. All that can be suggested is that this is an illustration of how complex is the conception, even in Hellenic usage, of *Justitia*, and how a double reference could lie within the single word.

I cannot here discuss the number of perceptive essays on Luther's theology of Justification and of his doctrine of the Church which have appeared in the last decades including some of the finest essays by such older scholars as Stange, Herrmann, Iwand, and a number of brilliant younger men.

I turn to the complex of problems beginning "Luther and . . .", though perhaps "Luther in . . ." would be a happier reference. I am one who is concerned about the danger to Reformation studies of over-labelling, of rigid typology, when it blurs distinctions, and draws attention from the particularities of history. This seems to me true even of the great labels "Renaissance" and "Reformation". There is a certain tension observable between Reformation studies in Germany, Scandinavia and England and Renaissance studies in America, France and Holland. We are like men working from opposite ends of

---

[3] H. Bornkamm, "Zur Frage der iustitia Dei beim jungen Luther": ARG. 1962, Teil II, p. 11, n. 54.   [4] WA 44; 704, 15.

a tunnel, and not quite meeting in the middle, and the gap is interesting. Modern studies seem to oscillate between over-valuing and under-estimating the importance and originality of the humanists. What we need more clarification of is the extent of the common involvement and over-lapping of humanists and reformers, the kind of investigation Dr. Irmgard Hoess is conducting into the *Sodalitas Staupitziana* of Nuremberg, and of those men who were both humanists and reformers.

Among these, assuredly is Luther, though not in the sense of a Spalatin, Melanchthon, Vadianus. But let us not minimise Luther's own store of classical learning. My colleague, Mr. Marlow, of the Classics Department of Manchester has tracked down the classical references on both sides of the controversy between Erasmus and Luther and he finds far more in Luther than in Erasmus. Of course, Luther's essay is by far the longer, but the allusions are frequent and often very subtle, so that this is not a case of Luther airing his classical knowledge, as Zwingli showed off by brandishing his Greek Testament about at the Marburg Colloquy. Recent writing on the German Bible has shown, as never before, how Luther eagery and conscientiously used the latest humanist tools, especially the Erasmian New Testament. And when the young Professor Luther launched an educational revolution in the new University of Wittenberg, it was with the humanist slogan: "The Bible—and the Old Fathers".

The labels melt—humanists melt into schoolmen, from Pomponazzi to John Eck. But when we come to Luther and Scholasticism, there is a great transformation since some of us began our apprentice Luther studies by reading through the volumes of Denifle and Grisar, and even since Etienne Gilson was able to dismiss the later schoolmen as facile deviationists, falling away from the true scholastic norm, St. Thomas Aquinas. The question "Luther and St. Thomas" still needs final investigation, and we have not yet decided how much Luther knew of genuine Thomism among the rigidities of the age of Capreolus. Let us not forget either that at Wittenberg, too, there were teachers of the *via antiqua*, that the first two publications of the new Wittenberg University Press were tracts from their Thomist lecturer—none other than Andrew Karlstadt—and that another of Luther's friends, Amsdorf, lectured on Duns Scotus. Even in a modern theological faculty, if we do not attend one another's lectures, we generally have some idea of what our colleagues are up to!

But the whole study of late scholasticism is in a fluid state. A series of brilliant essays, including those of Vignaux, Böhner, Iserloh, have shown the older classifications of Occamism, of the dogmatic historians, to be untenable, including the alleged too sharp emphasis on the divorce between faith and reason. We have not yet, though Oberman is helping us to do so, assessed the significance of the dialectic of the *Potentia absoluta* and *Potentia ordinata*, the subtle way in which a doctrine can be turned upside down from an outrageous Pelagianism to a doctrine of created grace (and here a full study of the debate between Eck and Karlstadt at Leipzig might be very illuminating).

Again, one wonders whether in the fifty years before the Reformation, and in view of the common ground between Occam and Scotus, the labels *via antiqua* and *via moderna* have much meaning. What has been shown recently of the dependence of Peter D'Ailly upon Gregory of Rimini, has drawn attention to the immense importance of the whole group, itself very diversified, of Augustinian theologians.

If we are far from the end of the discussion of "Luther and ... Augustine", it is because we await the elucidation of Augustine's theology in the later Middle Ages. But at least as concerns Luther we are far away from the time when he could be dismissed, as by Denifle as an *ignoramus* and a "Halbwissender". The editions of his early lectures, and such careful studies as those of Lohse, Oberman, and Leif Grane have shown beyond doubt that Luther knew what and whom and why he was attacking. And here, on another frontier, the labels melt between the schoolmen and the mystics. It has long been known that St. Thomas counted for much in the long German mystical tradition from Meister Eckhart to Andrew Karlstadt, and perhaps also Thomas Müntzer. And Oberman and Landeen have drawn attention to the mysticism of Gabriel Biel.

Now mysticism is perhaps the most nebulous word in the whole Christian vocabulary. It is a word which has fallen among thieves in its long journey from the Jerusalem of Christian sanctity to the Jericho of modern pantheist religiosity. Others will play the Good Samaritan in our Congress; it is rather for me, if not like the Priest, to pass by on the other side, at least like the Levite to take one shuddering glance and hurry on. Here, too, beware typology! Beware taking any one system, one vocabulary, one process of salvation as though it were the touchstone of "Luther and Mysticism". Keep close to the citations, and the documents, Augustine, Dionysius the Areopagite, Bernard, the Victorines. Most of us would begin with the findings of earlier scholars summarized recently by A. G. Dickens that Luther "was not impressed by the mental techniques through which the mystics sought to ascend the ladder of perfection to the higher states. Unlike theirs, his theology had no pantheistic overtones and was altogether Christocentric. He would not follow the mystics into a passive abandonment before their sense of a vast and cloudy infinity of God. For Luther the tragic and triumphant sacrifice of Jesus—is central"[5].

What I would do is to call attention to what I prefer to describe by an 18th century term, to the renewal in the later Middle Ages of "inward religion". This involved, in Germany, the conflation of two traditions. The first, that of the "Modern Devotion", with its "Imitation of Christ" theology, coming from Holland, and then, as Landeen has shown, infiltrating into Germany through the Brothers of the Common Life, and touching the piety of such eminences as Nicholas of Cusa and Gabriel Biel. But by 1500 the "Modern

---

[5] A. G. Dickens, *Reformation and Society:* 1966, p. 55.

Devotion" was not what it had been: spiritual movements are generally rather tired in their second century, and there is some evidence for the narrowing of the "Modern Devotion" at its latter end, in the puritanism of Jean Standonck in Paris, and in the "Anti Barbari" of Erasmus, though his "Enchiridion" is a notable piece of evidence on the other side, not least in its influence in Italy and Spain.

But alongside it, and mingling with it, and here such words as "Conformity with Christ" and "Gelassenheit" are symptoms of the merging, is the German mystical tradition: beginning in the Rhineland with St. Hildegarde of Bingen and St. Elizabeth of Schönau (Thomas Müntzer knew their writings!), a devotion prophetic and apocalyptic, and the Thuringian mystics, the Gertrudes and the Mechthilds with their concern for the sacred humanity of Christ: the tradition which swells and becomes fully articulate in Eckhart, Suso and Tauler. But here, too, is a piety which had seeped out into the world, beyond the cloisters. We need somebody to do for the "Friends of God" in the late 15th century what Landeen has done with the *Devotio Moderna*—it has an important bearing on the origins of the radical Reformation. But here is a mysticism, if you will, which touched the minds of humanists, schoolmen, reformers. It is evident in the thought of Wimpfeling and Staupitz and their pupils. It affected some and not others—left the young Melanchthon untouched it seemed, but deeply affected the mind of his fellow student, Johannes Oecolampadius: what other Martinian could have preached and published a sermon on "The Healing and the Harmful winds that blow about the garden of the soul"?

Luther grew up in this world. His wonderful imagery of the immanence of God stems from this tradition. I have in mind the passages in his eucharistic confessions where he says that the whole God is wholly present in a leaf and in a nutshell, and the famous:—

"Nothing is so small, but God is still smaller, nothing so large but God is still larger, nothing is so short, but God is still shorter, nothing so long, but God is still longer, nothing is so broad but God is still broader, nothing so narrow but God is still narrower, and so on. God is an inexpressible being . . ."[6]

It is interesting to observe the effect of Tauler on Luther ("be-eindruckt" but not "be-einflußt" is the plausible comment of Berndt Moeller) with his catastrophic effect on Thomas Müntzer, and the reasons why Luther edited and published the "Theologia Germanica" with the reasons for its deep impact on a whole series of radicals, beginning with Andrew Karlstadt. And then there is Luther's "Theology of the Cross", those special stresses apparent between the first Lectures on Psalms and the Operationes in Psalmos 1519—21. Here are

---

[6] Luther, *Works*, American edition, Volume 37. 228. „Nichts ist so klein, Gott ist noch kleiner. Nichts ist so gros, Gott ist noch grösser. Nichts ist so kurtz, Gott ist noch kürtzer, Nichts ist so lang, Gott ist noch lenger. Nichts ist so breit, Gott ist noch breiter. Nichts ist so schmal, Gott ist noch schmaler, und so fort an, Ists ein unaussprechlich wesen . . ." WA 26; 339, 39—340, 1.

undoubted affinities with the tradition of "inward religion" and yet the differences between Luther and others are more important than the similarities. And I suppose this too bears on the dating of the *Justitia Dei,* since one of the obvious reasons for the difference is that Luther moves within the world of the Bible and of Paul.

In speaking of Luther in relation to Karlstadt and to Müntzer, we have already touched the theme "Luther und die Schwärmer". Karl Holl's classic essay is still to be read with profit. Many of his intuitions have been supported by the vast weight of new evidence about Reformation radicalism which has become available in the last twenty years. A whole submerged continent has emerged from the sea, splendidly mapped for us in the breathtaking survey by G. H. Williams, solidly based on the evidence of masses of newly published documents. Of a great deal of this, Luther in Wittenberg was entirely ignorant, though whether, if he had known more, he would have liked what he knew any better is perhaps a question. He met at first hand the Zwickau prophets, but the creative importance of what has been called "Storchismus" has been exaggerated, and the evidence for Storch's doctrines is mostly very late. Andrew Karlstadt Luther knew only too well, and he came to look at all the Radicals through his own bitter experiences with one who, if not the Judas of Wittenberg, was at least its Alexander the Coppersmith. One remembers sadly the grim confrontation and dialogue between the two men, in the 'Black Bear' at Jena, two angry middle-aged men, Karlstadt almost beside himself with choleric rage, Luther coldly contemptuous as he tossed at him the golden guilder which was the badge of their public feud.

I revel in Luther's "Against the Heavenly Prophets", and in the main am on his side. But it does not help Luther if we undervalue his opponents. One of the features of an age of revolution is that not only its great minds and men of genius are aware of what is new, but the second class and second rate figures also touch new truths. Among those dull, turgid, repetitive tracts of Karlstadt there are insights—it may be that he appealed to the supreme authority of Scripture before Luther, and was the first really to stress the priesthood of all believers in relation to the father of a Christian household. When we come to Luther and Thomas Müntzer, we come to a larger area of misunderstanding and mutual ignorance. There was no real confrontation between Luther and Müntzer (the notion that there was rests on a misreading of Luther and I accept Müntzer's word at this point) and no real dialogue. Müntzer never understood the importance for Luther, too, of the dimension of existential "Anfechtung" for faith—and though there are differences, the similarities are paramount at this point.

And it is true of Müntzer also, that once a Martinian always a Martinian: to the end, as Martin Schmidt has perceptively remarked, his is a Word of God Theology. It is likely that, as a liturgical scholar, Thomas Müntzer was in the Thomas Cranmer class and was more learned in this field, if more old-fashioned than Luther and at least as skilful. Müntzer's Second Preface to his liturgies is a fine manifesto with genuine premonitions of the stresses of the modern liturgical movement. Luther himself recognized the merit of all this when he met them in disguise, in the work of their mutual friend, John Lang of Erfurt.

Luther's great perception is the all-embracing, creative dimension of faith— as some of the deep, seminal studies of our time, of Regin Prenter and of Gerhard Ebeling, for example, have shown us. Here is the creative centre of all Christian existence, the righteousness of God in Christ out of which we live *coram Deo* from beginning to end, a life always renewed in the Spirit from moment to moment. Peg it down, turn it into a process, map it out, and it becomes Law and not Gospel, Letter and not Spirit. I am not forgetting Luther against the Antinomians and the mass of edifying literature and institutions he created. But still he gives us a compass, and he does not, as later Protestant orthodoxy, draw a map. His is like some splendid painting by Turner of Venice in the clouds and sunshine: theirs is like a weather report from the Italian meteorological office. But Müntzer did draw a map, what later Protestants called a Plan of Salvation. He describes the stages of Christian experience and of our conformity with Christ. We may not much like his technical terms, but they are far from being mere pretentious jargon and mumbo jumbo as Luther believed, and they supply a pattern which, in default of Müntzer, Protestantism had to invent again in Pietism and Methodism, and indeed Existentialism, for there is a startling amount of Müntzer that can be exactly paralleled in Sören Kierkegaard. So there is still room for discussion of "Luther and Müntzer" and we wait impatiently for the promised edition of the Müntzer corpus from Günther Franz.

I think I can understand why Luther could put Oecolampadius, and to a lesser extent also Zwingli and Bucer and Bullinger, among the "Schwärmer", but modern research into the writings of these men have made it plain that here, too, we are beginning to reconstruct a more profitable confrontation and dialogue than was possible in the 16th century. And essays and books by Grimm and by Berndt Moeller have shown how important it is to pay attention to the background of the great cities of South Germany and Switzerland, though we still await a real elucidation of the differences between the Lutheran cities and those which turned to the emerging Reformed tradition.

And then, Luther and the theology of the Natural Order. Here we need not only to consider Luther's attitude to Natural Law, but in relation to "Billig-keit", what we might almost call "natural gospel", his stress on the spontane-ous, inner, creative wisdom which the Creator God gives even to the heathen.

And then, re-reading the essays by Lau and Heinrich Bornkamm, we have to consider what Luther has to say to the questions raised in our time by Teilhard de Chardin, to that D.H. Lawrence side of Luther which modern

Protestants have politely passed over, as in that astonishing passage in the "Table Talk":—

"We are just beginning to recapture the knowledge of the creatures which we lost through Adam's Fall. We have a deeper insight into the created world than we had under the Papacy. Erasmus doesn't understand how the fruit grows in the womb. He doesn't know about marriage. But by the grace of God we are beginning to understand God's great works, and his goodness in the study of a single flower" (WA Tr 1 Nr. 1160).

The real ecumenical movement has hitherto been the conversation of the learned world, but now these things have more and more to be discussed within an ecumenical perspective.

The service which the Lutheran World Federation has done to Luther studies is a great service to the whole Christian Church, and it has unselfishly never interposed its quite proper confessional concerns and preoccupations on the world of scholarship. I hope this freedom will continue, for it is of the very essence of scholarship in a regimented age. I mean the freedom of scholars to discuss what they will when and as they will, to pursue some theme and turn to another and then to come back to the first. The great seminal studies of our time have not been in the main directed or commissioned dissertations, though I am all for keeping in touch across the world with what research is going on, and avoiding over-lapping and wasted time. But for the rest let our motto be that to Nicodemus, 'Spiritus ubi vult spirat", rather than envying the Centurion, marshalling research students with "Dico huic: vade et vadit: et alii, veni et venit".

The dialogue between Protestants within the ecumenical movement cannot but be profitable for Luther studies. And of all the classic Reformers, perhaps Luther has most in common with some of the stresses of Orthodoxy, not least in the Russian Orthodox tradition (Luther and Dostoievski!). But it is the prospect of a resumption of the dialogue with Rome, broken off in 1543, which is the new and encouraging feature of the last decade. For four centuries there has been a tension between a Protestant Luther legend and a Catholic Luther caricature. Herte's volumes have shown how sadly persistent has been the long shadow cast by the attack on Luther, in his lifetime, penned by Johannes Cochlaeus. Even sadder, perhaps, is the remembrance that the author of one of the best modern studies of Luther, the late Giovanni Miegge, never published the second volume of his "Lutero". I do not mean to ignore the value to Luther study of many Catholic writers in those four centuries, not least the writings of Denifle and Grisar.

But now we can put away our polemical blinkers, move even beyond the eirenically intended but perhaps pre-Vatican II studies of Congar, Bouyer, and Josef Lortz, who are still too concerned to show that what is true in Luther is not new, but mediaeval or at any rate Catholic. But the Vatican Council showed us the brave sight of the Roman Church beating our Protestant platitudes into Catholic epigrams, teaching us all new things about the Protestant Reformation. I was present in the Council when the statement on Indulgences was presented, a disappointing, conservative document which, had it appeared in 1517, might perhaps have reduced Luther's 95 Theses to 92, but hardly less. And then on the next day, Cardinal Doepfner, looking strangely like von Miltitz's dream of a Cardinal Luther in 1518, presented his magnificent counter-statement on behalf of the German and Austrian bishops, and how different this was. It went at points beyond Luther, not least in its Scriptural proofs.

The new methodology of dialogue, finely laid down in "De Ecumenismo", the growth in charity and understanding, does not of course mean the end of debate and controversy. But it means that, on both sides, we can relax. It means, for example, that Protestants can write about Luther's faults without knowing that every admission will be used as polemical evidence against them. The great Protestant essay on the limitations of Luther has yet to be written! We admire Luther's inflexible and unyielding integrity in loyalty to the Word, his concern to bear his witness to the Truth at all costs. And we are all grateful for Pelikan's fine essay on Luther's intermittent eirenical adventures. But I think we have to ask whether Luther (and not Luther alone, but most men of his age) did not pass on to his followers a view of pure doctrine and its relation to error which was not that of the mind of Christ, but which in fact appeared in the late 2nd century, and from which the churches in our time are struggling to be free?

I hope we remember Heinrich Bornkamm's words at Aarhus, that we must not let the intriguing preoccupation with Luther's theology distract us from the tasks of the historian and the biographer. We still wait for a full, learned modern study of the mature and aging Luther. Nobody can read the life of Winston Churchill by his physician, Lord Moran, without being aware of the effect of physical infirmity on a noble mind: the long list of Churchill's illnesses is curiously like that of Luther's in his last decade, and we have to ask questions of the effect of these things on Luther's mind and judgment, virile and sensitive as it was to the end. But we must have the whole Luther, warts and all: the sublime intuitions, and also the obtusenesses and the limitations. Let us adventure more boldly into the discussion of the quality of that mind, its limitations which he shared with his contemporaries, and some of which perhaps were limitations peculiarly his own. We shall still have a Luther whose head is among the stars, the one who still exercises this wonderful magnetic pull across the world, drawing us from the far corners of the earth to sit at his feet, and learn from him. This is an age which sorely needs all the giant voices of the past, which needs more than most perhaps this Doctor Evangelicus, one who points beyond himself to God, at once both hidden and revealed, *Deus crucifixus*—and the triumph of his Cross.

SIMUL GEMITUS ET RAPTUS:
LUTHER UND DIE MYSTIK

Hauptreferat von Heiko A. Oberman

„Tractaturus itaque materiam qua nulla sublimior est, nulla divinior, sed nec ulla queri difficilior . . .", Gerson[1].

„Denique raptus ille non accessus vocatur", Luther[2].

Einleitung

Die Entscheidung darüber, ob Luther als Mystiker zu gelten hat, kann nicht die Aufgabe dieses Vortrages sein. Für einen einfühlsamen Biographen ist es von Bedeutung, daß Luther für sich selbst den höchsten Grad mystischer Erfahrung bezeugt, wenn er schreibt: „semel raptus fui in tertium celum"[3]. Andererseits kann er — ganz in Übereinstimmung mit einer in der spätmittelalterlichen Frömmigkeitsliteratur fast ermüdend zum Ausdruck kommenden Warnung — im Jahre 1516 feststellen, daß dieses „negotium absconditum" ein seltenes Ereignis ist[4]. Außerdem ist das Streben nach der suavitas, die „eher die Frucht und der Lohn der Liebe als die Liebe selbst" ist[5], mit ernsten Gefahren verbunden. Luther hat seine Autorität niemals mit besonderen Offenbarungen oder tiefen mystischen Erfahrungen begründet, und ebensowenig hat er für „Aristokraten des Geistes" geschrieben, denen bereits ein Vorgeschmack der künftigen Herrlichkeit verliehen wäre. So ist es vielmehr unsere Aufgabe, die Beziehung zwischen Luther und der mittelalterlichen mystischen Theologie zu untersuchen und nach deren möglicher Bedeutung für die Gestaltung und das Verständnis von Luthers Theologie zu fragen.

Weil Mystik eine Form oder Stufe einer religiösen Erfahrung und daher — jedenfalls in mancher Hinsicht — individuell bestimmt ist, läßt sich dieser Begriff nur schwer fassen und definieren. Wir wollen uns deshalb der *mysti-*

---

[1] De mystica theologia, Tractatus primus speculativus. Prologus. Ed. André Combes, Lucani o. J. (1958), 2, 27—29.

[2] WA 56; 300, 7 f.; Cl. 5; 248, 16 f. (zu Röm. 5, 2; 1516).

[3] WA 11; 117, 35 f. (1523); vgl. 2. Kor. 12, 2. Thomas bezieht den „dritten Himmel" auf die contemplatio intellectus und versteht die Entrückung des Paulus ins Paradies als eine höhere Stufe, „quod pertinet ad affectum" (S. Th. II/II q. 175 a. 2 c. a.).

[4] WA 9; 98, 19 (Randbemerkungen zu Taulers Predigten, 1516). Vgl. dazu Joh. Ficker, Zu den Bemerkungen Luthers in Taulers Sermones (Augsburg 1508) (ThStKr 107, 1936, 46—64).

[5] WA 9; 100, 38 f.; Cl. 5; 308, 11 f. (1516).

schen Theologie zuwenden, die wir als das Bemühen verstehen, die Methoden und Ziele des „mystischen Weges" zu würdigen und die daraus sich ergebenden religiösen Erfahrungen zu beschreiben und psychologisch einzuordnen. Aber auch in dieser Eingrenzung besteht eine beachtliche Verschiedenheit von Meinungen über das der christlichen Mystik angemessene Verfahren und Ziel. Schließlich dürfte, wie schon hier betont sei, speziell im Blick auf Luther darüber Einigkeit bestehen, daß es recht gefährlich ist, das mystische Gewebe von der lebendigen Geistigkeit Luthers abzulösen. Dieses Verwobensein mit der Mystik läßt sich nicht als ein einzelner Aspekt der Theologie Luthers behandeln, wie das bei seinem Verhältnis zu bestimmten Tatsachen, Menschen oder Bewegungen möglich ist, z.B. zur Pestgefahr, zu Karlstadt oder zu den Hussiten; es ist vielmehr nur ein Stück und Bestandteil seiner Auffassung vom Evangelium überhaupt und durchdringt daher sein Verständnis des Glaubens, der Rechtfertigung, seine Hermeneutik, Ekklesiologie und Pneumatologie.

I. Methodologische Erwägungen

Angesichts der Vielschichtigkeit unserer Frage ist es nicht meine Absicht, irgendwelche „endgültigen" Lösungen vorzutragen, sondern ich möchte eher auf eine Reihe von Forschungsaufgaben hinweisen und die Richtung andeuten, in der das Problem in den kommenden Jahren fruchtbar bearbeitet werden könnte.

Jahrhundertealte Kontroversen spiegeln sich in den verschiedenen Meinungen bezüglich Luthers Verhältnis zur Mystik: die Spannung zwischen Philippismus und Pietismus; die mannigfachen Ansichten über das Verhältnis des jungen zum reifen oder alten Luther; die Beurteilung der These von den „Reformatoren vor der Reformation"; die Debatte zwischen Holl und Ritschl über Rechtfertigung als Mitteilung (sanatio) im Gegensatz zu Anrechnung; das enge Ineinandergreifen von politisch-nationalistischen Faktoren im Zusammenprall von Deutschen Christen und Bekennender Kirche, wobei Luther den einen als Sprecher einer rein „deutschen" oder „germanischen Mystik" galt (Eckhart — Luther — Nietzsche), während die anderen in ihm den Zeugen Gottes sahen, totaliter aliter, ohne Anknüpfungspunkt (Seelengrund usw.) im Menschen; die Unklarheit über die Beziehung der via moderna zur devotio moderna sowie — allgemeiner — des Verhältnisses von Nominalismus und Mystik. Eine Berührung mit diesen „Schlachtfeldern" läßt sich zwar bei unserem Untersuchungsgang keinesfalls vermeiden, aber wir werden uns ihnen mit der nötigen Vorsicht nähern.

Das größte methodologische Hindernis ist zweifellos die Tatsache, daß die Begriffe „Mystik" und „mystische Theologie" von Autor zu Autor verschiedene Bedeutung haben. Die Vorfrage ist deshalb: Was ist Mystik, und mit welcher Gedankenstruktur vergleichen wir Luther?

1. Es ist zunächst naheliegend und vor kurzem auch wirklich vorgeschlagen worden, bei der Beantwortung dieser Frage folgendermaßen vorzugehen: „Was ist den genannten Mystikern gemeinsam, und wo findet sich dieses Gemeinsame bei Luther?"[6] Aus zwei Gründen können wir diese Lösung nicht übernehmen. Einmal ist dabei nicht garantiert, daß man über eine zu allgemeine Kennzeichnung der Mystik als purgatio, illuminatio, unio oder des Gegensatzes von scholastischer und mystischer Theologie als sapientia doctrinalis gegenüber sapientia experimentalis entscheidend hinausgelangt. Noch wichtiger ist, daß die Suche nach einem Generalnenner der Mystik bereits voraussetzt, daß man weiß, welche Autoren als Mystiker und somit als Gegenstand der Untersuchung zu gelten haben.

2. Eine andere Möglichkeit des Vorgehens wäre eine von der Dogmatik vorgegebene Lösung. Protestantische Theologen sind aber für unsere Zwecke nicht allzu hilfreich, weil sie in ihrer Beurteilung der Mystik vorwiegend die via negativa beschritten haben und den Christus pro nobis und extra nos eher als Alternativen des Christus in nobis betrachten.

Eine klarere Antwort erhält man aus römisch-katholischen Handbüchern und Enzyklopädien. In thomistisch orientierten Werken begegnet man häufig dem Namen des Philippus a Ss. Trinitate, einem bekannten Thomas-Interpreten, der durch seine erstmals 1656 in Lyon erschienene „Summa Theologiae Mysticae" berühmt wurde. Seine einflußreiche Definition lautet: „Theologia mystica coelestis est quaedam Dei notitia per unionem voluntatis Dei adhaerentis elicita vel lumine coelitus immisso producta."[7] Es gibt ein neueres gelehrtes Beispiel einer Anwendung dieser klassischen Formulierung auf einen dem unsrigen ähnlichen Gegenstand: Ephraim Hendrikx' inhaltsreiche Untersuchung „Augustins Verhältnis zur Mystik"[8].

Obwohl Hendrikx die zitierte Definition nicht ausdrücklich erwähnt, basiert er auf Philippus in der anschließenden Beschreibung der Stufen, die zur Mystik im strengen Sinne des Wortes führen. Wir referieren seine Skizze kurz, die wir nachher gebrauchen werden. Die erste Stufe ist Aszetik oder Mystik im allgemeinen Wortsinn. Sie beginnt mit mündlichem Gebet und Betrachtung, die als „das diskursive, das schlußfolgernde Denken" charakterisiert wird[9]. Nicht Erkenntnis als solche, sondern Liebe ist das Ziel, und je mehr Liebe hervorgebracht wird, desto mehr tritt ein irrationales, für die Liebe charakteristisches Element auf, so daß schließlich bei anhaltender Betrachtung eine intuitive Art

---

[6] Artur Rühl, Der Einfluß der Mystik auf Denken und Entwicklung des jungen Luther (Theol. Diss. Marburg), 1960 (Masch.), 6.

[7] Ebenso bei Thomas de Vallgornera OP, Mystica theologia divi Thomae, Barcelona 1662. Philippus und Thomas waren beide abhängig vom Kommentar des Johannes a S. Thomas († 1644) zu Thomas von Aquin, S. Th. I/II q. 67—70. Vgl. Les dons du Saint Esprit, trad. R. Maritain, Juvisy 1950².

[8] Ephraem Hendrikx O. E. S. A., Augustins Verhältnis zur Mystik (Theol. Diss. Würzburg), 1936 (im Auszug und mit Zustimmung des Autors stilistisch überarbeitet von C. Andresen in: Zum Augustin-Gespräch der Gegenwart, hrsg. von Carl Andresen, Darmstadt 1962, 271—346). [9] Ebd. 272.

die diskursive Weise des Denkens ersetzt und verdrängt. Vom daraus folgenden „affektiven Gebet geht, unter Voraussetzung der aktiven Reinigung sowie der inneren Sammlung, die Betrachtung mit Hilfe der Gnade Gottes in die erworbene Beschauung über"[10]. Der aus dieser Beschauung folgende Friede der Seele und das Kosten der göttlichen Wahrheit dürfen nicht mit eigentlicher Mystik verwechselt werden. Wichtig ist, daß „die erworbene Beschauung als Habitus mit Hilfe der gewöhnlichen Gnade für jede einzelne Seele zugänglich und als Akt vollkommen beherrschbar"[11] ist.

Erst hier beginnt die eigentliche via mystica, die ich nachher der Kürze halber als „Hochmystik" bezeichne, wenn die Seele völlig rezeptiv und passiv die göttlich eingegossene Beschauung erleidet, in der „geistigen Vermählung" umgewandelt und zuletzt ganz in Gott aufgenommen wird, so daß sie Gott selbst oder die heilige Trinität klar und deutlich schaut. In Anwendung dieser Definition auf Augustin meint Hendrikx, daß Augustin die Vollendung der Weisheit nur mit Hilfe der gewöhnlichen Gnade lehrt, die für die erworbene, nicht für die eingegossene Beschauung typisch ist; und er folgert: „im geschlossenen System der augustinischen Anschauungen gibt es keinen Platz für eine mystische Gotteserkenntnis im eigentlichen Sinn"[12].

Da die beiden Stufen der erworbenen und eingegossenen Beschauung, wie das Stufendenken überhaupt, Luthers Denken fremd sind, würde die Übernahme von Hendrikx' Definition das Ende dieses Vortrags bedeuten. Zudem schließt dieses scholastische — im Hinblick auf Augustin anachronistische — Verständnis von Mystik zusammen mit Augustin zahlreiche Theologen des Ostens und Westens aus dem Bereich der mystischen Theologie im eigentlichen Sinn aus, da es die im 13. Jahrhundert erfolgte Säkularisation der neuplatonischen und augustinischen Erkenntnistheorie voraussetzt.

---

[10] Ebd. 274. — L. G. Mack, The „Liber de contemplatione Dei" by Dominicus de Dominicis, 1416—1478, Rom 1959, 14. 16 f.: "Above all the humanity of Christ should be meditated upon, for man is more deeply impressed by visible objects ... As to the acquired contemplation, Domenichi seems to admit a contemplation, inferior to the infused, it is true, yet genuine contemplation, which can be reached by human efforts." — Es ist undenkbar, daß die höheren Stufen der Mystik in der thomistisch-mystischen Tradition dem Bemühen des Menschen unterworfen sein sollten. Marie Louise von Franz, Aurora consurgens. A Document attributed to Thomas Aquinas on the Problem of Opposites in Alchemy, New York 1966, 430 f. meint, daß dieser Kommentar die Umschreibung der letzten, in der Ekstase auf dem Totenbett gesprochenen Worte des Thomas sein könnte. Unter anderem legt jedoch die Identität der Seele mit Gott, die an einer Stelle sogar die unio von seiten des Menschen erwartet (363), die entgegengesetzte Schlußfolgerung nahe.

[11] Ebd. 275.

[12] Ebd. 346. — Es sei angemerkt, daß der allgemein anerkannte Erforscher mystischer Theologie Joseph Maréchal, Etudes sur la psychologie des Mystiques II, Brüssel 1937, 180 ff.; vgl. 250. 255, im selben Jahr wie Hendrikx für Augustin zu einem entgegengesetzten Ergebnis kam, natürlich auf Grund einer anderen Definition der Mystik. Ausgewogener ist das Urteil von Ernst Daßmann zu Ambrosius (Die Frömmigkeit des Kirchenvaters Ambrosius von Mailand, Münster 1965, 181): „Ein wie auch immer akzentuierter *moderner* Begriff von Mystik kann nun aber wiederum nicht als Maßstab an die Aussagen des Ambrosius gelegt werden."

3. Außer der phänomenologischen und dogmatischen Lösung gibt es noch eine dritte Möglichkeit zur Beantwortung unserer Frage, nämlich die historisch-genetische Betrachtungsweise. Ebenfalls 1936 hat Erich Vogelsang in einem bedeutenden Beitrag nicht mehr mit dem allgemeinen und meist vagen Begriff der Mystik operiert, sondern nach einer Aufzählung der Luther (angeblich) bekannten mystischen Autoren — Dionysius Areopagita, Hugo und Richard von St. Viktor, Bernhard, Bonaventura, Gerson, Birgitta von Schweden, Tauler, der „Frankfurter" — zwischen „areopagitischer Mystik", „romanischer Mystik" und „deutscher Mystik" unterschieden. Durch diese differenzierte Sicht der Mystik konnte Vogelsang eine verfeinerte Antwort auf unsere Frage geben: (1) Von 1516 an spricht Luther ein deutliches Nein zur areopagitischen Mystik, die in ihrer Spekulation den inkarnierten und gekreuzigten Christus außer acht läßt[13]. (2) An der romanischen Mystik lobt er ihre Betonung des irdischen Christus und ihre Wertung der Mystik als Erfahrung, nicht als Lehre; dagegen lehnt er ihre Außerachtlassung der geistlichen Anfechtung ebenso ab wie ihre erotische Brautmystik und ihr Ziel einer mystisch-ekstatischen Einigung mit dem ungeschaffenen Wort[14]. (3) Ein enthusiastisches Ja kommt in Luthers Beurteilung der „deutschen Mystik" zum Ausdruck; denn hier fand er über die Vorzüge der romanischen Mystik hinaus ein für das christliche Leben charakteristisches geistliches Verständnis des Fegefeuers als „Nahezu-Verzweiflung" (prope desperatio) und die Vorstellung von der resignatio ad infernum[15], beides in seiner Muttersprache und repräsentativ für eine fast vergessene, unterdrückte lautere deutsche theologische Tradition.

II. Die Sic et Non-Dimension

1. Weil Vogelsang hier Begriffe und Vorstellungen verwendet, die in der Lutherforschung bis heute gängig und einflußreich geblieben sind, ist es zweckmäßig, einige Fundamentalfragen aufzuwerfen, die uns, wie ich glaube, in medias res führen.

---

[13] Luther und die Mystik (LuJ 19, 1937, 32—54), 35. Vogelsang war nicht der erste, der hier weiterführte; er anerkennt die Verdienste von Hermann Hering, Die Mystik Luthers, Leipzig 1879. Vgl. auch W. Köhler, Luther und die Kirchengeschichte I, Erlangen 1900, 368, der von „areopagitischer und germanisch-bernhardinischer Mystik" spricht.

[14] A.a.O. 40 f. In seinem Aufsatz „Die unio mystica bei Luther" (ARG 35, 1938, 63—80) klärt Vogelsang seine Ausführungen insofern, als er jetzt ausdrücklich das Ja und das Nein auf die Braut- und Unionsmystik anwendet; vgl. bes. den Hinweis (70 Anm. 4) auf Luthers Betonung des Glaubens als copula. Vgl. ferner Friedrich Th. Ruhland, Luther und die Brautmystik nach Luthers Schrifttum bis 1521, Gießen 1938, 54 ff. 142 f. Vogelsang konnte 1937 noch schreiben, daß Luther Tauler den Vorzug vor Bernhard gab, weil u. a. die Brautmystik „bei Tauler ganz zurücktrat" (42). Vgl. jedoch Ruhland, a.a.O. 59 ff. und Vogelsang, 1938, 78 ff.

[15] Zur geistlichen Natur der Anfechtungen und zur resignatio ad infernum bei Gerson vgl. Walter Dreß, Die Theologie Gersons. Eine Untersuchung zur Verbindung von Nominalismus und Mystik im Spätmittelalter, Gütersloh 1931, 167. 180 ff.

Die mittelalterliche Verwendung von Autoritäten bedeutet nur selten die völlige Anerkennung eines früheren Theologen als solchen; sie ist eher der Versuch, sich in der Diskussion über eine bestimmte Frage Rückendeckung zu verschaffen, während man in anderem Zusammenhang durchaus offene Kritik üben kann. Die Verwendung Augustins bei Thomas, Bernhards von Clairvaux bei Gerson und Gregors von Rimini bei Eck sind drei bekannte Beispiele aus dem Bereich der spekulativen und affektiven Theologie. Dieselbe Sic et Non-Haltung läßt sich im Hinblick auf Luthers Stellung gegenüber vielen Theologen vor ihm, einschließlich Augustin, Bernhard, Thomas und Scotus, reichlich belegen [16].

Es ist daher unangemessen, auf Grund von ein oder zwei positiven oder negativen Verweisungen eindeutige Verbindungs- oder Abhängigkeitslinien zu ziehen. Wenn Luther einen mittelalterlichen Lehrer anführt oder lobt, dessen Gedanken in anderer Hinsicht seiner eigenen Theologie völlig fremd sind, so hat man oft gemeint, Luther habe ihn „mißverstanden" oder sei — wie man es manchmal freundlicher ausdrückt — einem „produktiven Mißverständnis" erlegen. Sammelt man derartige Urteile aus einem weiten Umkreis von Lutherstudien, so kann man nur schließen, daß Luther außerordentlich naiv und unwissend gewesen sei!

Im Falle des Pseudo-Dionysius besitzen wir die sehr positive Äußerung von 1514 über die Vollkommenheit der via negativa: „Daher findet sich bei Dionysius so oft das Wort ‚hyper‘, weil man über alles Denken hinaus in das bloße Dunkel eintreten soll" [17], wobei das Wort „Dunkel" doppeldeutig ist, wie wir

---

[16] Für Augustin vgl. WA Tr. 1; 140,5; Cl. 8; 45,36 (Nr. 347); vgl. WA 54; 186,16. Für Bernhard bes. WA Tr. 3; 295,6 (Nr. 3370 b). Für Thomas: WA Tr. 1; 135,12 (Nr. 329). Für Scotus: WA Tr. 3; 564, 3; Cl. 8; 150, 4 (Nr. 3722).

[17] Schol. zu Ps. 64 (65), 2 (WA 3; 372, 13—27; Anfang 1514): „Secundo secundum extaticam et negativam theologiam: qua deus inexpressibiliter et pre stupore et admiratione maiestatis eius silendo laudatur, ita ut iam non solum omne verbum minus, sed et omnem cogitatum inferiorem esse laude eius sentiat. Hec est vera Cabala, que rarissima est. Namque sicut affirmativa de deo via est imperfecta, tam intelligendo quam loquendo: ita negativa est perfectissima. Unde in Dionysio frequens verbum est ‚Hyper‘, quia super omnem cogitatum oportet simpliciter in caliginem intrare. Attamen literam huius psalmi non puto de hac anagogia loqui. Unde nimis temerarii sunt nostri theologi, qui tam audacter de Divinis disputant et asserunt. Nam ut dixi, affirmativa theologia est sicut lac ad vinum respectu negative. Et hec in disputatione et multiloquio tractari non potest, sed in summo mentis ocio et silentio, velut in raptu et extasi. Et hec facit verum theologum. Sed non coronat ullum ulla universitas, nisi solus spiritus sanctus. Et qui hanc viderit, videt quam nihil sciat omnis affirmativa theologia. Sed hec plura forte quam modestia patitur." — Martin Elze hat darauf hingewiesen, daß man diese Stelle nicht als positive Bezugnahme auf Dionysius verstehen dürfe; vgl. seinen wichtigen Aufsatz „Züge spätmittelalterlicher Frömmigkeit in Luthers Theologie" (ZThK 62, 1965, 381—402), 395 Anm. 51. In dem „attamen"-Satz sagt Luther in der Tat, der Text dürfe hier wohl nicht im anagogischen Sinne verstanden werden. Der Satz „Nam ut dixi ..." jedoch nötigt dazu, das „unde nimis temerarii sunt nostri theologi" als Bezugnahme auf das „hyper" des Dionysius zu verstehen. — Vgl. auch Schol. Ps. 17 (18), 12 (WA 3; 124,29—39; Cl. 5; 94,14—25): „*Latibulum dei est tenebre:* primo quia in fidei enygmate et caligine habitat. Secundo Quia habitat lucem inaccessibilem, ita quod nullus intellectus ad eum pertingere potest, nisi suo lumine omisso, altiore levatus fuerit. Ideo b. Dionysius docet ingredi in tenebras anagogicas et per negationes ascendere. Quia sic est deus

unten zeigen werden. Luther meint hier nur einen Aspekt der Theologie des Dionysius [18], wie er in der Disputatio contra scholasticam theologiam von 1517 in der 50. These formuliert wird: „Der ganze Aristoteles verhält sich zur Theologie wie der Schatten zum Licht" [19] und wie er durch die m. E. früheste diesbezügliche Äußerung von 1509/10 umschrieben wird: „Theologie ist Himmel, ja sogar das Reich der Himmel; der Mensch dagegen ist Erde, und seine Gedanken sind Rauch ..." [20]. Luther billigt das „hyper"-Element, aber damit noch nicht das anagogische facere quod in se est des Menschen [20a], das Gottes Offenbarung in Christus hinter sich läßt.

Schon 1514 ist deutlich, daß „Dunkelheit" (tenebrae, umbra oder caligo) an der doppelten Bedeutung von abscondere und absconditus teilhat: Nicht nur extra fidem ist Gott in unseren Spekulationen verborgen, sondern gerade in fide leben die Gläubigen „in umbraculo", in Gottes schützender Obhut [21], als

---

absconditus et incomprehensibilis. Tercio potest intelligi mysterium Incarnationis. Quia in humanitate absconditus latet, que est tenebre eius, in quibus videri non potuit sed tantum audiri. Quarto Est Ecclesia vel b. virgo, quia in utraque latuit et latet in Ecclesia adhuc, que est obscura mundo, deo autem manifesta. Quinto Sacramentum Eucharistie, ubi est occultissimus. Unde et illud potest intelligi de incarnatione Christi."

[18] Bald darauf, etwa im Sommer 1514, betont Luther im Scholion zu Ps. 79 (80), 3 das „supra rationem" des Glaubens. Die Stelle zeigt, daß Luther mit „contemplativi" nicht die geistlich Privilegierten *unter* den Gläubigen, sondern die Glaubenden *als solche* meinen kann (WA 3; 607, 22—24): „Christi fides non potest esse nisi in iis, qui supra rationem contemplativi sint. Apparet enim, quando in eum creditur. Sed credere nequeunt, nisi filii Rachel, elevate mentis." Zur Bedeutung von „in eum credere" an Stelle von „eum credere" oder „eo credere" vgl. mein Buch: The Harvest of Medieval Theology, Cambridge/Mass. 1963, S. 229, 119; deutsche Ausgabe: Spätscholastik und Reformation, Zürich 1965, Bd. I, S. 215, 119. Der wichtigen Beobachtung von Bernhard Lohse (Mönchtum und Reformation. Luthers Auseinandersetzung mit dem Mönchsideal des Mittelalters, Göttingen 1963, 230 f.), daß „positiv ... die contemplatio letztlich mit dem Glauben identisch gesetzt" wird und daß Luther „zumindest der Sache nach die contemplatio mit dem Glauben gleichsetzt oder doch auf die entscheidende Bedeutung des Glaubens hinweist", stimme ich völlig zu. Sofern allerdings contemplatio = elevatio mentis = excessus mentis ist, ist Luthers Interpretation nicht schlechthin ohne Vorbild, vgl. Anm. 93. Die „contemplativi" sind aber in den Dictata meistens ein eigener Stand in der Kirche, oft mit den „doctores" verbunden; weitere Belege hierfür bei Joseph Vercruysse, Fidelis Populus. Een onderzoek van de ecclesiologie in Martin Luthers Dictata super Psalterium (1513—1515) (Diss. Gregoriana), Rom 1966 (Masch.), 176—182.

[19] WA 1; 226,26; Cl. 5; 324,8.

[20] WA 9; 65, 14—16; Cl. 5; 9, 29—31 (Randbemerkung zu Lombardus, Sent. I d. 12 c. 2). Zu Luthers Ablehnung des „facere quod in se est" hinsichtlich des Verhältnisses von Vernunft und Offenbarung vgl. meinen Aufsatz: Robert Holcot O. P. and the Beginnings of Luther's Theology (HThR 55, 1962, 317—342), 330 ff. — Zur sündigen Blindheit als „caligo" in den späteren Jahren vgl. den Kommentar zu Gen. 42: WA 44; 472, 38; 473, 42 (1535—1545).

[20a] Siehe auch später, Operationes in Psalmos, Ps. 5, 12 (WA 5; 176, 29—33): „Hunc ductum theologi mystici vocant, in tenebras ire, adscendere super ens, et non ens. Verum nescio, an se ipsos intelligant, si id actibus elicitis tribuunt, et non potius crucis, mortis infernique passione significari credunt. Crux sola est nostra theologia."

[21] Schol. zu Ps. 90 (91), 1 (etwa Anfang 1515; WA 4; 64, 24—65, 6; vgl. 65, 28—31): „Obsecro te per deum, cur addit ‚in adiutorio‘ seu ‚abscondito altissimi‘? Cur in ‚protectione‘ seu ‚umbraculo‘? An non suffecerat dicere ‚Qui in domino habitat‘: ‚Qui in deo coeli seu altissimo, in ipso commorabitur‘? Nisi quia sunt, immo quia futuros vidit superbos, Iudeos et hereticos: qui nude in deo se habitare presumerent atque ut dicitur immediate a deo dirigi velint, reiectis omnibus adiutoriis et protectionibus eius, in quibus dirigi ab eo deberent.

Freunde Gottes auf Erden. Vergleicht man damit eine Stelle bei einem so echten Pseudo-Dionysius-Schüler wie Dionysius dem Kartäuser († 1471), wo er über die Unio mystica mit Bezug auf die secretissimi filii Dei spricht, die sich in der Mitte zwischen den Seligen und den einfachen Gläubigen befinden, durch Liebe und Verzückung vom Ozean der Unendlichkeit Gottes verschlungen[22], so erkennt man ohne weiteres, daß es irreführend wäre, die Sic et Non-Atmosphäre dieser und anderer Seitenblicke zu übersehen, die Luther in seinen frühen Jahren auf den Areopagiten wirft[23]. Wenn Luther seit 1519/20 die „dionysi-

---

Singulares enim amici Dei esse volunt et speciali ab eo duci magisterio. Et ita cum sibiipsis umbraculum fecerint et sibi protectionem seu adiutorium elegerint, in quo a deo salvari velint, contemnunt omnia alia dei umbracula et protectiones. Et ideo iste psalmus a principio statim percuciens illorum stultitiam dicit: Si vultis habitare, si salvari: Ecce absconditum, Ecce umbraculum eius subite. Nolite velle immediate in deo habitare. Nolite abiicere protectionem eius. Quoniam hec vita non facie ad faciem est. Non in deo habitare potestis, sed in protectione eius, in umbraculo eius erit vobis mansio. Et in hanc sententiam omnia istius psalmi verba sonant, immo tota Scriptura prophetarum antiquorum." — Zu Ps. 121 (122), 3 wird ein anderer Aspekt dieses Themas berührt. Luther warnt: Sei vorsichtig mit der Idee der Teilhabe an Christus! In diesem Leben hat keiner der Heiligen, nicht einmal die perfectissimi, den ganzen Christus (WA 4; 401, 25—30): „... in hac vita (quod tam sepe dixi, ut me prope pudere debeat: nisi quod scio id quam infelicissime contemni hoc tempore a religiosis, qui id maxime debent curare) nunquam habet aliquis sanctorum totum Christum, sed quilibet partem eius, etiam perfectissimi. Unde et de Maria Magdalena (id est de contemplativis, qui sunt perfectissimi) dixit: Non totum optimum, sed ‚partem optimam elegit sibi‘ [Lk. 10, 42]." Die Bedeutung dieser Stelle ist erkannt bei L. Pinomaa, Die Heiligen in Luthers Frühtheologie (StTh 13, 1959, 1—47), 6 f., und bei B. Lohse, a.a.O. 230 Anm. 15, der die zweite Hälfte des Zitats bringt. Gerade die erste Hälfte aber zeigt, daß dies kein Neben-, sondern ein Hauptthema ist, das von Luther bewußt herausgestellt wird. Der Abschluß bei Luther, das bernhardinische „stare est regredi", lenkt zurück auf das „in hac vita": in diesem Leben bleiben activi *und* contemplativi viatores.

[22] Dionysius der Kartäuser, Enarratio in canticum canticorum Salomonis, in: D. Dionysii Cartusiani Enarrationes piae ac eruditae in quinque libros sapientiales (Coloniae 1533), Opera Omnia VII, Monstrolii 1898, 386 B—387 B: „Imo quanto ardentior (caritas) fuerit, tanti liberaliorem parit communicationem, et ecstasim facit: non sinens diligentem esse sui ipsius dumtaxat, sed transferens ac transformans diligentem in dilectum cum munificentissima utique suarum communione divitiarum. Sicque sponsus, cujus natura est caritas, et qui essentialiter amor est, carissimis suis per limpidissimam illustrationem ostendit se, et suas demonstrat eis divitias, prout in hac vita fieri potest: qui mox tam superserenissimi ac superdeliciosissimi amabilitate objecti, totaliter accenduntur, validissime attrahuntur, et in spiritu fervoris vehementissimi uniuntur eidem, et introducuntur ab ipso in suae infinitatis oceanum; sicque rapiuntur in divitias gloriae sponsi, et igne immensi liquefiunt amoris, ac defluunt a se ipsis, et in superdilectissimo obdormiunt sponso: quem quo clarius contemplantur, eo profundius ac intentius parvipendunt et aspernantur se ipsos. Hi mysticae unionem atque intuitum theologiae experientes, medio modo se habere censentur inter comprehensores ac viatores communes: quibus misericordissime datur gustare, quam dulcis sit Dominus, et experiri quam magna et infinitia sit multitudo dulcedinis ejus; quos sponsus abscondit in abscondito vultus sui a conturbatione et inquietudine hominum, et protegit eos in tabernaculo suo a contradictione linguarum. In quorum persona dixit Apostolus: ‚Nos autem revelata facie gloriam Domini speculantes, in eamdem imaginem transformamur a claritate in claritatem‘, tanquam a Domini Spiritu. Isti igitur sunt non solum amici interni, sed et secretissimi filii Dei et velut consiliarii ac secretarii Dei."

[23] Obwohl ich nicht glaube, daß Joh. Eck dem Areopagiten irgendwie entscheidend verpflichtet war, verweist er doch ganz selbstverständlich auf die via negativa des Dionysius als repräsentativ für die Tradition (Chrysopassus, Centuria IV, 44, Augsburg 1514): „Conse-

schen Spekulationen" angreift, so besteht kein Grund, dies auf eine Entwicklung oder gar auf einen Stimmungsumschwung zurückzuführen. Er verbindet vielmehr jetzt ausdrücklich den Namen des Dionysius mit einer theologischen Position, die niemals seine eigene gewesen war; vielleicht spielt dabei auch eine Rolle, daß seine frühesten Gegner den Areopagiten sofort ins Feld geführt hatten, um mit seiner Hilfe die Gültigkeit der päpstlichen Hierarchie zu verteidigen [24].

2. Wir wenden uns nun der romanischen Mystik zu und beginnen mit der Feststellung, daß es äußerst sinnvoll ist, eine besondere Gruppe von mittelalterlichen Autoren zwischen Bernhard und Gerson zu unterscheiden, die, anders als die eben mit der Erwähnung des Doctor Ecstaticus charakterisierte Tradition, nicht gewillt sind, das Verschlungenwerden des Glaubenden in die Tiefen der Gottheit in Betracht zu ziehen. Wie Etienne Gilson für Bernhard gezeigt hat, muß der Christ zwar im Prozeß der Liebeseinigung mit Gott sein Proprium verlieren, aber dieses Proprium ist nicht die Individualität des homo viator, sondern eher die Verzerrung seiner Imago unter dem Einfluß der Sünde [25].

Bernhard ist sich in seinem einflußreichen Werk „De diligendo Deo" sehr wohl der Schranken und Begrenzungen bewußt, denen die Verbindung des Menschen mit Gott auf Erden unterliegt. Er unterscheidet vier Arten von Liebe

---

quentia nota; et antecedens probatur, quoniam quicquid dicit imperfectionem, est removendum a deo iuxta Theoricam divi Dionysii et omnium Theologorum." — Vgl. WA Tr. 1; Nr. 257, zit. in Anm. 76.

[24] S. Eck, WA 2; 255,34—256,1 (1519), sowie Ambrosius Catharinus Politus († 1552), Apologia pro veritate ... adversus impia ac valde pestifera Martini Lutheri Dogmata (1520), ed. Josef Schweizer (CCath 27, 1956, 217, 18 f.): „Wie der große Theologe Dionysius sagt, ist die kirchliche Hierarchie der himmlischen so ähnlich wie nur möglich." Dieser Begriff von Kirche findet sich auch bei Sylvester Prierias, De potestate papae dialogus (1518), in: Valentin Ernst Loescher, Vollständige Reformations-Acta und Documenta Bd. II, Leipzig 1723, 14. — Zur Behauptung der Authentizität der Werke des Areopagiten als eines Paulusschülers durch Johannes Cochläus vgl. Martin Spahn, Johannes Cochläus, Berlin 1898 (Nieuwkoop 1964²), 234. Die Hochschätzung des Dionysius bei den Humanisten nördlich der Alpen am Beginn des 16. Jh.s bezeugt — außer den bekannten Darlegungen des Nikolaus von Kues und der Herausgebertätigkeit des Faber Stapulensis (vgl. dazu Eugene F. Rice, The Humanist Idea of Christian Antiquity: Lefèvre d'Étaples and his circle, Studies in the Renaissance IX [1962], 126—160; S. 134 f., 142) — ein Brief des Konrad Peutinger (Augsburg, 13. Juni 1513), wo Dionysius die Liste der griechischen und lateinischen Kirchenväter eröffnet (Briefwechsel des Beatus Rhenanus, ed. Adalbert Horawitz u. Karl Hartfelder, Leipzig 1886 [Hildesheim 1966²], 57 f.). In einem Brief vom 1. Dez. 1508 stellt Beatus Rhenanus den Areopagiten als Offenbarungszeugen sogar neben Paulus und Johannes (ebd. 18). Kurz vorher (10. Okt. 1508) hatte Rhenanus als die wichtigste Lektüre bezeichnet: „altissimam Dionysianae theologiae lectionem", „sublimem Cusani de sacris philosophiam", „Bonaventurae commentarios" (andere Theologen seien nicht lohnend!) und das Quincuplex Psalterium des Faber (ebd. 576 f.). In den späteren Briefen wird Dionysius nicht mehr erwähnt.

[25] La Théologie mystique de Saint Bernard, Paris 1947, 21. 138. 155. Diese Vernichtung des Proprium bedeutet reformatio: „transformamur cum conformamur" Cant. Cant. 62, 5; zit. bei Friedr. Ohly, Hohelied-Studien. Grundzüge einer Geschichte der Hoheliedauslegung des Abendlandes bis um 1200, Wiesbaden 1958, 152.

(se propter se, Deum propter se, Deum propter Deum, se propter Deum), von denen uns die ersten drei in der Terminologie des Spätmittelalters als amor sui, amor concupiscentiae und amor amicitiae bekannt sind, und gesteht dann, daß er nicht sicher sei, ob irgend jemand in diesem Leben den vierten Grad erreichen könne: „Für meine Person bekenne ich, daß es mir unmöglich zu sein scheint. Es wird aber ohne Zweifel geschehen, wenn der gute und getreue Knecht zu seines Herrn Freude eingeht, trunken vom Überfluß in Gottes Haus."[26]

3. Es ist sicher nicht zufällig und unberechtigt, daß Bernhard und Gerson in vielen Betrachtungen und Predigten des 15. Jahrhunderts die Hauptzeugen darstellen, die oft in einem Atem und austauschbar genannt werden. Ohne die Originalität von Gersons „Theologia mystica speculativa" leugnen zu wollen, ist doch zu beachten, daß Gerson gerade an gewissen Höhepunkten seines Werkes bei der Beschreibung der zahlreichen Interpretationen von Transformation und Union mit Gott auf Bernhards Schrift De diligendo Deo zurückgreift. In einer Predigt am 20. August 1402, dem Fest des Hl. Bernhard, nimmt er dessen Erbe für sich in Anspruch und preist den Doctor Mellifluus, indem er Bernhard in eigener Person sprechen läßt[27]. Hier beschreibt er die drei Stadien der contritio, meditatio und contemplatio als den Weg zu Frieden und Vereinigung mit Christus, mit dem üblichen Hinweis auf Gal. 2, 20: „so lebe nun nicht mehr ich, sondern Christus lebt in mir"[28]. Zwei Gesichtspunkte greift Gerson heraus, die auch der junge Luther später mit Bernhard verbindet: (1) „non progredi regredi est"[29], ferner (2) das hermeneutische Prinzip, daß man für eine rechte Interpretation die Empfindungen des Schriftstellers übernehmen

---

[26] De dilig. Deo 15, 39 (PL 182, 998 D): „... et sic gustato quam suavis est Dominus, transit ad tertium gradum, ut diligat Deum, non jam propter se, sed propter ipsum. Sane in hoc gradu diu statur: et nescio si a quoquam hominum quartus in hac vita perfecte apprehenditur, ut se scilicet diligat homo tantum propter Deum. Asserant hoc si qui experti sunt: mihi, fateor, impossibile videtur. Erit autem procul dubio, cum introductus fuerit servus bonus et fidelis in gaudium Domini sui [Mt. 25, 21], et inebriatus ab ubertate domus Dei [Ps. 35, 9]."

[27] Jean Gerson, Œuvres complètes V: L'Œuvre Oratoire, ed. P. Glorieux, Paris 1963, 326: „Avertite igitur paulisper mentem a me et ipsum Bernardum loqui putate, non me."

[28] Ebd. 329: „Primus locus est schola disciplinae et contritionis; alter schola sanctimoniae et meditationis; tertius est schola solitudinis intimae et contemplationis. In primo verus amorosus languet amore, dehinc moritur amore, demum tertio vivit amore, quoniam parturitio amoris fit cum dolore languido ob rixam passionum; dehinc post ejus parturitionem mortificatis passionibus moritur vetus homo, sicut in parturitione Benjamin Rachel; tertio tandem amor natus adolescit et crescit, et ex illo anima vivit cum Apostolo dicente: ,vivo ego, jam non ego', etc. [Gal. 2, 20]. In primo bellum, in secundo induciae, in tertio pax."

[29] Ebd. 335: „Dicetis praeterea fortassis amorem vos habere Dei quantum sufficit ad praeceptum. Vellem etiam vos habere quantum sufficit ad profectum, sufficit et perfectum; quoniam in via Dei non progredi regredi est; et magna plane jam imperfectio est et proprium servi pigri, nolle niti esse perfectum." Vgl. Luther, WA 9; 69, 36 f.; 107, 23. Siehe auch Schol. zu Ps. 4, 2 im Vatikanischen Fragment: Unbekannte Fragmente aus Luthers zweiter Psalmenvorlesung 1518, ed. Erich Vogelsang, Berlin 1940, 41. Bernhard Ep. 91, 3 (PL 182, 224).

muß („affectus induere scribentis")[30]. Der aufschlußreichste Hinweis auf die enge Verwandtschaft zwischen Gerson und Bernhard ist für mich die Tatsache, daß Gerson an der einen Stelle, an der er seine Hörer vor Bernhard warnt, auf ein pseudo-bernhardinisches Werk Bezug nimmt. Nicht ganz fünf Monate vor der erwähnten überschwenglichen Lobrede und völlig im Sinne der Sic et Non-Tradition äußert Gerson sein Mißfallen an einer allzu intimen und proleptischen Beschreibung der Liebeseinigung in Bernhards „Epistola ad fratres de monte Dei", die in Wirklichkeit von Wilhelm von St. Thierry stammt[31].

Bonaventura sollte m. E. keineswegs in einem Atem mit Bernhard und Gerson genannt werden. Gersons theologisches Programm läßt sich zwar als das Bestreben verstehen, in der Pariser theologischen Fakultät das Gleichgewicht von Geist und Herz wiederherzustellen, das eineinhalb Jahrhunderte zuvor für Bonaventuras Werk kennzeichnend gewesen war, und ebenso bedauert es Gerson, daß die Franziskaner seiner Zeit die große Tradition Bonaventuras preisgegeben haben[32]. Dennoch ist es fraglich, ob Bonaventura diese Bewunderung erwidert, der Kritik des Pariser Kanzlers an Ruysbroecks (eucharistischer) Transformationsmystik beigepflichtet oder Gersons Beharren auf der „conformitas voluntatis" als der Achse der mystischen Theologie sehr geschätzt hätte[33].

Ferner: Als Bonaventura seine eigene Typologie[34] in Übereinstimmung mit dem dreifachen geistlichen Schriftsinn entwickelte und zwischen doctores (fides), praedicatores (mores) und contemplativi (finis utriusque) unterschied, da rechnete er Bernhard zu den Predigern, nicht zu den contemplativi, zu denen für ihn Dionysius und Richard von St. Viktor gehören.

---

[30] Ebd. 334: „Atvero dicetis: nos certe ad studendum positi sumus, nos ad scripturas intelligendum; haec est nostra vocatio. Hoc non nego nec reprobo, fratres; nihilominus testimonium perhibeo vobis quale positum est in epistola mea ‚Ad fratres de Monte Dei' quod Scripturas Sacras nullus unquam plene intelliget qui non affectus scribentium induerit." Vgl. WA 3; 549, 27—37.

[31] Sermo „A Deo exivit", 23. März 1402 (ebd. 14): „Velim praeterea monuisse ut de hac materia caute legatur Bernardus, ad fratres de Monte Dei lib. ii." Vgl. PL 184, 337.

[32] Opera Omnia, ed. L. Du Pin, I, Antwerpen 1706, 91 D: „... nec admirare sufficio qualiter patres et fratres minores dimisso tanto doctore [Bonaventura] ... converterunt se ad nescio quos novellos ..."

[33] Vgl. mein Buch: Harvest of Medieval Theology, 338 f.; dt.: Spätscholastik und Reformation I, Zürich 1965, 315 f.

[34] Bonaventura, De reductione artium ad theologiam, cap. 5 (ed. Julian Kaup, München 1961, 246): „In omnibus enim sacrae Scripturae libris praeter litteralem sensum, quem exterius verba sonant, concipitur triplex sensus spiritualis, scilicet allegoricus, quo docemur, quid sit credendum de Divinitate et humanitate; moralis, quo docemur, quomodo vivendum sit; et anagogicus, quo docemur, qualiter est Deo adhaerendum. Unde tota sacra Scriptura haec tria docet, scilicet Christi aeternam generationem et incarnationem, vivendi ordinem et Dei et animae unionem. Primum respicit fidem, secundum mores, tertium finem utriusque. Circa primum insudare debet studium doctorum, circa secundum studium praedicatorum, circa tertium studium contemplativorum. Primum maxime docet Augustinus, secundum maxime docet Gregorius, tertium vero docet Dionysius — Anselmus sequitur Augustinum, Bernardus sequitur Gregorium, Richardus sequitur Dionysium, quia Anselmus in ratiocinatione, Bernardus in praedicatione, Richardus in contemplatione — Hugo vero omnia haec."

Während Hugo von St. Viktor[35] bei Bonaventura den Gipfel seiner Typologie darstellt, insofern er alle drei Ämter des Lehrers, Predigers und Kontemplativen umgreift, hat in einer parallelen Typologie bei Luthers späterem Gegner, Kaspar Schatzgeyer, Bonaventura den Platz von Hugo eingenommen. In seiner bisher kaum beachteten Schrift von 1501 „De perfecta et contemplativa vita"[36] unterscheidet Schatzgeyer — nach einem psychologischen statt einem exegetischen Schema — zwischen Lehrern, die besondere Gaben „in vi rationali" (Augustin, Ambrosius), „in vi irascibili" (Hieronymus) und „in vi concupiscibili" (Gregor d. Gr., Bernhard) haben. Während Hieronymus keine Nachfolger zu haben scheint, stehen Thomas, Alexander, Scotus und die späteren Kommentatoren des Lombarden in der Nachfolge des Augustin und Ambrosius. Bonaventura dagegen ragt hervor als geeigneter Führer für alle Ordensleute, weil er die charakteristischen Gaben der beiden Schulen von Augustin und Bernhard in sich vereinigt[37].

Diese Einstufung findet ein Echo in Luthers Wertung: Er kann Bernhard als den *Prediger* Christi vor Augustin stellen[38] und Bonaventura als „inter scholasticos *doctores* optimus" bezeichnen[39]. Genau dort, wo Bonaventura beide Schulen umgreift und die spekulative mit der affektiven Theologie kombiniert,

---

[35] Über das Verhältnis Hugos zu Pseudo-Dionysius s. Roger Baron, Etudes sur Hugues de Saint-Victor, Angers 1963. Baron, der Herausgeber von Hugos Kommentaren, betrachtet sie als späte Werke, ca. 1130—1140 (ebd. 88).

[36] Otfried Müller (Die Rechtfertigungslehre nominalistischer Reformationsgegner. Bartholomäus Arnoldi von Usingen O. E. S. A. und Kaspar Schatzgeyer O. F. M. über die Erbsünde, erste Rechtfertigung und Taufe, Breslau 1939) bringt einige Zitate aus diesem Werk, ohne aber dessen frühes Datum zu beachten (ebensowenig tut dies Heinrich Klomps, Freiheit und Gesetz bei dem Franziskanertheologen Kaspar Schatzgeyer, Münster 1959). Zusammen mit der ebenfalls vernachlässigten und recht bedeutsamen „Apologia status fratrum ordinis minorum de observantia" (1516) bildet es die Hauptquelle für unsere Kenntnis Schatzgeyers vor 1517 und erlaubt es im Vergleich mit dem „Scrutinium" und anderen späteren Werken, den Einfluß der causa Lutheri auf die Entwicklung von Schatzgeyers Denken zu ermessen. Die vorreformatorischen Schriften der Gegenreformatoren erfordern unsere besondere Aufmerksamkeit. Vgl. das Ergebnis bei Ernst Walter Zeeden, Aspekte der katholischen Frömmigkeit in Deutschland im 16. Jahrhundert (in: Reformata Reformanda. Festgabe für Hubert Jedin, hrsg. v. Erwin Iserloh und Konrad Repgen, II, Münster 1965, 1—18), 12: „Der Protestantismus hatte Augen, Herzen und Sinne auch der Katholiken geöffnet für das Wirken der Gnade."

[37] Kaspar Schatzgeyer, De perfecta atque contemplativa vita, Conventus Monachiensis 1501 (in: Opera Omnia, Ingolstadt 1543², fol. 318r—333v [im folgenden zit.: Schatzgeyer (1501)]; directio 20, fol. 325: „Alii afficiuntur ad speculabilia, alij ad practica, alij ad contemplativa, alij habundant in vi rationali, alij in concupiscibili, alij in irascibili. Que varietas etiam invenitur inter doctores ipsos. Nam S. Augustinus et Ambrosius habundant in vi rationali, S. Iheronimus in irascibili, S. Gregorius et Bernhardus in concupiscibili, moderniores doctores, utputa S. Thomas, Alexander de Hales, Scotus, et alij communiter super sententias scribentes, habundant in rationali et ad intellectum excolendum satagunt. Porro, S. Bonaventura tam in rationali quam concupiscibili habundat, propter quod doctrina eius non inconsone a religiosis est capessenda. Cum enim sint in scola Christi constituti, principalius studium adhibere debent ad excolendum affectum. Secundarium autem ad illuminandum intellectum, sive incumbat eis exercere actus hierarchicos sive non. Nullus namque salubrius et fructuosius aliis predicat, quam divino amore bene affectus et in moribus laudabiliter institutus."

[38] WA Tr. 1; 435, 32 f. (Nr. 872); WA Tr. 3; 295, 6—8 (Nr. 3370 b); WA 40, 3; 354, 17.

[39] WA Tr. 1; 330, 1 (Nr. 683).

31

bezeugt Luther abweichend von seinem franziskanischen Gegner: „er hett mich schir toll gemacht, weil ich die Einigung Gottes mit meiner Seele als eine Einigung des Intellektes und des Willens fühlen wollte."[40]

4. Von Luther her gesehen ist es nicht so eindeutig, daß Gerson eher zur romanischen Mystik statt mit Tauler und dem Frankfurter zur deutschen Mystik gehört. Wenn Luther bei Tauler eine geistliche Auffassung der Anfechtung begrüßt[41], so ist es eben dieser Aspekt von Gersons Schriften, der Luther zu den Aussagen führte: „Gerson ist der erste, der die eigentliche Sache der Theologie zu fassen bekommen hat; auch er hat viele Anfechtungen erfahren"[42]; und: „Gerson ist der einzige, der über die geistliche Anfechtung geschrieben hat."[43]

1516 bemerkt Luther ausdrücklich die anthropologische Parallele zwischen Gerson und Tauler[44], wobei er höchst bezeichnend deren Termini „apex mentis" und „syntheresis" (verstanden als höchster Teil der Seele) durch „fides" ersetzt[45]. Angesichts der etwas überschätzten Bedeutung, die dem Einfluß Tau-

---

[40] WA Tr. 1; 302, 30—34; Cl. 8; 80, 17—22 (Nr. 644): „Speculativa scientia theologorum est simpliciter vana. Bonaventuram ea de re legi, aber er hett mich schir toll gemacht, quod cupiebam sentire unionem Dei cum anima mea (de qua nugatur) unione intellectus et voluntatis. Sunt mere fanatici spiritus. Hoc autem est vera speculativa, que plus est practica: Crede in Christum et fac, quod debes." Vgl. WA 40, 3; 199, 32—35 (Ps. 126, 6; 1532/33, gedr. 1540): „... ad perfectionem conantur pervenire speculationibus istis unionis spiritualis, sicut ipsi vocant, sed sicut meo exemplo didici, frustra. Neque enim cum serio id agerem, ullum unquam gustum ex talibus speculationibus sensi."

[41] In den Dictata bricht Luther im Scholium zu Ps. 90 (91), 6 (WA 4; 69, 6—22; etwa Anfang 1515) bewußt mit der Tradition, indem er den Text nicht im Sinne von „tentationes corporales", sondern als „tentationes fidei" deutet.

[42] WA Tr. 2; 114, 1—3 (Nr. 1492); vgl. WA Tr. 5; 213, 16 (Nr. 5523).

[43] WA Tr. 1; 496, 7 (Nr. 979). Vogelsang spricht von „Gersons Sonderstellung" und verweist auf sein früheres Buch: Der angefochtene Christus bei Luther, Berlin 1932, 15 Anm. 56. Dennoch findet er bei Gerson dieselbe Nichtbeachtung des inkarnierten Christus wie bei Bernhard und Bonaventura, „wenn auch auf dem methodisch gestuften Umweg über den Menschgewordenen, Gekreuzigten" (LuJ 1937, 41 mit Anm. 1).

[44] WA 9; 99, 38—39; Cl. 5; 307, 22 (Randbemerkungen zu Tauler): „Vide Gerson in mystica theologia."

[45] WA 9; 103, 41; Cl. 5; 310, 27. Ich verfolge dieses Thema hier nicht weiter, da Steven E. Ozment eine eingehende Untersuchung über den Einfluß Gersons und Taulers auf die Anthropologie des jungen Luther als Ph. D.-Dissertation in Harvard vorbereitet. — Für die Zusammengehörigkeit von Thomas und Tauler gegenüber Luther, der Tauler „mißdeutet" hat, vgl. Heinrich Denifle, Luther und Luthertum I/1, Mainz 1904², 150 ff.; cf. A. M. Walz, Denifles Verdienst um die Taulerforschung (in: Johannes Tauler. Ein deutscher Mystiker. Gedenkschrift zum 600. Todestag, hrsg. von E. Filthaut O. P., 1961, 8—18), 16. — Einige Urteile von Protestanten über Luther und Mystik: Reinhold Seeberg, Die religiösen Grundgedanken des jungen Luther und ihr Verhältnis zu dem Ockamismus und der deutschen Mystik, Berlin 1931, 30: „Es handelt sich ihm [Luther] daher bei dem Glauben ... nicht um ein Gewordensein, sondern um ein Werden ... Anregungen liegen fraglos vor, aber keine Abhängigkeit ..."; Wilhelm Thimme, Die „Deutsche Theologie" und Luthers „Freiheit eines Christenmenschen" (ZThK NF 13, 1932, 193—222), 222: „Luther ist in religiöser Hinsicht ein durchaus unabhängiger origineller Geist ...; Hermann Hering, a.a.O. (s. Anm. 13) 27: „Als die Mystik evangelisch gegründet und gereinigt in Luthers Theologie wiedererstand, wiedererstand zwar nicht als selbständige Frömmigkeitslehre, aber doch in der lebensvollen Verbindung, die sie mit dem Geiste und der evangelischen Theologie des Reformators einging ..."

lers auf Luther manchmal beigelegt wird, sollte beachtet werden, daß diese Position Luthers bis zu einem Hinweis auf Gerson in der frühsten Schicht der Dictata zurückverfolgt werden kann, also mehr als zwei Jahre vor der Entdeckung Taulers liegt[46].

Wenn Vogelsang die verschiedene Einstufung Gersons und Taulers damit begründet, daß Gerson — wie Bernhard und Bonaventura — am mystischen Aufstieg *mit Hilfe* des inkarnierten Christus (per Christum) anstatt *zu* ihm (in Christum) festhält, so erinnern wir daran, daß Luther selber 1516 zu einer Predigt Taulers bemerkt, sie basiere auf der theologia mystica (weil sie nämlich von der geistlichen Geburt des verbum increatum spreche) im Gegensatz zur theologia propria, der es um die geistliche Geburt des verbum *incarnatum* zu tun sei[47]. Luther legt Wert auf die rechte Reihenfolge beider Arten von Theologie („prius Liam quam Rachel ducere oportet")[48], leugnet aber weder jetzt noch später die Möglichkeit oder Gültigkeit einer „Hochmystik" in dem angedeuteten Sinn, obwohl er sie als „difficile" oder „rarum" bezeichnet. Bei einem Verweis des späten Luther auf Gerson in einer sehr aufschlußreichen Auslegung von Gen. 19 aus dem Jahre 1538 sagt er zuerst, daß Schwenckfeld und die Seinen, wie einst die Mönche, ohne Rücksicht auf Christus über Gott spekulieren. Diesem gefährlichen Umgang mit dem Deus nudus stellt Luther die wahre vita speculativa gegenüber, die sich mit *Gottes potentia ordinata*,

---

[46] Schol. zu Ps. 26 (27), 9 (ca. Herbst 1513; WA 3; 151, 5—13): „Facies nostra est mens nostra, id est secundum Ioh. Gerson Anima per intellectum et affectum ad deum conversa [quod fit proprie per fidem veram. Unde secundum prophetam ‚facies Iudeorum redacte sunt in ollam‘ Iohel. 2. ‚Et facies omnium sicut nigredo ollae‘ Naum 2. quod de Christianis nomine tantum dictum]. Econtra dorsum nostrum est Anima per intellectum et affectum a deo aversa, quod fit per incredulitatem. Sic ergo facies nostra exquirit deum, quia non potest Deus queri nisi per intellectum et affectum ad eum conversos. Eodem modo et facies dei est agnitio eius et beneplacitum ad nos, Dorsum autem est indignatio et ignorantia nostri coram eo." Vgl. Gerson, De mystica theologia, a.a.O. (s. Anm. 1) 28, 42—29, 47; 34, 24—35, 31; vgl. 97, 35 f.

[47] WA 9; 98, 20—25; Cl. 5; 306, 28—307, 3: „Unde totus iste sermo procedit ex theologia mystica, quae est sapientia experimentalis et non doctrinalis. Quia nemo novit nisi qui accipit hoc negotium absconditum. Loquitur enim de nativitate spirituali verbi increati. Theologia autem propria de spirituali nativitate verbi incarnati habet unum necessarium et optimam partem."

[48] WA 9; 98, 34; Cl. 5; 307, 13. Eine Parallele dazu in einer Predigt, vielleicht vom 15. Aug. 1517 (WA 4; 650, 5—15; Cl. 5; 434, 19—30); nach Vogelsang 1520 — cf. ZKG 50 (1931), 132, 143: „Altera hereditas seu regnum est ipse Deus Christus secundum eandem divinitatem, quae sicut in seipsa est quietissima, suavissima, lucidissima, ita non possunt omnes qui ea vident, non quiescere, gaudere et clarere. Ex ipsa enim inspecta fluit et venit omnis quies, etiam in hac vita quandoque. Haec est pax, quae exuperat omnem sensum, nec est alia quies nisi ista. Hanc Maria vitam significat, alteram vero Martha: verum ad hanc nisi per primam venit nemo, licet nunc passim omnes velint prius quiescere quam moveri, prius gaudere quam pati, i. e. prius esse cum Deo quam cum Christo. Sed stat sententia: ‚Nemo venit ad patrem nisi per me‘. Iccirco sicut ex humanitate Christi fluit crux, ita ex divinitate pax: ex illa tristicia, ex hac gaudium: ex illa timor, ex hac securitas: ex illa mors, ex hac vita." — Der m. W. früheste Beleg bei Luther ist das „deinde" beim Übergang von der vita activa zur vita contemplativa im Schol. zu Ps. 52 (53), 7 (WA 3; 298, 31). Vgl. die fast hymnische Ausarbeitung im Schol. zu Ps. 113 (114), 9 (WA 4; 94, 40—95, 11), wo ein Eingriff in das „prius" bereits als gefährlich bezeichnet wird. — Vgl. die m. E. treffende Parallele zu diesem „prius" in: Ein Sendtbrief des Hochgeleerten Doctor Johann Geylers von Keisersperg

---

dem fleischgewordenen und gekreuzigten Sohn, befaßt[49]. Keinesfalls will Luther an dieser Stelle Gerson als geistigen Vater oder Verbündeten Schwenckfelds verurteilen.

Während oft die Ansicht vertreten wird, der junge Luther sei Mystiker gewesen, bis er im Treffen mit dem linken Flügel der Reformation die Gefahren der Mystik bemerkt habe[50], stellen wir fest, daß Luthers Hinweis auf Gerson

---

wylant gethon an die würdigen frawen zu den Reüweren zu Freiburg im Breiszgaw, darinn sie ermanend zu der waren Euangelischen geystlichheit (1499), s. l. et a., fol 3ᵃ⁻ᵇ, A iii (L. Dacheux, Die ältesten Schriften Geilers von Kaysersberg, Freiburg i. Br. 1882, 215 f.): „Es sey dann dz das weytzen körnlin in das erdtrich fall vnd faul werd, so bleibet es allein. Stirbt es aber, so bringt es vil frucht. Ein solcher todt, da der mensch jm selbs abstirbt vnd Gott lebt, da findet er sich inn Gott in seinem vrsprung; sunst will er sich inn jhm selbs behalten vnd jm nichts darausz er ist, wie kan er sich denn in ewigkeit inn der warheit jm etwas finden. Es ist ein schlecht ding (als mich dunckt), weder das wir es leyder von gantzer schlechte nit achten. Nit such dich, so findest du dich nitt, such dein gemach, dein zartheit, dein eer, dein lust, dein gefallen, aber allein gefallen Gott vnd seinem Göttlichen willen foren, das ist mit allem fleisz seinen gebotten gehorsam sein, in allen dingen sich fleisszen, auff das aller genawest leben nach dem gfallen Gottes, welches gefallen er vns geöffnet hat in seinen gebotten vnn räthen. Ich meyn, das sey es alles sammen, vnn der recht gewissz weg; wa der übersehen oder verachtet wirt, so halt ich dz alle andere geistlicheit, wie hoch sie gesetzt wirt, ein falsch vnd ein verfüren sey. Darumb lob ich nit die predigen zelesen oder übungen anzugreiffen von dem schauwenden leben vnnd zegohn den weg der hertzigungen oder solcher hoher andacht, *vor vnnd ehe* [!] man vndergangen ist, übung der tugenten." — Vgl. ein Jahrhundert vorher Geert Grootes Brief „Ad curatum Zwollensem" (1382), der seine Warnung eben mit der Autorität des Pseudo-Dionysius (cf. PG 3, 1018) begründet (Gerardi Magni Epistolae, ed. Willelmus Mulder SJ, Antwerpen 1933, 135): „Nichil est periculosius, quam predicare illa altissima et non docere viam ad illa, quia beatus Dyonisius in ‚Mistica‘ illa ‚Theologia‘, illa docens, iubet caveri et abscondi ab inpuris, et ianua heresis est, velle contemplari altissima Dei, sine purgacione precedente." Zu Groote vgl. K. L. C. M. de Beer, Studie over de Spiritualiteit van Geert Groote, Brüssel 1938, 84—187. Groote warnt vor der ernsten Gefahr einer mystischen Kontemplation ohne asketische Reinigung (ebd. 186 f. Während er Seuse lobt, äußert er sich besonders kritisch gegen Eckhart, zurückhaltend aber auch Ruysbroeck gegenüber). Bezeichnenderweise warnt Luther vor dem „festinari ad opera ... antequam credimus" (WA 57; 143,5 f.) (Hebr. 3,7; 1517).

[49] Vgl. WA 43; 72,9—14. 22—28 (zu Gen. 19,14): „Qui enim recte speculari volet, intueatur Baptismum suum; legat Biblia sua, audiat conciones, honoret patrem et matrem, fratri laboranti subveniat, non concludat se, ut sordidum monachorum et monacharum vulgus solet, in angulum, et delectetur ibi suis devotionibus, ac sic putet se in Dei sinu sedere, et commertium habere cum Deo sine Christo, sine verbo, sine Sacramentis etc. ... Vera vita speculativa est, audire et credere verbum vocale, ac nihil velle scire, ‚nisi Christum, eumque crucificum‘. Is solus cum verbo suo est obiectum speculationis utile et salutare, ab eo cave discedas, qui enim abiecta vel neglecta humanitate, seu carne Christi, de Deo, ut monachi solebant, et nunc Suenckfeldius et alii solent, speculantur, aut ad desperationem adiguntur, oppressi claritate Maiestatis, aut iubilant stulte, ac se in coelos positos somniant, decepti a Satana, talibus praestigiis animos ludentium."

[50] Ein vorsichtiges Urteil bei Joh. v. Walter, Mystik und Rechtfertigung beim jungen Luther, Gütersloh 1937, 21. Horst Quiring gibt eine auch von anderen Forschern vertretene Ansicht wieder, wenn er meint, Luthers (negative) Beziehung zur Mystik nach 1520 sei von der „Antithese zum Schwärmertum" bestimmt: „Man muß wieder zurück zu dem jungen Luther vor seinem Kampf mit den Schwärmern ..." (Luther und die Mystik [ZSTh 13, 1936, 150—174. 179—240], 234). Vgl. dagegen Karin Bornkamms (Luthers Auslegungen des Galaterbriefs von 1519 und 1531. Ein Vergleich, Berlin 1963, 98) aufschlußreiche Gegenüberstellung der Auslegungen Luthers von Gal. 2,20 („Vivo autem non iam ego, sed vivit in me Christus") in den Jahren 1519 und 1531. Die Innigkeit der unio zwischen Christus und dem

1538 im Grunde derselben Haltung entspringt wie 1516 in seinen Randbemerkungen zu Taulers Predigten. Echte Mystik wird nicht als fraglich oder unmöglich bezeichnet, aber als „*oft* sehr gefährlich und ein bloßer Trick des Teufels… Wer *sicher* sein will, sollte solche Spekulationen am besten überhaupt meiden …"[51] Auch in der letzten Phase seiner Entwicklung setzt also Luther Gerson nicht auf den Index; er ermahnt vielmehr seine Hörer, Gerson (und andere solche Autoren) zu lesen, allerdings — sic et non! — mit einer ähnlichen Einschränkung, wie sie Gerson gegenüber Bernhard vorgebracht hatte: man soll ihn „cum iudicio" lesen[52].

Man könnte natürlich meinen, Luther habe über die erwähnten frühen Einschränkungen („schwierig", „selten") hinaus später die Warnung „gefährlich" hinzugefügt. Aber ein warnender Ton begegnet implizit[53] schon in der Auslegung von Röm. 5, 2, die etwa aus derselben Zeit wie die Randbemerkungen zu Tauler stammt. Wie bei dem Beispiel von Lea und Rahel insistiert Luther auf der Priorität des accessus gegenüber dem raptus, der Rechtfertigung im Glauben durch das inkarnierte und gekreuzigte Wort gegenüber der Entrückung durch das ungeschaffene Wort. „Aber wer", so schließt Luther, „kommt sich

---

Glaubenden wird 1531 in fast noch stärkeren Ausdrücken beschrieben: „… multo arctiore vinculo quam masculus et femina" (WA 40, 1; 286, 1). — Trotz unserer Betonung einer Kontinuität leugnen wir nicht eine gewisse Fluktuation und auffallende Parallelen im Römerbrief- und besonders im Hebräerbriefkommentar. Vgl. J. P. Boendermaker (Luthers commentaar op de brief aan de Hebreeën, 1517—1518, Assen 1965, 119; vgl. 101), der zu dem Ergebnis kommt, daß Luther im Hebräerbriefkommentar damit beschäftigt sei, „die neuen Erkenntnisse in alten, größtenteils von der deutschen Mystik geprägten Begriffen auszudrücken". Wie wir zu zeigen versuchen, ist dies von Anfang an typisch für Luthers Bemühung um die *vera* vita contemplativa.

[51] WA 43; 73, 11—13. 21—23: „Illa autem unio animae et corporis, de qua Gerson magnifice disputat, saepe cum magno periculo est, et merum Sathanae ludibrium, qui tales devotiones in animis excitat. … Qui igitur securus in hac parte vult esse, fugiat tales speculationes, et magnifice sentiat de ministerio, per quod Deus nobiscum agit, et se quasi nobis conspiciendum praebet." Man beachte hier den Kontrast zwischen „magnifice disputat" und „magnifice sentiat", der jedoch durch die Kombination von „saepe" und „securus" gemildert ist, ebenso durch den Ausdruck *imperiti* in der folgenden Anmerkung.

[52] WA 43; 72, 31—73, 9: „Gerson quoque scripsit de vita speculativa, ac ornat eam magnis titulis, ac imperiti cum legunt talia, amplectuntur ea pro divinis oraculis, sed revera, Ut in Proverbio dicitur: Thesaurus carbones. Igitur seu externum, seu civilem te appellent vani speculatores isti, nihil te hic moveat, age tu Deo gratias pro verbo et externis istis, et relinque istas ampullosas speculationes aliis.

Ego legi tales libros cum magno studio, et vos quoque hortor, ut legatis: sed cum iudicio, nec nulla causa est, cur ego haec sic urgeam et inculcem, ut in ordinatam Dei potentiam et ministeria Dei intueamini: ‚nolumus enim agere cum Deo nudo, cuius viae sunt impervestigabiles, et abscondita iuditia‘, Romanos undecimo [11, 33].

Ordinatam potentiam, hoc est, filium incarnatum amplectemur, ‚in quo reconditi sunt omnes thesauri divinitatis‘. Ad puerum illum positum in gremio matris mariae, ad victimam illam pendentem in cruce nos conferemus, Ibi vere contemplabimur Deum, ibi in ipsum cor Dei introspiciemus, quod sit misericors, quod nolit mortem peccatoris: sed ut convertatur et vivat. Ex hac speculatione seu contemplatione nascitur vera pax, et verum gaudium cordis.

[53] Expliziter ist die Bemerkung zu Tauler (WA 9; 100, 28—30): „Quia periculosum est nobis sentimentum spiritus. Ex quo oriri solet superbia, securitas et accidia. Et recedit timor et fervor et humilitas." Vgl. Sermo, Aug. 1517 (?) (WA 4; 647, 19—25. 35—40; 648, 13—16):

selbst so rein vor, daß er sich ein solches Ziel zu setzen wagt, es sei denn, daß er von Gott selbst gerufen und entrückt wird mit dem Apostel Paulus (2.Kor. 12,2) ... Kurz, jene ‚Entrückung‘ (raptus) kann nicht ‚Zugang‘ (accessus) genannt werden."[54]

Der hier zu beobachtende Übergang von „rarum" zu „periculose" ist weniger unerwartet und wird verständlich, wenn man weiß, daß der Apostel Paulus im Prolog der wichtigsten nominalistischen Sentenzenkommentare auf Grund von 2.Kor.12 als Ausnahme von der Regel de potentia ordinata erscheint, wonach die viatores den beati gegenübergestellt werden, weil sie noch nicht Gott von Angesicht zu Angesicht schauen und daher ohne unmittelbare Gotteserkenntnis sind[55]. Luther verwendet zwar an der zitierten Stelle in seinem Genesiskommentar den für die nominalistische Theologie so charakteristischen Begriff der potentia ordinata Gottes, gibt ihm aber statt seiner ursprünglichen erkenntnistheoretischen Bedeutung eine soteriologische Zuspitzung: Die potentia ordinata ist hier nicht in erster Linie die durch den unerforschlichen, freien Willen Gottes

---

„Omnis ascensus ad cognitionem Dei est periculosus praeter eum qui est per humilitatem [lies: humanitatem] Christi, quia haec est scala Iacob, in qua ascendendum est. Nec est alia via ad patrem nisi per filium, Ioannis 14. Unde ait: ‚Nemo venit ad patrem nisi per me‘, et hoc per affectus secundum illud Apostoli Rho. 1. ‚Invisibilia Dei per ea quae facta sunt, intellecta conspiciuntur‘. Alius est per mysteria scripturae, sed uterque quid foecit? scilicet aut superbos aut desperatos. ... Et merito haec illis eveniunt, quia cum Deus nostri misertus et infirmitati nostrae seipsum temperaverit, ut ad nos homo veniret divinitatem abscondens ac per hoc omnem terrorem auferens, solem urentem nube tegens, quid iustius, quam quod hanc scalam deserentes suisque gradibus turrim in coelum aedificantes, tandem dispersi fiant Babylonii, confusi in omnibus suis viis? ... Non ergo alium neque alibi Deum quaeremus quam hunc, quia etsi in omnibus sit Deus, in nullo tamen est corporaliter et tam praesens ut in humanitate, nec eius praesentia est comprehensibilis alibi."

[54] WA 56; 299,17—300,8: „Secundo Contra eos, qui nimium securi Incedunt per Christum, non per fidem, quasi sic per Christum saluandi sint, Vt ipsi nihil operentur, Nihil exhibeant de fide. Hii nimiam habent fidem, immo nullam. Quare Utrunque fieri oportet: ‚per fidem‘, ‚per Christum‘, Vt in fide Christi omnia, que possumus, faciamus atque patiamur. Et tamen iis omnibus seruos inutiles nos agnoscamus, per Christum solum sufficientes nos confidamus ad accessum Dei. Omnibus enim operibus fidei id agitur. Vt Christo et Iustitia eius refugio ac protectione digni efficiamur. ‚Iustificati ergo ex fide‘ et remissis peccatis ‚accessum habemus et pacem‘, Sed ‚per Ihesum Christum Dominum nostrum‘. Hinc etiam tanguntur ii, Qui secundum mysticam theologiam in tenebras interiores nituntur omissis imaginibus passionis Christi, Ipsum Verbum increatum audire et contemplari volentes, Sed nondum prius Iustificatis et purgatis occulis cordis per verbum incarnatum. Verbum enim Incarnatum ad puritatem primo cordis est necessarium, qua habita tunc demum per ipsum rapi in verbum increatum per Anagogen. Sed quis tam esse mundus sibi videtur, vt ad hoc audeat aspirare, Nisi vocetur et rapiatur a Deo cum Apostolo Paulo Et ‚assumatur cum Petro, Iacobo et Iohanne, fratre eius‘? Denique raptus ille non ‚accessus‘ vocatur." Dieser Abschnitt fehlt in der Nachschrift, WA 57; 168,18—22. Der wesentliche Gedanke kommt aber hier zum Ausdruck in der Priorität der iustitia vor der pax: „Et notandum, quod hanc pacem Apostolus describit non nisi precedente iusticia posse haberi ..." (ebd. 167,17 f.; vgl. WA 56; 298,1 f.). Auf Grund von Luthers Kontrast zwischen raptus und accessus schließt Otto Scheel: „So verliert die mystische Theologie ihre Bedeutung für die Praxis des religiösen Lebens ..." (Taulers Mystik und Luthers reformatorische Entdeckung [in: Festgabe für Julius Kaftan, Tübingen 1920, 298—318], 318).

[55] Vgl. mein Harvest of Medieval Theology, 41; dt. Ausg. S. 48. Zur Debatte zwischen Ockham, d'Ailly und Biel vgl. Altenstaig s. v. „Viator", fol. 263rb—264va.

festgesetzte Ordnung, die ebensogut auch anders hätte ausfallen können, sondern ist eindeutig die Ordnung der Erlösung in Jesus Christus, die Gott in seiner Barmherzigkeit als Zuflucht des gefährdeten Sünders eingesetzt hat. Erinnern wir uns an die ziemlich sicher in die ersten Monate des Jahres 1515 zu datierende Stelle in den Dictata, wo gegen solche, die eine unmittelbare Verbindung mit Gott erstreben, der für das irdische Leben notwendige Schutz, das umbraculum, betont wird[56], so müssen wir, trotz Luthers Begegnung mit Tauler und den Schwärmern, durch diese ganze Spanne von Jahren hindurch (1515 bis 1538) eine grundlegende Kontinuität zugeben.

Tatsache aber bleibt, daß Tauler offenbar als einziger von allen Autoritäten Luthers von der Sic et Non-Regel ausgenommen ist. Und das ist nicht — wie bei Wessel Gansfort[57], Pupper von Goch[58] oder dem Autor der Schrift „Beatus vir"[59] — auf eine vorübergehende Begeisterung und ein anschließendes Verschwinden aus dem Blick Luthers zurückzuführen. Bernd Moeller hat für die Jahre 1515—1544 eine Liste von 26 Verweisungen auf Tauler zusammengestellt[60], die sämtlich positiv sind. Wir glauben, daß Tauler — und der Frankfurter[61] — für Luther u.a. deshalb höchst bedeutsam war und blieb, weil er dem werdenden Reformator zeigte, wie man den mystischen Affekt bewahren

---

[56] WA 4; 64,24—65,6; zit. in Anm. 21.

[57] Vgl. das Vorwort zu Gansforts Epistolae, WA 10,2; 316f. (1522); ebd. 317,3.

[58] Vgl. WA 10,2; 329f. (1522). R. R. Post, der Kenner der Devotio moderna, hat kürzlich in einer Untersuchung von Leben und Werken Puppers († 1475) bestätigt, daß er ein typisch spätmittelalterlicher Theologe ist: Johann Pupper van Goch (NAKG 47, 1965/66, 71—97), 93.

[59] Luther erklärt (WA 56; 313,13—16; Cl. 5; 252,23—26), er habe bei niemandem eine bessere (d. h. nicht-philosophische) Behandlung der Erbsünde gefunden als bei Gerhard Groote (d. h. Gerhard Zerbolt van Zütphen) in dessen „Beatus vir", d. h. „De spiritualibus ascensionibus". Vgl. dort in der Ausgabe Köln 1539, cap. 3: „Siquidem ratio ipsa caeca facta, erronea et obtusa, falsa pro veris recipit ... Voluntas facta est curva, saepe deteriora eligit ... Breviter ex amissione originalis iustitiae omnes affectiones pronae sunt in malum ab adolescentia, imo a conceptione sua." — J. van Rooij (Gerhard Zerbolt van Zütphen, Nimwegen 1936, 254) hält Luthers Lob für eine Mißdeutung, weil Zerbolt keine „protestantische" Lehre von einer totalen Verderbtheit des Menschen vertrete. — Typisch nicht nur für Zerbolt, sondern auch für einen weiteren Kreis der Frömmigkeitsliteratur jener Zeit ist der Akzent auf der via purgativa *in Richtung auf* einen Zustand mystischer Spekulation oder Union statt auf diesem letzten Zustand *selbst;* vgl. ebd. cap. 3: „Sed in pristinum statum rectitudinis nequaquam nos restituit [Christus], nec vires animae reformavit, sed ad nostrum exercitium et meritum nobis eas reliquit per sancta exercitia reformandas." Ebd. cap. 27: „Pro quibus ascensionibus disponendis scire debes, quod Christus Jesus, Deus et homo, Dei et hominum mediator, ipse est via per quam ad divinitatis notitiam simul et amorem debes ascendere. Tertius ascensus est iam per humanitatem Christi ad spiritualem affectum assurgere, etiam ipsum Deum per speculum in aenigmate mentalibus oculis intueri et sic ex humanitate ad notitiam et amorem divinitatis pervenire ... donec ascendamus ad Dei essentialem visionem." Ebd. cap. 26: „Quamvis hic status perfectionis, nisi Dei speciali gratia, a nemine acquiritur, gratia tamen dormientibus, negligentibus et non cooperantibus non datur."

[60] Tauler und Luther (in: La Mystique Rhénane, Paris 1963, 157—168), 158 Anm. 3.

[61] Vorwort zur ersten, unvollständigen Ausgabe der Theologia Deutsch, 1516 (WA 1; 153): „... ist die matery fasst nach der art des erleuchten doctors Tauleri, prediger ordens." Henri Strohl (Luther, Paris 1962, 191) weist darauf hin, daß Tauler vergleichsweise mehr thomistisch (dominikanisch), die Theologia Deutsch mehr skotistisch ist.

konnte trotz des Bruches mit den synergistischen Elementen in der contemplatio acquisita und den spekulativen Elementen in der contemplatio infusa. Ja, es fragt sich, ob nicht eben dieser mystische Affekt mit seiner von der Tradition der Hochmystik vorgegebenen Nähe zum Sola-Denken es Luther ermöglicht hat, diesen doppelten Bruch zu vollziehen bzw. theologisch zu formulieren.

Indessen ist wichtig, daß wir uns von der Vorstellung freimachen, Luther habe alle die von Vogelsang aufgezählten sogenannten „mystischen Autoren" wirklich als *mystische* Autoren gelesen. Gegen eine solche Annahme spricht einmal mehr allgemein die Demokratisierung der Mystik [62] in der spätmittelalterlichen Frömmigkeitsliteratur: Was man etwa von Bernhard von Clairvaux oder Hugo von St. Viktor bewahrte und festhielt, ist vielfach nicht ihre Mystik, sondern ihre Frömmigkeit [63]. Zwar bleibt ein Spielraum für die „Aristokraten des Geistes", aber die traditionelle mystische Terminologie ist der Beschreibung des christlichen Lebens des gewöhnlichen Frommen angepaßt [64]. Via moderna und Devotio moderna sind beide stärker an der theologia affectiva als an der theologia speculativa, an der Aszetik als an der Mystik, an der contemplatio acquisita als an der contemplatio infusa interessiert [65].

Ferner und mehr im Blick auf Tauler: Eben die Tatsache, daß Luther eine einzelne Predigt als in der mystischen Theologie gründend bezeichnet [66], macht uns darauf aufmerksam, daß Luther offensichtlich nicht annimmt, dies müsse immer so sein. Und es ist ein weiterer kühner Schritt, Tauler — und ebenso die von Luther im gleichen Zusammenhang erwähnte „Theologia deutsch" [67] — zu

---

[62] Vgl. Harvest of Medieval Theology, 341 ff.; dt. Ausg. S. 301 ff.

[63] Vgl. den wichtigen Aufsatz von M. Elze (s. Anm. 17), bes. 391 ff. Vgl. Jean Chatillon, La devotio dans la langue chrétienne (Dic. de Spiritualité, ascétique et mystique III, Paris 1957, 705—716), 714: „Les réformateurs flamands veulent rétablir la sainteté et l'austérité de la vie religieuse ... l'on mettra désormais l'accent sur la prière ou oraison du cœur et de l'esprit, plus apte à exciter la ferveur que la prière vocale ou même que la prière liturgique."

[64] Francis Vandenbroucke (La spiritualité du Moyen Age, Paris 1961, 533) meint, diese Epoche sei gekennzeichnet durch „le divorce entre théologie et mystique". Es ist wahr, die affektive, gegen die Debatten „in scholis" meist kritische Theologie nahm damals einen allgemeinen Aufschwung. Versteht man Theologie im rein akademischen Sinne, so ist Vandenbrouckes Schluß im großen und ganzen begründet. Indessen muß die spätmittelalterliche affektive Theologie mit ihrer häufigen Verwendung mystischer Terminologie wohl eher als Verhütung einer solchen Scheidung betrachtet werden. Dieser Aufschwung der affektiven Theologie und die von mir so genannte Demokratisierung der Mystik sind zwei Seiten derselben Sache.

[65] Über das Verhältnis von Observanten-Bewegung und Devotio moderna beabsichtige ich, mich demnächst an anderer Stelle ausführlich zu äußern.

[66] WA 9; 98,20; Cl. 5; 306,28: „Unde totus iste sermo procedit ex theologia mystica ..."

[67] Zur Charakterisierung auf der Titelseite der zweiten (ersten vollständigen) Ausgabe der Theologia Deutsch (1518; WA 1; 376, A): „... das ist Eyn edles Buchleyn, von rechtem vorstand, was Adam vnd Christus sey, vnd wie Adam yn vns sterben, vnd Christus ersteen sall"; vgl. die Auslegung von Ps. 51,3 in: Die sieben Bußpsalmen, 1517 (WA 1; 186,25—29): „Nu ists mit vnsz alszo, das Adam ausz musz vnd Christus eyn geen, Adam zu nichte werden und Christus allein regiren und seynn, derhalben ist waschens und reynigens kein ende yn disser

einer ganzen Kategorie sogenannter „deutscher Mystik" zu rechnen, zumal wenn dies, wie meist wirklich, auch etwa Meister Eckhart einschließen sollte, der ja allem Anschein nach nicht in Luthers Blickfeld getreten ist. Trotz einer gewissen Nähe von Eckhart und Tauler gibt es beachtliche Verschiedenheiten zwischen beiden, die man gerade von Luther her unmöglich übersehen kann[68]. Die Quintessenz jedenfalls, die Luther der „Theologia deutsch" entnimmt, ist sicherlich nicht mystisch: „... der Mensch soll auf nichts anderes als allein auf Jesus Christus vertrauen, nicht auf seine Gebete, Verdienste oder Werke. Denn nicht durch unser Bemühen werden wir gerettet, sondern durch Gottes Er-

---

tzeit. dann Adam, der unsz angeborn ist, macht auch unser guten werck, die wir thun yn dem anhebende und zunehmen zu sunden und zu nicht, wen got nit an sehe die angefangen gnade und waschen." — Vgl. Eine Deutsche Theologie, cap. 42, übertr. von Joseph Bernhart, München o. J., 229: „Denn es [das natürliche Licht] will nicht Christus sein, sondern es will Gott sein in seiner Ewigkeit. Und das darum: Christus und sein Leben ist aller Natur widrig und schwer, darum will die Natur nicht daran. Aber Gott sein in seiner Ewigkeit und nicht Mensch, oder Christus sein wie er war nach seiner Auferstehung, das ist alles leicht, lustvoll und gemachsam für die Natur."

[68] Käte Grunewald, Studien zu Johannes Taulers Frömmigkeit, Berlin 1930, 41: „Statt einer Schaumystik also eine in diesem neuen Sinne wirklich voluntaristische Mystik." Wir leugnen natürlich nicht die Parallelen zwischen Eckhart und Luther; es geht daher nicht um bloße „Verbindungslinien", wie Rühl meint, a.a.O. (s. Anm. 6) 91: „Wer die Mystik ihrem eigentlichen Wesen nach nicht verstanden hat, würde — wie es in der Lutherforschung weitgehend der Fall ist — hier keinerlei Verbindungslinien zwischen Luther und Eckhart zu (sic!) sehen, der Kundige aber wird beide Lösungen entstanden sehen auf der Grundlage derselben mystischen Denkform des Gedankenkreises, weil die Verbindungslinien Luthers zu den Mystikern sehr viel tiefer liegen, als man allgemein annimmt. Was Luther von der Mystik grundlegend scheidet, ist, wie bereits erwähnt, seine Anthropologie, das bedarf keines Beweises, denn den Hang zum Guten in der Seele des Menschen kann Luther der Mystik nicht glauben. Daraus resultieren letztlich die Verschiedenheiten der Lösungen bei Luther und der Mystik."

Wenn Rühl berechtigt ist, die „Denkform" als *das* Unterscheidungsmerkmal zwischen Scholastik und Mystik zu bezeichnen — den Kreis, „der von einem Begriff ausgeht, andere anschließt und wieder zum Ausgangsbegriff zurückkehrt (38) und so die essentielle Einheit von diametral entgegengesetzten Konzeptionen enthüllt (45) —, so müßte die Frage gestellt werden, ob eine Minimalinterpretation dieser „Denkform" nicht für jede affektive Theologie zutrifft und daher für „Hochmystik" im angedeuteten Sinne des Wortes nicht weiter typisch ist; sofern eine Interpretation beabsichtigt ist, die „Hochmystik" einschließt, beruht die „Denkform" auf einem „Denkinhalt", der einen so durchgehenden Monismus voraussetzt, daß alle Gegensätze nur dem Anschein nach solche sind.

Die Wendung „Hang zum Guten" ist zu unklar und zieht die verschiedenen Anthropologien Eckharts und Taulers nicht in Betracht; vgl. Grunewald, a.a.O. 8: „Für Eckhart wird ja alles, was er über den Grund der Seele zu sagen hat, letztlich immer ein Hymnus auf das Gottsein der Seele im tiefsten Wesen. Eine so intensive Überzeugung von der Immanenz Gottes in der Seele und von der Identität beider in mystischer unio hat Tauler nicht."

Drittens besteht ein entscheidender Unterschied zwischen Eckhart und Luther in der Schöpfungslehre. Während Schöpfung für Eckhart Entfremdung bedeutet (vgl. Harvest of Medieval Theology, 326; dt. S. 303 f.), ist sie für Luther „gnad und wohltat": „Ehe ein mensch lernet 1. verbum in Mose, scilicet: Deus creavit coelum et terram, so ist er tod; und wenn er 1000 iar lebte, so wurde ers doch nicht auslernen. Aber dieses Creators und seins geschöppfs hat man so gar vergessen, das Gott auch seinen son must senden in die Welt, das er die welt erinnert und anzeig des Vaters gnad und wolthat in creatione et missione filii etc." (Tagebuch über Dr. Martin Luther, geführt von Dr. Conrad Cordatus 1537, ed. H. Wrampelmayer, Halle 1885, 1559).

barmen."[69] Wie die Schlußworte der Vorrede von 1518 zu „Eyn deutsch Theologia" zeigen, betrachtet Luther diese Schrift als typisch für eine „deutsche Theologie", nicht aber für eine „deutsche Mystik": „szo werden wyr finden, das die Deutschen Theologen an zweyffell die beszten Theologen seyn, Amen."[70]

III. Amplexus: mors et infernus[71]

Wir haben bisher das Problem erörtert, das sich daraus ergab, daß man Luther zu einer Zustimmung oder Ablehnung gegenüber Richtungen der mystischen Theologie drängte, die sich ihm gar nicht als solche darstellten. Während wir uns aber noch scheinbar im Bereich dieser methodologischen Erörterungen befanden, sind wir doch über die formalen Erwägungen schon hinausgelangt. Für unsere Frage ist es die einzig sinnvolle und erfolgversprechende Methode, Luthers Verwendung und Wertung von allgemein anerkannten, zentralen Begriffen und Bildern der mystischen Theologie zu erforschen und darzustellen. Die Frage einer angemessenen Definition von mystischer Theologie dagegen und einer Klassifizierung ihrer einzelnen Schulen lassen wir daher — zumindest vorläufig — unberücksichtigt.

Auf Grund unserer bisherigen Überlegungen kommen wir zu folgenden vorläufigen Folgerungen:

1. Bis jetzt besteht kein Grund für die Annahme, Luther habe mystische Theologie überhaupt verworfen[72]. Er wendet sich vielmehr gegen die Gefahren der von uns so genannten „Hochmystik".

2. Das erste Kennzeichen dieser Art von Mystik ist für Luther die „unio animae et corporis". Meines Wissens ist dies keine damals gängige Formulierung. Altenstaig gibt in seinem „Vocabularius theologie" eine Definition von „beatitudo", die sowohl Seele als auch Leib umfaßt[73]. Vielleicht spielt Luther auf diese Form der ewigen Seligkeit an, um den proleptischen Charakter dieser „Hochmystik" als einer theologia gloriae zu entlarven. Der Kontext seiner Bemerkungen deutet freilich eher darauf hin, daß er an eine psychosomatische

---

[69] WA Br. 1; 160,10—12; Cl. 6; 10,15—18: „... ne homines in aliud quicquam confidant quam in solum Ihesum Christum, non in orationes et merita vel opera sua. Quia non currentibus nobis, sed miserente Deo salvi erimus."

[70] WA 1; 379,11 f.

[71] WA 5; 165,23.

[72] Vgl. die Besprechung von Luthers Verwendung des Gedankens der Brautmystik in meinem Aufsatz: „Iustitia Dei" and „Iustitia Christi". Luther and the Scholastic Doctrines of Justification (HThR 59, 1966, 1—26), 25 f. Zum Vorkommen der Wendung „du bist min, ich bin din" bei deutschen mystischen Autoren s. das Register bei Grete Lüers, Die Sprache der deutschen Mystik des Mittelalters im Werke der Mechthild von Magdeburg, München 1926, 309 f. Über den Gebrauch der Wendung „minnende Seele" vgl. Romuald Banz, Christus und die minnende Seele. Zwei spätmittelhochdeutsche mystische Gedichte, Breslau 1908, 119.

[73] „Illa autem unio animae et corporis ..." (WA 43; 73,11, zit. in Anm. 51). — Altenstaig, s. v. „beatitudo", fol. 25ra: „Beatitudo est duplex (ut scriptis reliquit Richardus di. XLIX ar. V q. 2 li. IV), scilicet anime et corporis." S. v. „unio" (fol. 269va) heißt es zwar: „unio quedam est corporalis, quedam spiritualis", aber die mystische Erfahrung wird nur in bezug auf die letztere diskutiert.

Erfahrung denkt, bei der die Sinne des Menschen das Objekt der Spekulation erfahren [74], eben die Vereinigung der Seele mit Christus [75].

Luthers Haltung erklärt sich nicht daraus, daß er die Idee einer Vereinigung als solche ablehnt oder meint, geistige Gegebenheiten könnten nicht erfahren werden. Er ist im Gegenteil der Meinung, daß sie zwar nicht immer formuliert, aber erfahren und ohne Erfahrung gar nicht mitgeteilt werden können. Worauf es ankommt, ist vielmehr, daß echte theologia negativa eine Theologie des Kreuzes ist und die ihr entsprechende Erfahrung das Rufen und Klagen der Seele, die „gemitus inenarrabiles" (Röm. 8, 26) [76]. Wir werden darüber noch besonders sprechen müssen.

---

[74] Bonaventura, Itinerarium mentis in Deum, IV, 3 (ed. Julian Kaup, München 1961, 112—114): „Dum caritate complectitur Verbum incarnatum, ut suscipiens ab ipso delectationem et ut transiens in illud per exstaticum amorem, recuperat gustum et tactum. Quibus sensibus recuperatis, dum sponsum suum videt et audit, odoratur, gustat et amplexatur, decantare potest tanquam sponsa Canticum canticorum, quod factum fuit ad exercitium contemplationis secundum hunc quartum gradum, quem nemo capit, nisi qui accipit (Apc. 2, 17), quia magis est in experientia affectuali quam in consideratione rationali. In hoc namque gradu, reparatis sensibus interioribus ad sentiendum summe pulcrum, audiendum summe harmonicum, odorandum summe odoriferum, degustandum summe suave, apprehendendum summe delectabile, disponitur anima ad mentales excessus, scilicet per devotionem, admirationem et exsultationem, secundum illas tres exclamationes, quae fiunt in Canticis canticorum. Quarum prima fit per abundantiam devotionis, per quam fit anima sicut virgula fumi ex aromatibus myrrhae et thuris: secunda per excellentiam admirationis, per quam fit anima sicut aurora, luna et sol, secundum processum illuminationum suspendentium animam ad admirandum sponsum consideratum; tertia per superabundantiam exsultationis, per quam fit anima suavissimae delectationis deliciis affluens, innixa totaliter super dilectum suum (Cant. 3, 6; 6, 9; 8, 5)."

[75] Die handschriftliche Version (1532/33) des später (1540) gedruckten und oben in Anm. 40 zitierten Textes lautet (WA 40, 3; 199, 5—10): „Christiana vita non est hypocritarum; speculantur nescio quas uniones cum sponso Christo. Non sensi istos gustus, quos ipsi fingunt. Anima sponsa et Christus sponsus confluunt etc. Sed fabulae sunt." Die Fortsetzung heißt: „Est hypocrisis illa; Christiana vita est hec: ante omnia apprehendere verbum; hec unio cum deo, illud quotidianum exerceri et augeri, quia diabolus, mundus, caro veniet et tentabit." Dieser letzte Absatz lautet im Druck etwas glatter: „Haec est vera et practica unio nostra cum Deo, in qua unione quotidie crescendum est propter carnem, mundum et Satanam quotidie tentantem ... Ideo crux est medium, quo Deus nos exerceri, non absorberi vult, ut quotidie magis ac magis purificemur."

[76] Enarratio Ps. 90, 7 (1534/35, gedr. 1541; WA 40, 3; 542, 27—31; 543, 8—13): „Ad hunc modum sunt quidem istae cogitationes blasphemiae horribiles, et tamen sunt bonae, si modo eas gubernes et iis bene utaris. Includunt enim istos ‚gemitus inenarrabiles', qui ‚penetrant nubes' et divinam Maiestatem quasi cogunt ad ignoscendum et salvandum. Sentiri haec possunt, sicut reliqua spiritualia, dici non possunt nec sine experientia disci. Quare merito ridetur Dionysius, qui scripsit de Theologia Negativa et Affirmativa. Postea definit Theologiam affirmativam esse: Deus est ens, Negativam esse: Deus est non ens. Nos autem, si vere volumus Theologiam negativam definire, statuemus eam esse sanctam Crucem et tentationes, in quibus Deus quidem non cernitur, et tamen adest ille gemitus, de quo iam dixi." Eine ähnliche Feststellung kommt in WA Tr. 1; 108, 1—11 (Nr. 257; 1532) vor, wo sie gegen Eck als Anhänger Platos gerichtet ist: „Plato disputat de Deo in dialogo de ente, quod Deus sit nihil et quod sit omnia. Hunc secutus est Eccius. Hinc theologi dixerunt definitionem affirmativam esse incompartam, negativam autem esse absolutam. Hoc nemo intelligebat. Sed sic dicendum erat et potest intelligi: Deus est incomprehensibilis et invisibilis, et quidquid comprehenditur et videtur, non est Deus. Hoc est alio modo sic dicere: Est duplex Deus, visibilis et invisibilis. Visibilis est per verbum et opus; ubi autem non est verbum aut opus, da

3. Das zweite Kennzeichen der von Luther verworfenen Mystik ist es, an Jesus Christus vorbei im Deus nudus zum Ziel kommen zu wollen. In seiner Auslegung zu Röm. 5, 2 hatte Luther die doppelte Bedingung „per fidem" und „per Christum" hervorgehoben[77]. Die Forderung „per Christum" allein konnte noch — und wurde meist wirklich — als notwendige Vorbereitung auf die unio und contemplatio verstanden werden, da sie grundsätzlich die frühere, jetzt überschrittene Stufe des Glaubens voraussetzte. Vor allem die Meditation der Passion Christi als Grundlage aller Verdienste wurde als das beste Mittel zur Erzeugung einer intensiven Devotion empfohlen[78].

---

sol man yhn nit hallten. Ipsi voluerunt per speculationes apprehendere Deum, haben das verbum lassen ligen. Sed ego moneo, das das speculirn lasse anstehen, vnd wolt gern, das man die regel nach meinem leben hiellte."

[77] Vgl. das Zitat in Anm. 54.

[78] Schatzgeyer (1501), 329b, Dir. 32: „Non parvum spiritualis profectus adminiculum, imo magnum, est meditatio, et praecipue passionis Christi domini nostri, et ut plurimum ingerens devotionem maiorem, et internam afferens consolationem, quam quaecunque alia. Nec mirum, fundamentum enim est quoddam passio Christi omnium meritorum nostrorum, quae per meritum passionis Christi a Deo patre acceptantur." Vgl. Johannes Geiler von Kaisersberg, Der Bilger mit seinen Eygenschaften (vollendet 1494), Augsburg 1498, fol. 11 (L. Dacheux, Die ältesten Schriften Geilers von Kaysersberg, Freiburg i. Br. 1882, 247): „Wann es wirt oft ainen mönschen die gancz welt czu eng, das es so vil anvechtung hat vnnd ynnerlichs gedrengs, denn bedarfst du woll des schindell hucz [Pelzmantel]; wann dise hicz kompt, so gang hin czu Christo, gehangen an den creücz, vnnd hat kein hilf gehept, wann er sprach ‚mein got, warumb hast du mich verlassen'. Vnn da nim ab die schinen czu disam hut vnd gedenck wie Christus jhesus des so gedultigklich gelitten hat . . ." — Vgl. Jane Dempsey Douglass, Justification in Late Medieval Preaching, Leiden 1966, 180 ff. In diesem Zusammenhang verweisen wir auf Gersons „Ars bene vivendi", die „apud Augustinianos" 1513 in Wittenberg bei Luthers Verleger Johannes Grunenberg erschien. Es ist kaum vorstellbar, daß Luther diese Ausgabe nicht gekannt haben sollte; sie vermehrt daher die Liste der Werke Gersons, die Luther wahrscheinlich gelesen hat: „Ars bene vivendi recteque moriendi Ioannis Gersonis, auspiciis Nicolai Viridimontani editum. Impressum Wittemburgii per Ioannem Gronenbergium, anno 1513, Apud Augustinianos." Widmungsgedichte von Magister Otto Beckmann Wartbergius und Richardus Sbrulius Foroiuleius. Otto Beckmann († 1556) war der Mittelsmann, durch den Luther am 4. Sept. 1517 seine Disputatio contra scholasticam theologiam an Joh. Lang nach Erfurt sandte; vgl. WA Br. 1; Nr. 45, sowie N. Müller, Die Wittenberger Bewegung 1521 und 1522 (ARG 7, 1909/10, 195—208); zu Sbrulius ebd. 197. Nikolaus Fabri von Grünberg († 1515) war Stadtpfarrer (Konventor) in Wittenberg und Dr. theol. (Foerstemann, Liber Decanorum Fac. Theol. 9, 17 ff.); vgl. Müller, ARG 7, 1909/10, 356 f.
In seiner Vorrede gibt Nikolaus von Grünberg als Grund für die Veröffentlichung an (fol. a iir-v): „. . . veram vivendi rationem haberent et spectatam Christianissimis quibusque tantopere necessam philosophiam, quam Plato ille philosophorum deus mortis meditationem esse non indocte percensuit. . . . munusculum . . . si corticem exteriorem dumtaxat spectet, sed si medullam (ut tute quam optime nosti) interiorem introspexeris, preciosum et doctissimo viro dignum iudicabis."
Zur imitatio Christi mit dem Ton auf „patienter" vgl. II, 1 (b iiv): Auf dem Totenbett „. . . gratias pro his et aliis innumeris donis nunc eidem refer, ad suam infinitam misericordiam confugiens et de commissis a te criminibus veniam humiliter poscens . . . penam ferre meruisti. Unde et huius infirmitates et mortis penas pacienter tollerare debes . . . Quod si, sic corde contrito paciens, penam necessariam tanquam voluntariam feres, et omnem penam et culpam remittet deus, certusque paradisum introibis . . . Plena fide te deo committe et ei, qui omnipotens, bonus et sapiens est, te et tua et tuorum regenda prebe."

In einer Abhandlung Schatzgeyers, die Luther zeitlich nahesteht (1501) und jenen Geist mönchischer Spiritualität atmet, der später Luthers Zorn erregte, wird Christus in keiner Weise herabgesetzt: das „pro nobis" — in der innigen Sprache dieser Schrift als „pro te" formuliert — begründet die enge Verbindung zwischen Christus und dem Glaubenden[79]. Schatzgeyer betont, daß „es nur *einen* Weg zum Himmel gibt: durch das Kreuz Christi". Dies erweckt dann allerdings die Liebe und führt zur köstlichen Umarmung Christi[80]. Der wahre Christ wendet sich von der Bitterkeit dieses Tränentals zur glanzvollen Schönheit Christi. Gegen dieses Verständnis von „per Christum (et caritatem)" stellt Luther das seinige in den steten Kontext des Glaubens (per fidem)[81]. Für Luther bedeutet die Umarmung Christi nicht lieblichen Genuß, sondern Tod und Hölle[82]: „Gott will [durch das Kreuz], daß wir nicht hingerissen, sondern er-

---

[79] Schatzgeyer (1501), 325b, Dir. 21: „Porro totalitas illa cordis accipienda est proposito, non qualiscumque, sed fortis, fervens et intensus motus cordis in Deum, et quanto purior, sincerior et ardentior fuerit, tanto perfectior erit. Igitur, amator perfectionis, quere omnis perfectionis consummatorem et consummationem: Iesum. Quere, inquam, pro te vagientem in matris gremio. Quaere te docentem in templo. Quaere pro te pendentem in patibulo. Quere regnantem et te expectantem in supercelesti throno, ubi tibi succurrat desiderabilis, quem aliquando inventum studiosissime in cordis tui ergastulo reclude, nec ultra paciaris eum abire."

[80] Schatzgeyer (1501), 329, Dir. 29: „Igitur si respirare desideras in libertatem filiorum Dei, abijce carnis voluptates, contemne mundi vanitates, fuge diaboli versutias et falsitates, amplectere Christi crucem brachijs internae devotionis et supernae affectionis. Absque ambiguitate scias non aliam esse ad patriam viam, quam per crucem Christi. Ipse enim dominus Iesus ait: ‚Ego sum ostium, per me si quis introierit salvabitur'. Et alibi inquit discipulis: ‚oportuit pati Christum et ita intrare in gloriam suam'. Errant ergo omnes aliam viam quam crucem ad coelestia quaerentes. Erexerunt olim philosophi scalam, per quam ad coelos conscenderent, sed solum nonam speram, primum scilicet mobile attigit. Ad coelum autem empirreum non porrexit, unde brevitate sua defecit, propter quod ad ima prolapsi sunt. Construxerunt post eos haeretici etiam sibi scalam, ex sacra scriptura sibi gradus fabricantes, sed quia putridis usi sunt lignis, ipsius ruinosa compage in abyssum deiecti perierunt. Ad ascensiones itaque in cordibus nostris disponendas, in valle lachrimarum quinque spiritualibus sensibus utendum est. Converte ergo, o anima, quae ascensiones paras, converte sensus cordis tui in pulcherrimum, sonorosissmum, suavissimum, redolentissimum, et amorosissimum obiectum, Iesum, videlicet, Christum, verbum increatum, incarnatum et inspiratum. Contemplare eius pulchritudinem, quia splendor est patris et figura substantiae eius. Audi vocem dilecti in corde pulsantis et dicentis: Aperi mihi, soror, mea sponsa. Gusta et vide, quoniam suavis est. Redoleat tibi suavissimus odor eius. Odor enim filii dei est sicut odor agri pleni, cui benedixit Deus pater. Astringe ipsum, amoris brachiis tene, nec eum dimittas, donec ipsum in cubiculum cordis tui introducas. Ad hunc omnes vires erigas, ad eius mansionem celicam omnibus conatibus anhelas. In dextera enim Dei patris sedens, tuum prestolatur adventum, ut aliquando post ipsum ascendens, cum ipso regnes in saecula saeculorum, amen." Zu den beiden letzten Sätzen vgl. Luthers Kritik an den Schwärmern, zit. in Anm. 88.

[81] Vgl. als Kontrast Dionysius den Kartäuser, Opera VII, 301 D—302 A: „Sicque introduxit me in sanctuarium suum, in amplitudinem divinarum illuminationum; et per eminentem gradum doni sapientiae, fecit me quasi secretariam et consiliariam suam rex meus et Deus meus. Insuper, *Introduxit me in cellaria sua*, ad contemplandas mansiones coelestes ac gaudia civium supernorum, ut sciam non solum per fidem, sed etiam per praelibationem suavem, per experientiam certam, per revelationem supernaturalem, quae sit spes vocationis nostrae."

[82] Operationes in psalmos, Ps. 5,2 (1519/20; WA 5; 165,21—23): „Sicut et filii patrem carnis dulcius amant post virgam, qua verberati sunt, Ita carni contraria voluptate sponsus sponsam suam afficit Christus, Nempe post amplexus. Amplexus vero ipsi mors et infernus sunt."

probt werden."[83] *Der Christ wendet sich nicht von der Bitterkeit dieser Welt ab, sondern wird gerade in diesem Tränental mit dem Kreuz Christi identifiziert*[84].

4. An dieser Stelle könnte man überlegen, ob die Frage nach Luthers Verhältnis zur Mystik nicht schon beantwortet ist. Wenn nämlich die contemplatio acquisita ausgeschlossen ist, weil sie eine Mitwirkung des Menschen mit der Gnade voraussetzt[85], und die contemplatio infusa als theologia gloriae entlarvt ist[86], so scheint kein Spielraum übrigzubleiben. Aber der Gegensatz von accessus und raptus ist nicht das letzte Wort: Während Luther einerseits den raptus verwirft, gibt es andererseits beachtliche Anzeichen dafür, daß der accessus einige Züge übernimmt, die sonst den raptus charakterisieren. Obwohl amplexus und unio nicht sinnenhaft erfahren werden können und der gemitus weiterhin den Ruf des Menschen nach der vollen Offenbarung Gottes (Röm. 8,26) bestimmt[87], werden doch amplexus und unio nicht ausgeschlossen, sondern vom Glauben ergriffen. Wie der Große Galater-Kommentar zeigt, hat die Auseinandersetzung mit dem linken Flügel der Reformation Luther nicht dazu gezwungen, mit seiner angeblich mystischen Vergangenheit zu brechen. Erstaunlicherweise kritisiert er die Schwärmer nicht wegen zu großer Radikalität, sondern wirft ihnen vor, sie seien nicht radikal genug. Sie unterscheiden den Glauben im Herzen und Christus im Himmel, wohingegen doch gerade beides unmittelbar miteinander verflochten ist. Über diese Identifikation Christi und

---

[83] Vgl. Anm. 75. Als Parallele und Kontrast in einem vgl. die Betonung des exercitium bei Zerbolt in Anm. 59.

[84] Zu Hebr. 2,14 (1517; WA 57,3; 129,20—25): „Et psal. 22.: ‚Si ambulem in valle i. e. in medio umbre mortis, non timebo mala, quoniam tu mecum es.' Sicut enim Christus per unionem immortalis divinitatis moriendo mortem superavit, ita Christianus per unionem immortalis Christi (que fit per fidem in illum) eciam moriendo mortem superat ac sic Deus diabolum per ipsummet diabolum destruit et alieno opere suum perficit."

[85] WA Br. 1; 160.

[86] Vgl. die Auslegung zu Hebr. 9,5 (WA 57,3; 201,15—202,6): „Sic psal. 17 [,11]: ‚Ascendit et volavit super pennas ventorum' id est contemplationes spirituum. Quod nomen satis indicat. ‚Cherubin' enim interpraetantur ‚plenitudinem scientiae'. Ideo et hic dicit ‚Cherubin gloriae', subindicans, quod alia sit sapientia Christi gloriosi et alia Christi crucifixi. Quia per hanc deprimitur caro, per illam elevatur spiritus. Porro in contemplacione gloriae Christi maxime omnium necessaria est prudentia spiritus, ne unius ‚faciem' secuti et alterius relinquentes in diversum rapiamur errorem. Quod accidere solet his, qui Scripturae repugnantias in Christo conciliare negligunt [et] in unam tantummodo partem feruntur. Exempli gratia: de Christo dicitur, quod sit rex omnium gloriosissimus. Hanc faciem Cherubin ita sequuntur Iudei, ut a Christo crucifixo longissime recedant, non attendentes alteram faciem Cherubin, ubi dicitur Esaiae 53.: ‚Non est ei species neque decor.' Et sic de aliis contradictoriis seu contrariis in Christo propter humanitatem et divinitatem concordantibus." Vgl. die früheste Auslegung von Ps. 17,11 in WA 3; 114,15; 124,16 ff. Zu den beiden Theologien (sapientia Christi gloriosi, sapientia Christi crucifixi) vgl. WA 39,1; 389,10 ff.

[87] Wie wir zu zeigen hoffen, ist dieser „gemitus" eng mit der „syntheresis" verwandt. Zu Luthers Beurteilung und Verwendung des Begriffs syntheresis s. Emanuel Hirsch, Lutherstudien I, Gütersloh 1954, 109—128. Ohne „gemitus" und „syntheresis" miteinander in Verbindung zu bringen, stellt M. A. H. Stomps (Die Anthropologie Martin Luthers. Eine philosophische Untersuchung, Frankfurt a. M. 1935, bes. 14 ff.) eine Reihe von Zitaten unter dem Gesichtspunkt „expectatio" zusammen, der für Luthers *theologische* Anthropologie in der Tat zentral ist.

des Christen sagt Luther knapp: „Es gehet nicht speculative sed realiter zu." [88]
Es ist für uns sehr aufschlußreich, daß dies „realiter" vier Jahre später —
Luthers Sinn sicher treffend — im Druck erläutert wird: Christus wirke „realiter" in uns, d. h. „praesentissime et efficacissime".

In einem Schlußabschnitt wollen wir nun noch Luthers Verwendung der typisch mystischen Terminologie in einigen Paragraphen untersuchen. Nur Luthers eigene ausdrückliche Erklärung über mystische Theologen und ihre Theologie zu sammeln, würde sich als eine illegitime Abkürzung erweisen. Hier wie in anderen Bereichen von Luthers Theologie müssen wir einen scheinbar wenig aufregenden und zumindest unauffälligen Weg beschreiten: geduldiges Vergleichen mit der Tradition, vor allem der Frömmigkeitstradition unmittelbar vor Luther.

Wir halten fest, daß Luthers ‚raptus‘ (1) als Zentralbegriff der Hochmystik, die den Menschen über den Glauben hinaus erheben will, und (2) als das Ziel und das Maß des christlichen Lebens, nach dem es beurteilt werden kann, radikal verwirft. Er ist beibehalten (1) als eine Grenzmöglichkeit und (2) als eine Gabe Gottes, die vom Menschen leicht mißverstanden und mißbraucht wird.

Weit interessanter ist der Gebrauch dieses Begriffes aber dort, wo Luther ‚raptus‘ und seine verwandten Worte aus ihrem ursprünglichen hochmystischen Kontext heraushebt und zur Beschreibung des Wesens des Glaubens verwendet.

IV. Der mystische Kontext: Grundbegriffe

1. Exegetische Mystik. Wenn man etwa Altenstaigs „Vocabularius theologie", der im Jahre des Thesenanschlags erschien, für das zeitgenössische Verständnis von mystischen termini technici wie „excessus", „extasis" oder „raptus" zu Rate zieht, so bemerkt man, daß der Artikel über „extasis" aus zwei Autoritäten geschöpft ist: Hauptzeuge ist natürlich Gerson, der Kirchenvater des Spätmittelalters [89]; daneben steht der Augustinerbischof und Exeget Jacobus Perez de Valencia [90].

---

[88] Kommentar zu Gal. 3, 28 (1531; WA 40,1; 546,3—8): „Ego credo in filium Dei pro me passum, video meam mortem in suis vulneribus et nihil video et audio quam ipsum. Das heist fides Christi et in Christum. Schwermeri dicunt: spiritualiter in nobis i. e. speculative, realiter dicunt eum esse droben. Sed oportet Christum et fidem coniungi. Et oportet nos in coelo versari et Christum in corde. Es ght nicht speculative sed realiter zu." Die letzten Sätze sind im gedruckten Text von 1535 neu formuliert (WA 40,1; 546,25—28): „Oportet Christum et fidem omnino coniungi, oportet simpliciter nos in coelo versari et Christum esse, vivere et operari in nobis; vivit autem et operatur in nobis non speculative, sed realiter, praesentissime et efficacissime."

[89] Luther spricht von „Gerson et ceteri patres" (WA Tr. 2; 27,6 f. [Nr. 1288]; 1531). An der aus dem letzten Drittel des 15. Jahrhunderts stammenden Kanzel der Amanduskirche in Urach ist Gerson neben den vier Kirchenvätern dargestellt (vgl. Georg Dehio, Handbuch der Deutschen Kunstdenkmäler III, Berlin 1925 [3], 548).

[90] Altenstaig, Vocabularius theologie, s. v. „extasis", fol. 83va; vgl. s. v. „raptus", fol. 213va-b. Vgl. seinen früheren „Vocabularius vocum quae in opere grammatico plurimorum continentur brevis et vera interpretatio" (Tübingen 1508), 2. Ausgabe Basel 1514, s. v. „ecstasis", fol. 25 [3-4]. Hier findet sich ein Widmungsbrief von Oswald Myconius an seinen Freund

Im Prolog seines Psalmenkommentars (1484) bezeichnet Perez den excessus als die Gabe der Vision für alle Propheten, eine übernatürliche Erleuchtung, die die Fähigkeit des menschlichen Erkennens übersteigt. Extasis ist eine höhere Stufe, auf der man seinen inneren Sinnen entfremdet ist, „quasi extra seipsum". Die dritte und letzte Erhebung ist der raptus, der nur wenigen zuteil wird[91]. Wie 50 Jahre später Luther, hat Perez diese Angaben an verschiedenen Stellen in Augustins Werken finden können[92].

In der exegetischen Anwendung jedoch behält Perez diese Unterscheidungen nicht bei. In der Auslegung von Ps. 115,11 (Vulgata: „Ego dixi in excessu meo: omnis homo mendax") identifiziert er „excessus" mit „extasis" und interpretiert beides durch das Verb „rapi", um den Übergang Davids von der „fides sola" zur „contemplatio" zu schildern. So ist es David möglich, die Mysterien

---

Ioannes Xilotectus, einen frühen Korrespondenten Zwinglis, vgl. CR ZW 7; 330,7; weitere Angaben ebd. 526 Anm. 1; vgl. CR ZW 8; 38—41. Wie aus dem Epigramm Heinrich Bebels hervorgeht, war dies lateinische Schulbuch als antidotum gegen so wenig geschätzte Bücher wie das „Catholicon" gedacht. Dieses umfassende, im März 1286 vollendete, oft gedruckte (u. a. Köln 1497) Lexikon des Joannes Balbus de Janua (Giovanni Balbi) führt Luther 1509/10 noch als Autorität an, vgl. WA 9; 68,14. 1524 betrachtet er es (zusammen mit dem Florista, Grecista, Labyrinthus und Dormi secure) als typisch für die „tollen, unnützen, schedlichen, Müniche bücher", die die Bibliotheken füllen (An die Ratherren aller Städte deutsches Lands, WA 15; 50,9 f.; Cl. 2; 461,10 f.). Die Humanisten nördlich der Alpen folgen vermutlich der mehrfachen Verurteilung des Werks durch Erasmus, vgl. Opus Epistolarum, ed. P. S. Allen, I, 115,89 (1489); 125,81 (1489); 133,85 (1494); 172,32 (1497). Zur Zeit der Dictata stand es bei Luther noch in Geltung und sollte deshalb gegebenenfalls von den Herausgebern von WA 55,1 und 2 herangezogen werden; vgl. bes. Artikel wie „conscientia" usw.

[91] Prologus in Psalterium, tract. II a. 2, Venetiis 1581, 16 F-17 B: „In qua visione propheta nondum erat alienus a sensibus interioribus, in quibus lucebant illae imagines. Et iste gradus visionis fuit communicatus omnibus prophetis, qui dicitur excessus mentis, inquantum illud lumen propheticum supernaturale excedebat lumen naturale ipsius intellectus agentis. ... Extasis enim dicitur quidam status hominis contemplativi existentis alienati, quasi extra seipsum. ... Tertio modo potest multo altius elevari intellectus cum magna violentia ab ipso Spiritu Sancto usque ad visionem divine essentie, que quidem elevatio dicitur raptus ... Iste autem tertius gradus excedit limites prophetiae, quem pauci potuerunt attingere in hac vita." Für den Zusammenhang vgl. Wilfrid Werbeck, Jacobus Perez von Valencia. Untersuchungen zu seinem Psalmenkommentar, Tübingen 1959, 81 f. Vgl. WA 3; 185,26 f.: „in spiritu raptus intellexit in eo facto quid mystice significaret." — Es wäre lohnend, das Problem zu untersuchen, ob Luther bewußt solche Begriffe verwendet, wie z. B. in dem folgenden negativen Kontext (WA 2; 460,20—22; 1519): „Non errare, nen peccare eos [rectores ecclesiasticos] dicit [Paulus: Gal. 1,6 f.], sed peiore malo, prorsus translatos extra euangelium, alienatos a deo esse."

[92] Vgl. hier bes. die keineswegs veraltete Arbeit von A. W. Hunzinger, Lutherstudien I: Luthers Neuplatonismus in der Psalmenvorlesung von 1513—1516, Leipzig 1906, 105 ff., bes. 106 Anm. 1. Vorher stellte Hunzinger fest (ebd. 74): „Von einer wirklichen Beeinflussung durch die mystische Theologie des Areopagiten kann m. E. keine Rede sein. Die Weise Luthers, neuplatonisch zu denken, und die von ihm angewendete Terminologie hebt sich zu deutlich von derjenigen des Pseudo-Dionysius ab, trägt einen anderen Typus." Für eine notwendige Klärung der zugrunde liegenden Unterschiede vgl. die Charakterisierung von J. Koch, Augustinischer und dionysischer Neuplatonismus und das Mittelalter (KantSt 58, 1956/57, 117—133). Diesen Hinweis verdanke ich F. Edward Cranz, The Transmutation of Platonism in the Development of Nicolaus Cusanus and of Martin Luther (erscheint als Teil der Berichte der Cusanus-Tagung 1964).

des Neuen Testaments vorherzusehen, wie sie im Gesetz des Mose vorgebildet sind[93]. Wichtiger für die hermeneutischen Folgerungen ist, daß genau dasselbe auch von den Aposteln gilt: Zuerst haben sie nur einen impliziten Glauben an Christus; aber nach Pfingsten werden sie in Ekstase versetzt und begreifen nun die Glaubensmysterien[94]. Man kann hier von „exegetischer Mystik" sprechen, weil es der gehobene Gemütszustand (excessus oder extasis) ist, der den Aposteln das Schriftverständnis ermöglicht[95]. Die Erniedrigung, von der der vorhergehende Vers 10 spricht („ego autem humiliatus sum nimis"), versteht Perez als ein „sacrificium intellectus", einen vorbereitenden, gleichsam vorpfingstlichen Gemütszustand. So kommt es auf einer zweiten Stufe zum „excessus", durch den der Interpret David zum Verständnis dessen gelangt, daß allein das göttliche Gesetz in dem vom Geist offenbarten Sinn zuverlässig und wahr ist[96].

Luther hat in seiner ersten Auslegung dieses Textes, zu Fabers Psalterium, den „excessus" als Selbstverständnis gedeutet: über sich selbst erhoben, erkennt sich der Mensch, wie er ist, voller Wolken und Dunkel[97]. Luther verweist auf

---

[93] Ebd. fol. 437 F—838 A: „Ad cuius intellectum est praeadvertendum, quod David primo fuit homo simplex et pastor et ignarus, sicut dictum fuit psal. 22. et 78. Et sic absque literis et scientia credebat per solam fidem, et vivebat in fide ecclesiae secundum illum statum, et confitebatur Christum futurum in sola fide parentum; sed quando spiritus Saulis transivit in ipsum, iam fuit magis illustratus; sed quando dedit totum seipsum divinae contemplationi, et rapiebatur in extasim et excessum mentis: tunc in spiritu et lumine prophetico previdit omnia futura mysteria de Christo et ecclesia, prout erant figurata in lege Moysi et in gestis patriarcharum et prophetarum, qui ipsum precesserant: et in gestis Iosue et Iudicum, et in omnibus adversitatibus et prosperitatibus suis. Et sic in illa contemplatione et mentis excessu et extasi, in quam frequenter rapiebatur, vidit manifeste qualiter sola sacra scriptura et lex divina erat vera, eo quod erat a solo Deo ipsi Moysi et patriarchis et prophetis tradita."
[94] Ebd. fol. 838 B: „In eadem et multiplici extasi previdit David in spiritu qualiter filius Dei, qui est prima veritas, qui locutus fuit Moysi et patriarchis et prophetis veteris testamenti, erat venturus in carnem et locuturus apostolis simplicibus et illiteratis, Qui quidem apostoli primo debebant simpliciter credere Christo, et sequi ipsum; sed post resurrectionem debebat mittere eis spiritum sanctum et rapere eos in altiorem extasim, et illustrare eorum mentes altiori lumine supra omnes patriarchas et prophetas, ut intelligerent claro lumine omnia illa, quae sub figuris et aenigmatibus previderunt prophete."
[95] Ebd. fol. 838 D/E: „Et sic patet qualiter apostoli simplices et idiotae primo simpliciter Christo crediderunt, sed postea per receptionem spiritus sancti in illa extasi rapti totam sacram scripturam in lumine evangelico intellexerunt."
[96] Ebd. fol. 838 E/F: „Ego nolui assentire mendacio scribarum et pharisaeorum, nec falsae superstitioni gentilium. ‚Autem (pro ‘sed’) humiliatus sum nimis‘, et captivavi intellectum meum, et credidi in Christum, qui est prima veritas, et propter quod et propter quam credulitatem et veritatem locutus sum, et predicavi evangelium omni creature. Et postea ‚ego dixi in excessu‘ et extasi, i. e. cognovi in illa receptione spiritus sancti, qualiter sola lex divina a spiritu sancto illustrata et revelata erat vera, et omnis alia doctrina erat falsa. Quia omnis homo carnalis, inquantum homo, est mendax, et sic omnis doctrina eius est mendacium, nisi a spiritu sancto homini revelatur; quia tunc ille homo sic illustratus non est homo, sed Deus per participationem."
[97] WA 4; 519, 26—29: „Ego dixi in excessu meo. Iste est excessus, quando homo elevatur seipsum in suas nebulas et tenebras, tanquam in monte positus infra respiciens, supra ps. 30 super se secundum Ieremiam et illuminatus videt quam sit nihil, et quasi de supra respicit in in fine." Vgl. Augustin, Enarr. in Ps. 115, n. 3 (zit. in Anm. 103); Gl. ord. PL 113, 1038 A;

seine Auslegung zu Ps.30(,21), wo er schon sehr deutlich die humiliatio als Resultat von „excessus" oder „extasis" bezeichnet hatte[98]. Im Gegensatz zu Perez ist die Erniedrigung nicht die Vorbereitung, sondern die Folge der „extasis".

In der Zeilenglosse zu den Worten „in excessu meo" notiert Luther die beiden Bedeutungen von „excessus": entweder als „raptus" oder als Furcht[99], wie sie auch das Schema in der Randglosse widerspiegelt[100]. Abgesehen von dieser zweiten Bedeutung als Furcht interpretiert Luther den Begriff „excessus" („extasis") in seiner mystischen Bedeutung zuerst als verwandt mit „raptus" und der klaren Glaubenserkenntnis, ferner als den „sensus fidei", der den „sensus litere" übersteigt. Dieser „sensus fidei" ist der wahre Literalsinn[101], während der „sensus litere" die Auslegung ist, in der die Ungläubigen verharren. „Sensus fidei" ist der Sinn der Schrift, das Evangelium selbst, das Antlitz Gottes, das an anderer Stelle von der eschatologischen, himmlischen Schau von Gottes Angesicht unterschieden wird[102].

Petrus Lombardus PL 191, 1030 B. — Ps. 30,21: „Abscondes eos in abscondito faciei tue." Vgl. Augustin, Enarr. II in Ps. 30, serm. 1, n. 2 (PL 36,230; CChr 38,191).

[98] WA 3; 171,19—24: „Excessus iste mentis improprie pro expiratione anime Christi exponitur, magis au em pro extasi illa, in qua positus secundum Hilarium li. 9 in summa exultatione patiendi clamavit: ‚ut qui dereliquisti me?' et hoc est proiectum esse a Deo. Tropologice autem significat, quod omnis qui se proiicit et humiliat coram deo, ille magis auditur. Hoc autem nemo facit nisi in extasi mentis, id est in purissima illuminatione mentis."

[99] WA 4; 265,22 (etwa Frühling 1515): „... *in excessu meo* raptu mentis seu pavore passionis ..." Altensteig verweist auf Augustin für die Bestimmung von extasis: „excessum mentis ... que fit vel pavore vel aliqua revelatione" (Vocabularius vocum, fol. 25 3-4).

[100] WA 4; 265,30—36:

	increduli.
Extasis illa	Secundo est raptus mentis in claram cognitionem fidei, et ista est proprie extasis.
	Tercio est alienatio seu pavor mentis in persecutione.
	Quarto est excessus iste, quem faciunt martyres, sicut Luce 9 [v. 31] de excessu Chrisi Moses et Helias loquebantur.

Bei Cassiodor wird die Verbindung von excessus und Martyrium hervorgehoben (Expositio zu Ps. 115, 10 f.; CChr 98, 1042,9—16): „Per totum hunc psalmum invictorum martyrum verba referuntur. Prima positione beneficia Domini commemorant, quibus cum haesitarent quid eis dignum potuisset reddi, occurit utique gloriosus calix ille martyrii, qui tamen Domini largitate praestatur. Secunda, chorus ipse servum se Domini et filium Ecclesiae catholicae profitetur, ne praeter fidelissimos viros Deo placitum haereticorum quoque quispiam putaret esse martyrium."

[101] Vgl. WA 4; 492,5—8 (Ps. 40, Faber): „Semper fugit, ne mysticum pro literali sensu accipiat, non advertens quoniam sensus literalis absconditus est valde, ita quod nisi Dominus aperuisset apostolis sensum, nec ipsi eum intellexissent. Unde ‚Christi sensum' [1.Kor.2,16] appellat apostolus, quia scil. a Christo et de Christo est." Dies ist eine genaue Widerspiegelung von Fabers Prolog zu seinem Psalterium. Eine Besprechung dieses wichtigen Textes in meinem Buch: Forerunners of the Reformation, New York 1966, 281—296.

[102] WA 4; 482,25—483,4:
Laetificabis eum in gaudio cum cultu tuo. Sic supra ipse de se ps. 15 ‚adimplebis me letitia cum vultu tuo'. Est autem iste

In den Scholien macht Luther nacheinander drei Versuche, den Text auszulegen. Er ist vor allem bemüht, den „excessus" im Sinne des Übergangs vom „homo mendax" zum „homo spiritualis per fidem" mit demjenigen „excessus" zusammenzubringen, der die Lage des von Furcht, zumal Angst vor Verfolgung, befallenen Menschen kennzeichnet [103], worin der Glaubende seine völlige

vultus
{
1. spiritus litere, qui etiam gloria vocatur, ut ‚satiabor, cum apparuerit gloria tua'. De quo supra ps. 4 ‚Signatum est super nos etc.' De quo quomodo Christus gavisus sit, patet Matth. XI. ‚Tunc Ihesus exultavit in spiritu et respondens ait: Confiteor tibi pater, quoniam abscondisti hec a sapientibus et revelasti ea etc.'
2. clara visio in celis, anagogicus spiritus.
}

Primus modus autem dividitur in
{
hystoricum
allegoricum:
tropologicum
}

sic est
{
sensus scripture et Euangelium ipsum
Ecclesia, que est unus spiritus. Et Ioh. 3. ‚Sic est omnis, qui ex deo natus est'. ‚Quod ex spiritu natum est, spiritus est'.
fides etc.
}

Für die notwendige Unterscheidung zwischen vultus [= facies] 1 und 2 vgl. Johannes Staupitz (Tübinger Predigten, hrsg. v. G. Buchwald und E. Wolf, 1927, 239, 13—15): „Facies, inquam, domini i. e. aspectus divinitatis in praesenti ambulantibus adhuc in spe et fide in sola scriptura sacra ostenditur." Zitiert bei David Steinmetz, Johannes Staupitz in the Context of Late Medieval Theology (Theol. Diss. Harvard), 1966, 226.

[103] WA 4; 267,16—33; Cl. 5; 196,16—197,2: „*Ego dixi in excessu meo: omnis homo mendax*. Quamdiu et ego homo sum et fui, non vidi, quod esset omnis homo mendax. Nunc quia credidi et in excessu sum et spiritualis homo factus per fidem, omnes iudicans, a nemine iudicatus, video quod qui non est in eodem excessu et non credit, est mendax. Et hoc locutus sum et predicavi: ideo humiliant et affligunt. Nolunt audire, quod sint stulti, vani, mendaces, mali &c., sed se iustos et sapientes et veraces putant et putari volunt. Secundo ‚Exessus' hic accipitur pro pavore et conturbatione, que fit in persecutionibus et minis. Et sic sensus est secundum b. Augustinum: Cum propter verbum dei affligerer, tunc expertus fui, quod nec in me nec in ullum hominem sit confidendum eo quod homo sit omnis mendax, deus autem verax in quo confidendum et fidenter praedicandum contra omnium persecutorum rabiem. Alioquin deficeret in afflictione nimia pro verbo dei. Ergo in excessu isto, id est conturbatione dixi et expertus sum, quod homo solus non staret, sed fieret mendax, nisi desursum adiutus verax permaneret in confessione fidei. Vel quia dixit: ‚humiliatus sum nimis', in ea afflictione didici, quod omnis homo sit mendax et nihil, quia non stat in tentatione, sed cadit a veritate et consentit falso, nisi dominus iuverit."
Vgl. Augustin, Enarr. in Ps. 115, n. 3 (CCh 40, 1654, 1—27): „*Ego autem dixi in ecstasi mea: Omnis homo mendax*. Ecstasin pavorem dicit, quem comminantibus persecutoribus, et impendentibus passionibus cruciatus aut mortis, humana infirmitas patitur. Hoc enim intellegimus, quia in isto psalmo vox martyrum apparet. Nam et alio modo dicitur ecstasis, cum mens non pavore alienatur, sed aliqua inspiratione revelationis assumitur. *Ego autem dixi in ecstasi mea: Omnis homo mendax*. Conterritus enim respexit infirmitatem suam, et vidit non de se sibi esse praesumendum. Quantum enim ad ipsum hominem pertinet, mendax est; sed gratia Dei verax effectus est, ne pressuris inimicorum cedens non loqueretur quod crediderat, sed negaret; sicut Petro accidit, quoniam de se praesumserat, et docendus erat de homine non esse praesumendum. Et si de homine non debet quisque praesumere, utique nec de seipso, quia homo est. Bene ergo iste vidit in pavore suo omnem hominem esse mendacem; quia et illi qui nullo pavore vanescunt, ne persequentibus cedendo mentiantur, muneribus Dei tales sunt, non viribus suis. Proinde verissime dictum est: *Omnis homo mendax*; sed Deus verax, qui ait: *Ego dixi: Dii estis, et filii Altissimi omnes: vos autem sicut homines moriemini, et sicut unus ex principibus cadetis*. Consolatur humiles, et implet eos non solum fide credendae, sed etiam fiducia praedicandae veritatis, si perseveranter subdantur Deo, nec imitentur

Abhängigkeit von Gott erfährt[104]. „In excessu meo" ist dann gleichbedeutend sowohl mit „in fide" als auch mit „in pugna" und bezeichnet den Ort des Menschen coram Deo, wo die Scheidung zwischen „verax" und „mendax" offenkundig ist[105]. Dieser „excessus" bedeutet kein Hintersichlassen des Tränentals und keine Ruhe im Frieden Gottes, sondern entlarvt die Feinde der Wahrheit, das Fleisch und die Welt, und ist eher der Beginn als das Ende des Kampfes[106]. So schließt der „excessus" wirklich eine Erhebung in sich, nämlich eine „elevatio", die dem Glaubenden einen Ausblick auf die „futura bona" gestattet, doch zu dem demütigen Eingeständnis führt, daß er keinen Anspruch auf diese Güter hat[107].

Obwohl die exegetische Tradition zu Ps. 115, 11 noch genauer untersucht werden müßte, lassen sich doch vier Folgerungen aus unseren Darlegungen entnehmen.

a) Den mystischen Terminus „excessus" verbindet Luther mit der Vorstellung vom Krieg oder Kampf, die für das Leben des viator, des Soldaten Christi, kennzeichnend ist[108]. Das ist im Grunde nichts Neues; seit Augustin hat man

---

unum ex principibus diabolum, qui in veritate non stetit, et cecidit. Si enim omnis homo mendax, in tantum non erunt mendaces, in quantum non erunt homines; quoniam dii erunt, et filii Altissimi."

[104] WA 4; 268,29—35: „*Ego dixi in excessu meo: omnis homo mendax.* Literaliter id est: in ista afflictione didici, quod in nullum hominem sit confidendum, quia et ipse caderem a veritate fidei, qui tamen dixi: ‚Credidi'. Nisi enim deus auxiliaretur, cito in passione mendax fieret per negationem fidei, qui verax est per confessionem, q. d. Calix iste docet, quod nisi quis dominum invocet, in dominum nitatur, ipse nullo modo stabit, quia homo est et cadet. Ergo dominus est, qui iuvat in excessu et persecutione, non homo."

[105] WA 4; 269,3—15: „Moraliter: A carne adversaria spiritus quis liberabit? Nunquid ego vel homo? Non, quia hinc video, quod errat qui seipsum vult salvare, et est homo mendax. Sed gratia dei per Ihesum Christum liberat triumphatque nos ab isto Pharaone. Et hinc fit, ut etiam quod ait ‚Credidi', se a domino habere dicat. Quia fidem nullus homo ex se habet, sed est mendax. Quia dimissa veritate, que in fide est, suis meritis superbit et persequitur atque humiliat eos, qui dicunt ‚Credidi', cum tamen sit mendax. Quia Ro. 3, ‚Non est iustus usque ad unum, sicut scriptum est: Omnis homo mendax'. Quod intelligitur de mendacio, non quo coram hominibus est mendax, sed coram deo. Nam multi sunt veracissimi coram hominibus: tamen quia non dicunt ‚credidi' nec habere volunt fidem, omnis homo est mendax coram deo, ubi sola veritate fidei veraces fiunt: quam tamen propter suam veritatem coram hominibus persequuntur et humiliant."

[106] WA 4; 269,15—20: „Igitur totus sensus est, quod qui per gratiam dei credit, patitur persecutionem vel a mundo vel carne. Et tamen uterque est mendax contra credentem et fidem eius pugnans: quod in tali pugna agnoscit fidelis. Quia non iudicaret eos mendaces, nisi videret eos contra veritatem pugnare. Idcirco non antequam in excessu esset, dixit; ‚omnis homo mendax'."

[107] WA 4; 273,14—22: „*Ego dixi in excessu meo: omnis homo mendax.* Iste est excessus, quo per fidem levatur super se, ut videat futura bona. Alioquin et ipse erat homo mendax, sed in excessu factus mendacium excessit et verax factus est per fidem. Et ideo eos, qui vanitatem diligere conspexit et fidem posthabere, mendaces esse vidit, quia reputant ea bona sua, que non sunt. Et cum humiliati sint nimis, exaltati sibi videntur. Et ideo mirum est, quomodo simul dicat humiliatum se et in excessu esse: sed quia agnoscit se humiliatum et miserum per excessum. Illi autem non sunt humiliati (id est non agnoscunt), quia nondum sunt in excessu, sed in volucro mendacii."

[108] Vgl. Olavi Tarvainen, Der Gedanke der Conformitas Christi in Luthers Theologie (ZSTh 22, 1953, 26—43), 40. Siehe auch: Operationes in Psalmos, Ps. 5, 12 (WA 5; 167,

den excessus immer wieder als einen außergewöhnlichen Gemützustand erklärt, der auf Furcht und Leiden oder auf Offenbarung zurückzuführen sei. Charakteristisch für Luther aber ist, daß auch der excessus, durch den der homo mendax zum homo spiritualis wird, weiterhin im Kontext von pugna, tribulatio und Anfechtung gesehen wird. An Tauler muß Luther vor allem die Vorstellung fasziniert haben, daß der Mensch die Geburt Gottes *erleidet*[109]. Dies ist es, was Luther meint, wenn er „realiter" und „speculative" einander gegenüberstellt.

b) Es gibt noch einen anderen Aspekt desselben Kontrastes. Das „realiter" bedeutet auch, daß man die Schrift nicht als bloßen Anlaßmotor für den Affekt betrachtet und dann hinter sich läßt[110]. Im Gegensatz zur üblichen Reihenfolge von lectio, (oratio) meditatio, contemplatio stellt Luther die lectio voran, die aus der oratio kommt und zur *relectio* führt. Im Vergleich mit der Tradition ist es auffallend, daß Luther „lectio" (Buchstabe) und „meditatio" (Geist) nicht mehr als zwei *aufeinanderfolgende* Stufen betrachtet: Bei einer ausdrücklichen Erörterung der rechten Reihenfolge stellt er 1539 fest, *daß wahre meditatio „lesen und widerlesen"* ist[111]. Die Achse dieser an der Schrift orientierten meditatio ist nicht speculatio (prudentia — intellectus), sondern der affectus,

---

36—168,7): „Non ergo in dona Dei quaecunque (ne cum eis fornicemur, sicut in prophetis dicitur), sed in ipsum Deum donatorem credendum, sperandum, haerendum. Hoc voluit Ps. 116.: ‚Ego dixi in excessu meo: Omnis homo mendax'. Excessus iste tribulatio fuit, in qua homo eruditur, quam vanus mendaxque sit omnis homo, qui non in solum Deum sperat, homo enim homo est, donec fiat Deus, qui solus est verax, cujus participatione et ipse verax efficitur, dum illi vera fide et spe adhaeret, redactus hoc excessu in nihilum. Quo enim perveniat, qui sperat in Deum, nisi in sui nihilum? Quo autem abeat, qui abit in nihilum, nisi eo, unde venit? Venit autem ex Deo et suo nihilo, quare in Deum redit, qui redit in nihilum. Neque enim extra manum Dei quoque cadere potest, qui extra se ipsum omnemque creaturam cadit, quam Dei manus undique complectitur, ‚mundum enim pugillo continet', ut Isaias dicit." Cf. WA 5; 188,30—32: „Itaque crux ipsa omnes ostendit mendaces, ut vere ille dixerit: ‚Ego dixi in excessu meo: Omnis homo mendax'."

[109] Schol. zu Ps. 4,2 (Herbst 1516; WA 55,2; 57,3—58,11): „Igitur per tribulationem homo dilatat suas synthereses et elicit conclusiones practicas miro modo. Et iterum Psalmus: ‚A mandatis tuis intellexi.' Credo, Quod hanc eruditionem, quam lata sit, soli intelligant experti. Opera enim et praxis exponunt et intelligunt Scripturas, figuras et creaturas. Et hec latitudo appropriatur filio in divinis, cuius est sapientia et doctrina. Secundo latitudo est virtutis quo ad memoriam, et hec maxime in martyribus eluxit, Quia ‚virtus in infirmitate perficitur', Et palma pressa fortius surgit, et virtus constricta magis dilatatur. Sic charitas, fides, spes et omnes alie dilatantur in persecutione secundum illud: ‚Nimis confortatus est principatus eorum.' ‚Infirmi enim accincti sunt robore.' Sicut ergo ista in martyribus fuit eximia, ita prima in sanctis doctoribus contra hereticos, omnes enim isti tribulaverunt eos. Sed ipsi hinc magis dilatationem a Domino acceperunt Scientie et virtutis, intellectus et memorie, que stabilitur per virtutes in bono suo. Et hec proprie ad patrem spectat, cuius est virtus et potencia." — Zur Passivität als geistlicher Selbstaufhebung bei Tauler vgl. Bengt Hägglund, The Background of Luther's Doctrine of Justification in Late Medieval Theology (Lutheran World 8, 1961, 24—26), 30 f.

[110] WA 4; 467,24—26: „*Et in lege eius meditabitur* non loquetur superficialiter, *die ac nocte* i. e. perseveranter, sive in prosperis et adversis. Non ergo in sublimibus aut substantiis separatis meditari est beatum esse."

[111] WA 50; 659,22—24; vgl. die Erörterung in: Iustitia Christi and Iustitia Dei (s. Anm. 72), 12.

der die geistigen Fähigkeiten des Menschen auf die plötzlichen Durchbrüche vorbereitet, die nicht auf ein einmaliges Turmerlebnis begrenzt werden sollten[112]. Das Ziel des affectus ist gerade die Wirklichkeit coram deo, die, wie wir sahen, in excessu mentis enthüllt wird[113], wenn Wissen (futura bona) und Selbsterkenntnis (omnis homo mendax) zusammenfallen[114]. Luther denkt an alle Glaubenden, eben weil ihnen als den „spirituales" oder „mystici" die Mysterien der Erlösung und Inkarnation offenbart sind[115].

c) Ebenso wie Luther eine falsche christologische Mystik ablehnt — die, wie wir sahen, mit dem „homo abscondens divinitatem" nicht zufrieden, über das Verbum increatum spekuliert —, so verwirft er auch eine falsche exegetische Mystik, die sich „per mysteria scripturae" zum Vater Zutritt erzwingen will. Beide Wege lassen die Menschen zu „superbi" oder „desperati" werden, womit Luther auf die beiden Gruppen von Irrenden anspielt, die nach der Tradition zur Linken und Rechten die via media der streitenden Kirche säumen[116].

d) Der doppelte Aspekt des „excessus mentis" als Glaube und Anfechtung kann die Tatsache erklären helfen, warum Luther in den Dictata den vierten Schriftsinn, den sensus anagogicus, immer wieder mißachtet[117]. Die anagogische Auslegung fehlt zwar nicht völlig, aber wenn sie vorkommt, so bezeichnet sie zunehmend die horizontale perseverantia fidelium und nicht den vertikalen Aufstieg der „Aristokraten des Geistes". Demgemäß bedeutet an einer zentralen Stelle das anagogische opus Dei keine mystische Erhebung, sondern das Ziel der Werke Gottes in der Geschichte, entweder im Himmel oder in der

---

[112] Für eine genauere Analyse des affectus beim jungen Luther vgl. Günter Metzger, Gelebter Glaube. Die Formierung reformatorischen Denkens in Luthers erster Psalmenvorlesung, Göttingen 1964. Die Definition von „extasis" in dem Exkurs über „excessus" (111 f.) bedarf weiterer Ausarbeitung.

[113] Vgl. Reinhard Schwarz, Fides, spes und caritas beim jungen Luther unter besonderer Berücksichtigung der mittelalterlichen Tradition, Berlin 1962, 148 Anm. 213.

[114] Vgl. WA 1; 342,37—343,8 (Sermo de Passione, 1518).

[115] Zu Röm. 8,6 als Erklärung von Ps. 31 (32), 9 (WA 3; 176,14—24; Cl. 5; 107,25—108,1): „Sic Apostolus ait ‚Prudentia carnis' id est carnalis hominis, qui utique habet intellectum, in quo sit prudentia, ‚mors est'. Quare hic dicit ‚Sicut equus et mulus, sic sunt omnes, qui hunc intellectum non habent', qui est de invisibilibus, divinis et celestibus: eo quod solum visibilia intelligant et sentiant, quod etiam equus et mulus facit. Intelligere itaque est spiritualia et mysteria salutis et gratie Dei agnoscere, unde usus loquendi obtinuit dicere ‚mysteria' redemptionis et incarnationis, eo quod non nisi mysticis pateant et spiritualibus, non autem hominibus, quibus est potius stultitia, quia ipsi sunt stulti equi et muli: ideo primum illos oportet mutari, ut sic mysteria, que sunt eterna, cognoscant. Qualis enim quisque est, taliter iudicat." Diesen letzten, für unseren Gegenstand so wichtigen Satz werde ich in einer separaten Abhandlung weiter mit Parallelen belegen und erörtern.

[116] WA 4; 647,24 f. (Sermo, August 1517?; vgl. Anm. 53): „Alius est per mysteria scripturae, sed uterque quid foecit? scilicet aut superbos aut desperatos ..."

[117] Vgl. die Erörterung dieses wichtigen Befundes bei Gerhard Ebeling, Die Anfänge von Luthers Hermeneutik (ZThK 48, 1951, 172—230), 226, und: Luthers Psalterdruck vom Jahre 1513 (ZThK 50, 1953, 43—99), 92—96. Vgl. auch den Hinweis bei Werbeck (a.a.O. 104), daß der anagogische Sinn in der mittelalterlichen Tradition „weniger häufig ... zum Zuge kam". Vgl. Henri de Lubac, Exégèse médiévale. Les quatre sens de l'Ecriture I, Paris 1959, 139.

Hölle[118]. Die Abweichung von den Prinzipien Bonaventuras[119] und von der Praxis bei Dionysius dem Kartäuser und Kaspar Schatzgeyer ist nicht zu übersehen. M. E. ist dies eine Stütze für die von den Herausgebern in WA 55 übernommene These Gerhard Ebelings[120], daß die Reduktion des vierfachen Schriftsinns mit dem anderen hermeneutischen Schema „Haupt-Leib-Glieder" in Verbindung gebracht werden muß. Wie ihr Haupt und die Gläubigen, so wandert auch die ecclesia militans durch das Tränental und dieselbe „Phase" wie ihr leidender Herr hindurch auf ihr letztes Ziel zu[121]. „Wenn du daher nach einem Zeichen der Gnade Gottes suchst und wissen möchtest, ob Christus selbst in dir ist, so wird dir kein anderes Zeichen als das Zeichen des Propheten Jona gegeben. Wenn du also drei Tage in der Hölle gewesen bist, so ist dies das Zeichen dafür, daß Christus in dir ist und du mit Christus bist."[122]

2. *Raptus.* Nicht nur „excessus", sondern auch „raptus" und „rapi" haben in Luthers theologischem Vokabular eine bestimmte Funktion. Der bekannte scharfe Gegensatz zwischen den temporalia und den aeterna usw., der den Unterschied zwischen der Existenz coram hominibus und coram Deo bezeichnet, kann von Luther auf der Rückseite des Titelblattes seines Psalterdrucks von 1513 mit den Worten zusammengefaßt werden: „Item In Scripturis Sanctis optimum est Spiritum a litera discernere, hoc enim facit vero [sic] theologum."[123] Im Frühjahr 1514 bemerkt Luther, ein rechter Theologe werde man „in raptu et extasi. Et hec facit verum theologum"[124]. Nachdem wir gesehen haben, daß „excessus" oder „extasis" gleichzeitig „fides" und „pugna" bedeuten, erliegen wir nicht der Versuchung, einen Gegensatz zwischen dem „mystischen" Luther von 1514 und dem reiferen Luther von 1520 zu konstruieren, der in den Operationes in Psalmos feststellt: „Vivendo, immo moriendo et damnando fit theologus, non intelligendo, legendo aut speculando."[125] „Raptus" ist die Zuflucht in die Gerechtigkeit extra nos in Christus und kann

---

[118] Schol. Ps. 76 (77), 13 (WA 3; 532,7 f.; Cl. 5; 160,28 f.).

[119] Vgl. S. 35 unten.

[120] Ebeling, Luthers Psalterdruck, 95 ff.; vgl. WA 55,1; 1,9,28 ff.

[121] Obgleich wir die frühe Ekklesiologie Luthers hier nicht ausführlich erörtern können, bin ich der Meinung, daß die übliche Kritik römisch-katholischer Forscher — die vor allem in den Dictata Anhaltspunkte für eine individualistische Interpretation der „congregatio fidelium" finden — Luthers Auffassung von der Anagoge als der *gemeinsamen* Geschichte des Volkes Gottes, ohne vorgreifende individuelle Ausnahmen, berücksichtigen und beachten müßte. Zur Literatur vgl. Gerhard Müller, Ekklesiologie und Kirchenkritik beim jungen Luther (NZSTh 7, 1965, 100—128).

[122] Schol. Ps. 68 (69), 17 (WA 3; 433,2—4; Cl. 5; 147,7—10).

[123] WA 55,1; 1,4,25 f.

[124] Schol. Ps. 64 (65), 2 (WA 3; 372,23—25; Cl. 5; 130,11 f.): „Et hec in disputatione et multiloquio tractari non potest, sed in summo mentis ocio et silentio, velut in raptu et extasi ..." Vgl. den Gegensatz zu diesem „multiloquium" in WA 1; 336,10—12 (Sermo de passione Christi, 1518): „Det autem nobis Deus, ut saltem Pilati exemplo Christum intuentes, oculis animae inspicientes et stupore nimio in breviloquim rapti, dicamus ... ‚ecce homo'."

[125] WA 5; 163,28 f.

als „in Christum plane transformari" beschrieben werden[126]. Ebensowenig wie „excessus" bedeutet auch „raptus" eine ontologische Umwandlung, sondern eine Umwandlung unseres Affekts und unserer fiducia. Wenn Luther diese mystischen Termini verwendet, so halten wir ihn deswegen noch nicht für einen mystischen Theologen. Wir betonen vielmehr, daß ihre neue Funktion nur bei gründlichem Erfassen ihres ursprünglichen mystischen Zusammenhanges verstanden werden kann. Wenn die weitere Forschung meine Vermutung bestätigen würde, daß Luthers Begriff „extra nos" mit „raptus" in Verbindung steht, so wäre damit eines der Hauptargumente für eine „forensische" Interpretation von Luthers Rechtfertigungslehre entkräftet[127]. Obgleich wir keinen Anspruch auf die Gerechtigkeit Christi haben und sie daher nie unser Eigentum (proprietas) wird, wird sie uns doch als Besitz (possessio) gewährt[128]. „Extra nos" und „raptus" sind beides Hinweise darauf, daß die iustitia Christi und nicht unser eigenes Vermögen Quelle und Mittel *unserer* immer angefochtenen Gerechtigkeit ist[129]: Bezeichnungen wie „äußerlich" oder „forensisch" können der Rechtfertigungslehre Luthers nur teilweise und deshalb doch nicht gerecht werden.

Luther verwendet „raptus" nicht nur wegen der Nebenbedeutung des „extra nos", sondern auch weil bei „raptus" die Vorstellung einer völligen Passivität anklingt. In der von uns so genannten „Hochmystik" ist solche Passivität typisch für den höchsten Grad wahrer Mystik, den nur wenige Auserwählte erleben. Luther dagegen verbindet den Begriff mit dem Glaubensleben überhaupt und daher mit *allen* wahren Glaubenden. Ähnlich wie er die Trennwand zwischen den „praecepta" und den „consilia evangelica" niederreißt und damit die Grundlagen des Mönchtums erschüttert, beraubt seine besondere Art von

---

[126] WA 8; 111,29—35 (1521): „Nam quamvis per donum fidei nos iustificarit et per gratiam suam nobis factus sit propitius, tamen ne vagaremur in nobis ipsis et in his donis suis, voluit, ut in Christum niteremur, ut nec iustitia illa cepta nobis satis sit, nisi in Christi iustitia haereat et ex ipso fluat, ne quis insipiens, semel accepto dono, iam satur et securus sibi videatur, sed in illum nos rapi de die in diem magis voluit, non in acceptis consistere, sed in Christum plane transformari."

[127] Vgl. Thomas M. McDonough O. P., The Law and the Gospel in Luther. A Study of Martin Luther's Confessional Writings, Oxford 1963, 53: „Indisputably, Luther understands imputative righteousness as an extrinsic or forensic relation ..."

[128] WA 39,1; 109,1—3 (Disputatio de iustificatione, 1536): „Extra nos esse est ex nostris viribus non esse. Est quidem iustitia possessio nostra, quia nobis donata est ex misericordia, tamen est aliena a nobis, quia non meruimus eam." In der römischen Rechtstradition bildet „possessio" mit „ususfructus" den Gegensatz zu „proprietas" oder „dominium". Vgl. Max Kaser, Eigentum und Besitz im älteren römischen Recht, Weimar 1943, 310 ff.; Ernst Levy, West Roman Vulgar Law: The Law of Property, Philadelphia 1951, 19 ff.

[129] Man sollte zugeben, daß das „extra se (nos)" in einem der frühesten Belege lediglich den Gegensatz zwischen Gottes Aseität und der Menschen Abhängigkeit von Gottes Vorsehung bezeichnet (WA 4; 481,20 f.; zu Faber, Quincuplex Psalterium, Ps. 15 [16], 2): „... divinum est nullius indigere extra seipsum. Omnia alia indigent bonis extra se, id eo non sunt dii." Die extra-Dimension ist deshalb nicht nur für den gefallenen Menschen und seine Rechtfertigung, sondern für das Geschöpfsein des Menschen überhaupt charakteristisch. Man beachte aber hier Luthers Betonung der Wichtigkeit des „1. verbum in Mose", vgl. das Zitat in Anm. 68.

Demokratisierung der Mystik die „Hochmystik" eines ihrer vornehmlichen Merkmale. Gleichzeitig macht der mystische Kontext darauf aufmerksam, daß, wenn Luther „rapi" in einem Atem mit „duci" und „pati" nennt, der Sünder kein totes Werkzeug in der Hand des allmächtigen Gottes und Rechtfertigung durch den Glauben kein Quietismus ist[130].

3. *Gemitus.* „Excessus" und „raptus" implizieren, daß Glaube und Rechtfertigung nicht die harmonische Verwirklichung der Möglichkeiten und Wünsche des Menschen sind. Im Römerbriefkommentar gebraucht Luther den Begriff „antiperistasis", den er in Gersons De mystica theologia gelesen haben könnte, synonym mit „sub contrario", was in der Nachschrift durch „in abscondito" wiedergegeben wird[131]. Hier befinden wir uns in unmittelbarer Nachbarschaft von Luthers eigener Verwendung des Wortes „mystisch": Alle Schätze der Weisheit und Liebe sind in dem leidenden und sterbenden Christus verborgen, „ideo absconditi, quia mysticis et spiritualibus oculis visibiles"[132].

An dieser Stelle muß der Begriff „gemitus" wenigstens erwähnt werden, obgleich sein Fehlen in der einschlägigen Literatur und die Begrenzung dieses Vortrags nur einige einführende Bemerkungen gestatten. Im Lichte der traditionellen Verwendung von „gemitus" sind vor allem zwei Beobachtungen für Luther bemerkenswert. Einmal die Entsprechung von fides und gemitus: Rechtfertigung oder genauer Nichtanrechnung der Sünde geschieht „propter fidem et gemitum"; schuldhafte Sünde findet sich nicht „in credentibus et gementibus"[133]. „Gemitus" ist nicht ein anderes Wort für „facere quod in se est" oder für „humilitas" als Bedingung der Rechtfertigung, sondern kennzeichnet das

---

[130] WA 5; 144,34—36 (1519—1521): „... operante deo in nobis et nos operari recte dicimur, quanquam hoc operari magis sit rapi, duci et pati operatorem deum ..." Ebd. 176,12: „... in his divinis virtutibus, in quibus non est nisi passio, raptus, motus ..." WA 40,1; 41,3—5: „Christiana iusticia est mere contraria, passiva, quam tantun recipimus, ubi nihil operamur sed patimur alium operari in nobis scilicet deum." Vgl. Karl Holl, Ges. Aufs. zur KG I, 131. — „Rapi" meint nicht notwendig einen „excessus mentis" zu Gott, vgl. WA 56; 386,24 f.: „Licet ista materia sit asperrima ‚prudentie carnis', Que inde potius indignatur et ad blasphemias rapitur ..."

[131] Gerson, De mystica theologia (a.a.O. [s. o. Anm. 1] 190,129 f.): „Hec est antiperistasis quedam spiritualis, que contrarium fortificat ..." Luther, WA 56; 387,2—4; Cl. 5; 270, 14—16: „Igitur Etsi iis non directe adhuc sint dulcia ista verba [Röm. 8,28: ‚non in se operante ullo modo, sed solum extra se, scil. in Deo eligente salutem suam consistere', WA 56; 386,26 f.; Cl. 5, 270,7—9] perfectissimi et solidissimi cibi, Interim tamen per antiperistasim, i. e. contrarii circunstantiam, sunt eis mitia et consolatoria." Die Nachschrift (WA 57; 199, 6 ff.) ist fast identisch, hat aber den erläuternden Zusatz: „in abscondito sunt consolatoria".

[132] WA 1; 340,35—341,3 (Sermo de passione, 1518): „In Christo enim patiente et moriente relucet omnis sapientia et veritas, quibus intellectus ornari potest: omnes enim thesauri sapientiae et scientiae sunt in illo absconditi, ideo absconditi, quia mysticis et spiritualibus oculis visibiles et in eodem lucis omnis fons et caritas, quibus ornatur affectus."

[133] Schol. Röm. 4,7 (WA 56; 289,18—21; Cl. 5; 245,11—15): „... bene operando peccamus, nisi Deus per Christum nobis hoc imperfectum tegeret et non imputaret; fit ergo veniale per misericordiam Dei non imputantis, propter fidem et gemitum pro ista imperfectione in Christo suscepta." Vgl. ebd. 276,7 ff. sowie 289,29—31: „Que iniquitas non invenitur in credentibus et gementibus, quia succurrit eis Christus de plenitudine puritatis sue et tegit eorum hoc imperfectum."

Leben der Heiligen, deren Gerechtigkeit verborgen ist[134], und beschreibt den Zustand völliger Identität mit Christus[135]. Während in der Verbindung von gemitus und wahrer Buße eine Vergleichsmöglichkeit mit Abaelard besteht[136], erwähnen Bernhard und Gerson den gemitus als Teil einer auf die Trias „purgatio — illuminatio — contemplatio" vorbereitenden Stufe[137] oder als den Beginn der Geburt Gottes in der Seele[138].

Die wirkliche Bedeutung der Tatsache, daß Luther gemitus und fides verbinden kann, tritt jedoch erst zutage, wenn man beachtet, daß die Verwendung von gemitus bei Bernhard und Gerson als Teil der via mystica keineswegs ein Zufall ist. Nach einer einflußreichen Glosse des Hieronymus ist „gemitus" auf die synderesis bezogen (den anthropologischen Ort dessen, was Röm. 8, 26 als das Werk des Heiligen Geistes beschreibt): „Hic est spiritus qui ‚postulat pro nobis gemitibus inenarrabilibus‘."[139] Diese Verknüpfung von gemitus und synderesis spielt im Denken Bonaventuras eine Rolle. Für ihn ist die synderesis eine potentia affectiva im Menschen, die diesen mit Sehnsucht nach dem Guten erfüllt und von der demgemäß gesagt wird, sie lege bei Gott mit unaussprechlichem Seufzen Fürsprache ein[140]. Da die synderesis ein unveräußerlicher Teil

---

[134] WA 56; 290,18—22; Cl. 5; 245,30—34: „... omnia faciunt [sancti] tantum, ut misericordiam inveniant et iudicium evadant, gemitu magis veniam precantes quam presumptione coronam expetentes. ‚Mirabilis itaque Deus in sanctis suis‘, qui eos ita abscondi, ut ipsi, dum sancti sunt, non nisi prophani sibi videntur."

[135] WA 1; 558,4 f. (1518): „... solum relinquitur nudum desiderium auxilii et horrendus gemitus, sed nescit unde petat auxilium. Hic est anima expansa cum Christo ..."

[136] Petrus Abaelardus, Ethica c. 19 (MPL 178, 664 D): „Cum hoc autem gemitu et contritione cordis, quam veram poenitentiam dicimus, peccatum non permanet, hoc est contemptus Dei, sive consensus in malum, quia charitas Dei hunc gemitum inspirans, non patitur culpam. In hoc statim gemitu Deo reconciliamur ..."

[137] Bernhard, Tractatus de gradibus humilitatis et superbiae, c. 6 n. 19 (MPL 182,952): „Qui igitur studio et amore peccandi a veritate se sentiunt alienatos, infirmitate et ignorantia pressos: studium in gemitum, amorem in moerorem convertant, infirmitatem carnis fervore justitiae vincant, ignorantiam liberalitate repellant ... Ab omni ergo labe, infirmitate, ignorantia studiove, contracta, flendo, justitiam esuriendo, operibus misericordiae insistendo, mundatur oculus cordis, cui se in sui puritate Veritas videndam promittit: Beati mundo corde quoniam ipsi Deum videbunt (Mt. V, 8). Cum sint itaque tres gradus seu status veritatis, ad primum ascendimus per laborem humilitatis, ad secundum per affectum compassionis, ad tertium per excessum contemplationis. In primo veritas reperitur severa; in secundo, pia; in tertio, pura. Ad primum ratio ducit, qua nos discutimus; ad secundum affectus perducit, quo aliis miseremur; ad tertium puritas rapit, qua ad invisibilia sublevamur."

[138] Gerson, In festo S. Bernardi, 20. Aug. 1402 (Vol. V, 336 Glorieux): „Ita anima quae prius appellabatur turtur et columba pro gemitu et meditatione, quae vocabatur amica et filia pro subarratione et adoptione, nunc dicitur sponsa introducta in cubiculum regis ad fruendum cupitis amplexibus cum inenarrabili torrente voluptatis. Illic ipsa concipit et fit verbigena. Gignit itaque verbum obumbrante sibi virtute Altissimi, et hoc in virginali utero superioris portiunculae mentis suae quae nominatur vel scintilla seu apex rationis vel ipsa synderesis, cujus integritas violari nec in daemonibus potuit adeo ipsa jugiter virgo perseverat."

[139] Comment. in Ez. 1,10 (MPL 25, 22); vgl. Comment. in Mal. 2,15 (MPL 25, 1563).

[140] II Sent. d. 39 a. 2 q. 1 ad 4: „Et sic, ut proprie loquamur, synderesis dicit potentiam affectivam, in quantum naturaliter habilis est ad bonum et ad bonum tendit; conscientia vero dicit habitum intellectus practici; lex vero naturalis dicit obiectum utriusque." Ebd. ad 1:

des Menschen ist, kann Geiler seine Leser zur Selbstreinigung ermahnen, daß sie „mit fleisz auff den inneren ... grundt" gehen[141]. Eben dieser innere Grund in der Seele des Menschen kann nach Dionysius dem Kartäuser von Liebe ganz entflammt werden, bis die Seele völlig in Gott verschlungen ist[142]. Und die genannte Abhandlung Schatzgeyers von 1501 über das geistliche Leben gipfelt im Epilog in einem Aufruf zu völligem Gebrauch dieser göttlichen Reichtümer im Menschen[143].

Es ist bekannt, daß der junge Luther ein auffallendes Interesse an der synderesis hatte[144], das ich mit seiner anfänglichen Verteidigung des „facere quod

---

„... dum synderesis continue stimulando nos facit bonum desiderare, dicitur gemitibus inenarrabilibus ad Deum interpellare." Vgl. ebd. a. 2 q. 3 ad 5. Vgl. auch Alexander von Hales, Summa I/II (Ad Claras Aquas II, Nr. 418); Scotus, Ox. II d. 39 q. 1 (Vivès XIII, 409 ff.); Rep. ibid. (Vivès XXIII, 203). — Auf die verschiedenen anthropologischen Schemata gehe ich hier nicht weiter ein; für unsere Zwecke ist es nicht wichtig, das Verhältnis von synderesis und conscientia zu erörtern oder zwischen synderesis, apex mentis und scintilla animae zu unterscheiden. Vgl. dazu Emanuel Hirsch, Lutherstudien I, Gütersloh 1954, 11 ff. Eine interessante Abänderung findet sich in den Ausführungen von Wessel Gansfort, De Providentia: „Unde quod Aristoteles intellectum agentem, hoc ego lumen vultus Dei, quod ille de synteresi et ad optima deprecante ratione, ego non animae potentiam, aut naturalem habitum animae, sed magis inspiratum spiraculum vitae divinitus, et divinam tum voluntatitum intelligentiae adsistentiam" (Opera omnia, Groningen 1614, S. 722).

[141] Geiler von Kaisersberg, fol. 6b, a.a.O. (s. Anm. 48) 222: „Das vnd ander dergleichen stuck tringend mich vnsere Schwesteren zu den Reüweren in Straszburg, die von den gnaden Gottes beschlossen seind inn der Obseruantz (als auch jr seind) ernstlich zu ermanen, dz sie nichts lassen abgohn, es sey klein oder grosz, vnd mit fleisz auff den inneren obberürten grundt gangen inn übung der tugenten, das sie dardurch waare, rechte, gute vnd Christenliche menschen werden ..."

[142] Dionysius Cartusianus, Opera VII, 313 a/b: „‚Osculetur me', inquiens, ‚osculo oris sui', id est sponsus ille dulcissimus, qui solus sufficit mihi, qui creavit me propter se; nec possum nisi in eo quiescere, qui solus totum meum affectum quietare potest et contentare. Hic talis ac tantus, osculetur me osculo oris sui, id est, se ipsum gratiosissime applicet mihi, meque pauperculam suae incomparabili et infinitae excellentiae dignetur immediate conjungere: tangendo et illuminando apicem intellectus mei ad contemplandum majestatem et sapientiam, veritatem ac pulchritudinem ejus prorsus immensam; accendendo quoque verticem voluntatis seu affectivae meae superioris, ad diligendum purissime, stabiliter ac intentissime bonitatem ipsius illimitatam, ad gustandum fontanam ejus ducedinem, omni fundo, termino, ac mensura carentem, ad quiescendum in ejus amplexu mundi simo, quatenus tota ferar, transformer, absorbearque in ipsum, atque in suae beatitudinis exuberantissimo et immenso oceano rapta demergar."

[143] Schatzgeyer (1501), Epilogus et conclusio, 330b: „Exerce denique (agrum apicum mentalium). Habes enim in spiritu tuo apices duos. Unum intellectus, qui est synderesis contra malum perpetuo et inextinguibiliter remurmurantem. Alium affectus, qui dicitur scintilla, semper et inflexibiliter per naturam ad bonum inclinantem, et Deum super omnia diligendum demonstrantem, iuxta illud prophete: ‚Multe dicunt: quis ostendet nobis bona', respondendo: ‚Signatum est', inquit ‚super nos lumen vultus tui, domine' [Ps. 4, 6—7]. Hos, inquam, apices exerce, per ardentassimum in deum amorem, teipsum sibi holocaustum offerendo, laudibus eius iugiter invigilando, ipso in omnibus creaturis fruendo, ad supernam patriam toto desiderio suspirando, et in Christum Iesum crucifixum te totum per extaticum amorem transformando."

[144] WA 1; 32, 1—16 (Predigt 26. Dez. 1514): „Nam ista Synteresis in voluntate humana in perpetuum manet, quod velit salvari, bene beateque vivere, nolit et odiat damnari, sicut et rationis Synteresis inextinguibiliter deprecatur ad optima, ad vera, recta, iusta. Haec enim Synteresis est conservatio, reliquiae, residuum superstes portio naturae in corruptione

in se est" und der merita de congruo in Verbindung bringen würde[145]. In dem deutlichsten Zeugnis aus dieser Frühzeit jedoch ist es ziemlich klar, daß die synderesis den Menschen zwar auf das rechte *Ziel* hinweist, ihm aber nicht den *Weg* dahin zeigt[146]. Selbst hier ist „gemitus" kein emotionaler Ausdruck der synderesis, sondern Anzeichen für die Schwäche des Menschen und daher seines völligen Angewiesenseins auf Gott. Die synderesis kennzeichnet das esse, nicht das bene esse des Menschen[147]. In Übereinstimmung mit der Tradition hat Schatzgeyer seine großen Erwartungen von der dem Menschen angeborenen synderesis mit Ps. 4, 7 begründet: „Signatum est super nos lumen vultus tui, Domine." In den Dictata (1516) und dann betont in den Operationes in Psalmos sagt Luther ausdrücklich, daß diese Auslegung falsch ist: „Das erste Prinzip

---

et vitio perditae ac velut fomes, semen et materia resuscitandae et restaurandae eius per gratiam, sicut Esaias: Arundinem conquassatam non confringet et linum fumigans non extinguet, quasi diceret ,sed potius redintegrabit, consolidabit, accendet et inflammabit'. Sic idem: nisi Dominus reliquisset nobis semen, quasi Sodoma fuissemus, i. e. moraliter loquendo, nisi Synteresin et reliquias naturae conservasset, tota periisset. Et Hiob: lignum habet spem, si praecisum fuerit, rursum virescit, si mortuus fuerit in pulvere truncus eius et senuerit radix eius in terra, ad odorem aquae germinabit et faciet comam, quasi cum primum plantatum est. Resuscitabilis itaque est natura, nisi ponatur obex et gratiae resistatur, quod faciunt impii, qui freti sua Synteresi et prae voluntate ac sapientia propria nolunt restaurari, sed sani sibi videntur."

[145] Vgl. H. A. Oberman, Facientibus quod in se est Deus non denegat gratiam (HThR 55, 1962, 317—342), 333 ff.

[146] WA 1; 32, 33—40 (Predigt 26. Dez. 1514): „Est enim, ut dixi, ex Deo indita ista bona voluntas in homine indelebiliter, imo per ipsam maxime punietur, cum non possit nolle poenam et non possit non velle quietem et salutem. — Secunda pars conclusionis probatur, quia sapientia carnis dispergit voluntatem Deo conformem, ut velit non in quo debet et in quo Dei voluntas vult salvari eam, sed in quo sibi videtur et in quo Dei voluntas vult salvari eam, sed in quo sibi videtur et in quo ipse homo eligit beatus esse et salvari. Hic enim discordia oritur inter Deum et hominem, scilicet in via, non in fine, ut Mt. 5." Vgl. ebd. 33, 36 f.: „... non enim necesse est orandum ut bonum velimus, sed ut recte velimus et verum bonum." Ebd. 34, 4—7: „Hinc verbum factum est et sapientia Dei abscondita et exinanita, ut nostram quoque hanc pessimam sapientiam absconderet et exinaniret, quae est plena vanitate, errore et peccato."

[147] WA 1; 36, 37—37, 1 (Predigt 26. Dezember 1514): „Imo pro illuminatione rationis incarnatum est verbum, sapientia Patris, et pro sananda voluntate missus est Spiritus, Sic ut ille lucem rationi, hic ignem voluntati conferret, ac sic intelligeret et amaret invisibilia et supra se existentia, quae per Synteresin apta est intelligere ac amare, sed impediente rationis et voluntatis defectu non diligit nec intelligit. Ideo semper gemendum et orandum. Simile est cum medicina aegroti, quia aegrotus adhuc utique habet Synteresin sanitatis, quam Medici vocant vires naturae, quia sunt apti et inclinati agere ea quae sani agunt sed non possunt agere. Si enim non esset residuum sanitatis aliquod, desperata esset aegritudo et incurabilis." Siehe auch die Verbindung von gemitus und homo vetus: Operationes in Psalmos, Ps. 5, 12 (WA 5; 164, 22—31): „Deliberatio itaque meo sensu. Primum certum est gratiam, id est, fidem, spem, caritatem non infundi, nisi peccatum effundatur simul, hoc est, peccator non justificatur, nisi damnetur, non vivificatur, nisi occidatur, non ascendit in coelum, nisi descendat ad inferos, ut habet tota scriptura. Quare in gratiae infusione necesse est esse amaritudinem, tribulationem, passionem, sub quibus gemit vetus homo, sui occasum aegerrime ferens. In qua tribulatione si patiens sit et exspectet operantis manum et gratiam sibi infundentem, probatus est, et obtinebit spem, fidem caritatem, quae hoc negotio infunduntur. Quod fit, quoties nobis nostraeque voluntati contraria contingunt, et eo magis quo magis contraria." Für eine mehr ins Detail gehende Untersuchung der Texte, die von der synderesis und fides handeln, vgl. die in Anm. 45 genannte Abhandlung S. E. Ozments.

aller guten Werke ist der Glaube."[148] Der gemitus (und ebenso das Gebet) setzt den Glauben voraus und hat nichts mit einer vorbereitenden Einübung der humilitas oder mit einem unberührten, vor Sünde gefeiten Teil im Menschen zu tun, sondern mit dem Leben im Glauben selbst: „Das gebeet ist, das er Christum begeert, das geschrey ist, das er seyn elend vorcleret."[149]

Im Rückblick auf unsere Beobachtungen ergibt sich, daß Luther von beiden Enden des mystischen Weges jeweils charakteristische Termini mitgebracht hat, um das Zentrum und die Achse dieses Weges zu beleuchten. Excessus und raptus auf der einen, gemitus auf der anderen Seite wurden in Dienst genommen, um das christliche Leben zu erhellen. Gerade in der gegenseitigen Durchdringung dieser Vorstellungen möchte ich die geniale Eigentümlichkeit von Luthers Beschreibung der vita christiana erblicken. Der gemitus-Aspekt bannt die Gefahren, die von der theologia gloriae des mystischen raptus drohen. Und der excessus- und raptus-Aspekt macht die synergistischen Elemente unschädlich, die in der traditionellen scholastischen Verbindung von synderesis und gemitus liegen. Ein Prüfstein für die Richtigkeit unseres Ergebnisses wäre eine — hier jedoch nicht zu vollziehende — besondere Untersuchung von Luthers Verwendung des Gedankens der Brautmystik und des der unio fidei. Auf unserem Wege vorbei an den vielen Fußangeln, die das Thema „Luther und die Mystik" in sich birgt, hoffen wir gezeigt zu haben, daß dieses dornige Feld in der reichen Gedankenwelt des Reformators keineswegs als ein „Nebenkrater" angesehen werden darf.

Als allgemein anerkannten Grund-Satz der Theologie Luthers kann man die Formel ‚simul iustus et peccator' bezeichnen; der damit angegebene Sachverhalt könnte in der Sprache mystischer Spiritualität — und das heißt für Luther: in der Sprache der persönlichen Glaubenserfahrung — auf die Formel gebracht werden: ‚simul gemitus et raptus'[150]. Für beide Formeln ist charakteristisch, daß sie nicht zu einer via media entspannt werden können, sondern das simul eine coincidentia oppositorum andeutet.

---

[148] WA 5; 119,12—18 (1519—1521). Vgl. WA 55,2; 80,29—81,2 (1516) sowie den ausführlichen Apparat in WA 55,1; 22,34—25,9. Vgl. hier die These des Arnold von Heisterbach: „recepimus divini vultus super nos configurantem assimilationem: patri in memoria, filio in intelligentia, spiritui sancto in voluntate optima" (zitiert bei Gerhard Ritter, Via Antiqua und Via Moderna, [Heidelberg 1922] Darmstadt 1963, 155; vgl. 63 f.).

[149] WA 1; 196,25 f. (Die sieben Bußpsalmen, 1517).

[150] Operationes in Psalmos, Ps. 5,12 (WA 5; 176,11—22): „Nam phantasmata illa puto humana esse, quod aliud sit habitus, et aliud actus ejus, praesertim in his divinis virtutibus, in quibus non est nisi passio, raptus, motus, quo movetur, formatur, purgatur, impraegnatur anima verbo Dei, ut sit omnino negotium harum virtutum aliud nihil quam purgatio palmitis (ut Christus dicit), quo fructum purgatus plus afferat.

Denique ceterae virtutes versantur circa res crassas et corporales externae, illae vero circa purum verbum Dei interne, quo capitur et non capit anima, hoc est, exuitur tunica et calciamentis suis, ab omnibus tam rebus quam phantasmatibus, rapiturque per verbum (cui adhaeret, imo quod eam apprehendit et ducit mirabiliter) in solitudinem (ut Oseae 2. dicit), in invisibilia, in cubiculum suum, in cellam vinariam. At hic ductus, hic raptus, haec expolitio misere eam discruciat."

LUTHER UND DIE MYSTIK

Korreferat von Erwin Iserloh

Vorbemerkung

In diesem Beitrag ist ein Begriff von Mystik zugrunde gelegt, der uns von „Christusmystik" bei Paulus sprechen läßt[1]. Danach ist Mystik jene Frömmigkeit, die eine unmittelbare Verbindung oder Berührung des Menschen mit Gott erstrebt. Diese vollzieht sich im Seelengrund, d. h. in der Schicht der menschlichen Person, die vor den Vermögen: Verstand, Wille und Gefühl liegt. In der christlichen Mystik ist diese Einigung in Christus geschenkt; der Christ ist in Christus und Christus ist im Christen. Dabei geht es, wie auch Luther gegen die Schwärmer betont (WA 40, 1; 546, 8), um eine wirkliche, wenn auch pneumatische (geistliche), aber nicht nur geistige oder bewußtseinsmäßige Gegenwart des gestorbenen und auferstandenen Christus in dem Christusgläubigen. Es geht um Lebens- und Schicksalsgemeinschaft und nicht um bloße Gesinnungsgemeinschaft. Wohl soll diese Lebensverbindung mit Christus in der Gesinnung und im Tun, in der Hingabe des Denkens, Fühlens und Wollens aktualisiert werden. Von einem Mystiker sprechen wir, wenn dieses Sichtragen- und Sichbestimmenlassen von dem „Christus in uns" eine besondere Stärke und Innigkeit erreicht hat. An sich ist diese Christusverbundenheit nur im Glauben gegeben und wird nicht erfahren. Sie kann aber an ihren Auswirkungen gespürt werden. So mahnt Paulus 2.Kor. 13, 5: „Prüfet euch selber, ob ihr im Glauben seid, prüfet euch selbst. Oder merkt ihr etwa nicht an euch, daß Jesus Christus in euch ist?"

Einleitung

Ich stimme mit Herrn Oberman überein, daß in Luthers Stellung zur Mystik sich kein wesentlicher Wandel vollzogen hat, weder durch sein Kennenlernen der Mystik Taulers und der „Theologia Deutsch" noch durch die Abwehr der Schwärmer, auch nicht durch die reformatorische Wendung, ob wir die nun 1514/15 oder 1518 ansetzen. In ziemlicher Kontinuität hält Luther seine Linie durch. Er steht positiv zur Mystik als einer sapientia experimentalis, als einer Lebeweisheit[2], gemäß der der Mensch den religiösen Wirklichkeiten

---

[1] Vgl. A. Wikenhauser, Die Christusmystik des Apostels Paulus (Freiburg 1956), 2. Auflage.

[2] Luther verwendet wie Tauler die Bezeichnung „Lesemeister", die antithetisch zu Lebemeister gemeint ist (WA 6; 291, 30).

nicht theoretisch spekulierend gegenübersteht, sondern in ihnen steht und aus ihnen lebt. Letzthin ist es nur die eine Wirklichkeit: Christus, der Menschgewordene, Gekreuzigte und Auferstandene, mit dem der Christ in eine geheimnisvolle Schicksals- und Lebensgemeinschaft eintritt. Weil Christus in den Heilsereignissen dem Christen gleichzeitg ist, kann und muß die Schrift tropologisch ausgelegt werden, kann das, was von Christus gilt und an Christus geschehen ist, auch vom Christen ausgesagt werden.

Diesen mystischen Grundzug hat die Theologie Luthers, weil sie von Augustinus geprägte Theologie ist[3].

Weil die Mystik Luthers Christusmystik ist, steht sie von vornherein einer bloßen Logosmystik skeptisch und ablehnend gegenüber. Luther lehnt jede Spekulation ab[4], die zu einer Einigung mit Gott kommen möchte ohne den menschgewordenen Christus bzw. an ihm vorbei, die in Gefahr ist, abzusehen von dem de potentia dei ordinata konkret festgelegten Heilsweg in Geburt, Tod und Auferstehung Christi, in den wir mittels des Wortes und der Sakramente hineingenommen werden.

Wenn aber Luther sich gegen die mystische Spekulation wendet, weil es ihm allein um Jesus Christus den Gekreuzigten (1.Kor. 2, 2) geht, dann schließt er sich damit keineswegs der spätmittelalterlichen „ganz unmystischen Frömmigkeit" an, deren Herzstück die Betrachtung des Leidens Christi war, wie jüngst Martin Elze[5] gemeint hat. So dankbar wir diesem für den Nachweis der Verflochtenheit Luthers in die spätmittelalterliche Frömmigkeit sind, so entschieden ist aber auch darauf hinzuweisen, daß Luther dieser kritisch gegenübersteht, er an einer bloß meditativen Versenkung in das Leiden Christi und dessen etischem Nachvollzug im Sinne einer moralischen Nachfolge nicht genug hat, ja diese gar nicht für möglich hält, ohne eine Verbindung mit Christus in einer Personschicht, die allem Tun vorgeordnet und der Erfahrung normalerweise nicht zugänglich ist. Luther steht also, wie zunächst gezeigt werden soll, in doppelter Frontstellung: auf der einen Seite gegen eine spekulative Mystik, die vom verbum incarnatum absieht, auf der anderen Seite gegen die spätmittelalterliche Leidensfrömmigkeit, die im Bereich des Psychologisch-Moralischen

---

[3] Der vielfältige Einfluß des Augustinus auf Luther durch die Frömmigkeit und Theologie seines Ordens, durch Johannes Staupitz und durch ausgiebige Lektüre von Augustins Schriften spätestens seit 1509 kann hier nicht behandelt werden. Vgl. E. Iserloh, Luthers Stellung in der theologischen Tradition: Wandlungen des Lutherbildes, Studien und Berichte der kath. Akademie in Bayern, hrsg. von K. Forster, Heft 36 (Würzburg 1966) S. 13—47.

[4] „Vera theologia est practica, et fundamentum eius est Christus, cuius mors fide apprehenditur. Omnes autem hodie, qui non sentiunt nobiscum et non habent doctrinam nostram, faciunt eam speculativam, quia sie konnen aus der cogitatio nit kommen: Qui bene fecerit etc. Es heist aber nit so, sed: Timenti Dominum bene erit in ultimis. Speculativa igitur theologia, die gehort in die hell zum Teuffel. Sic Zinglius speculabatur ..." (WA Tr. 1; 72, 16—22, Nr. 153).

[5] Vgl. Martin Elze, Züge spätmittelalterlicher Frömmigkeit in Luthers Theologie: ZThK 62 (1965) 381—402, S. 395. Zur Frömmigkeit der „Devotio Moderna" vgl. E. Iserloh, Die Kirchenfrömmigkeit in der „Imitatio Christi": Sentire Ecclesiam, hrsg. von J. Daniélou u. H. Vorgrimler (Freiburg 1961) 251—267, S. 257 ff.

bleibt, die eine imitatio sucht, bevor es zur conformatio gekommen ist, die Christus als exemplum nachstrebt, bevor er zum sacramentum geworden ist.

I. Luthers Kritik an der spekulativen Mystik und Theologia negativa zugunsten einer Christusmystik als Gottesgemeinschaft sub contrario.

Luther weist in den Dictata super Psalterium gelegentlich in positivem Sinn auf Dionysius und seine negative Theologie hin. Denn diese betone nachdrücklich die Verborgenheit und Unbegreiflichkeit Gottes[6]. Weil Gottes Größe alles Denken und Erkennen übersteigt, ist die negative Theologie gemäßer als die affirmative. Sie kann nicht in Disputation und Vielrederei betrieben werden, sondern nur in Muße und Schweigen, ja in Entrückung und Ekstase[7].

Luther sieht aber in den Dictata die Verborgenheit Gottes noch gesteigert in der Inkarnation, in der Kirche und in der Eucharistie. Man darf also folgern, daß eine Theologie, die sich mit dem fleischgewordenen Christus befaßt, seiner Meinung nach dem Geheimnis Gottes noch nähersteht. Das bringt ihn schon in der Römerbriefvorlesung dazu, gegen eine Mystik, die an der Menschwerdung und an dem Heilsweg durch Tod und Auferstehung Christi vorbeigeht, Stellung zu nehmen. Nach Luther wendet sich Paulus Röm. 5, 2 gegen solche, die „allein durch den Glauben den Zugang haben wollen, nicht durch Christus, sondern an Christus vorbei, wie wenn sie fürderhin Christi nicht mehr bedürften, nachdem sie die rechtfertigende Gnade empfangen hätten" (WA 56; 298, 25 ff.). Weiter gegen die, „die allzu sicher auftreten durch Christus ... als wenn sie selbst nichts mehr zu tuen bräuchten, nichts vom Glauben zeigen müßten ... Darum muß beides da sein: ,Durch den Glauben', ,durch Christus', so daß wir im Glauben an Christus alles, was wir vermögen, tun und leiden sollen ... Davon werden auch die betroffen, die nach der mystischen Theologie sich eifrig um die innere ,Finsternis' mühen, dabei alle Bilder des Leidens Christi beiseite lassen und das ungeschaffene Wort selbst hören und betrachten wollen, ohne daß zuvor die Augen ihres Herzens durch das im Fleische erschienene Wort gerecht und rein gemacht sind. Denn das im Fleisch erschienene

---

[6] WA 3; 124,32 f.: „Ideo b. Dionysius docet ingredi in tenebras anagogicas et per negationes ascendere. Quia sic est deus absconditus et incomprehensibilis."

[7] WA 3; 372,13—27: „Secundo secundum extaticam et negativam theologiam: qua deus inexpressibiliter et pre stupore et admiratione maiestatis eius silendo laudatur, ita ut iam non solum omne verbum minus, sed et omnem cogitatum inferiorem esse laude eius sentiat. Hec est vera Cabala, que rarissima est. Namque sicut affirmativa de deo via est imperfecta, tam intelligendo quam loquendo: ita negativa est perfectissima. Unde in Dionysio frequens verbum est ,Hyper', quia super omnem cogitatum oportet simpliciter in caliginem intrare. Attamen literam huius psalmi non puto de hac anagogia loqui. Unde nimis temerarii sunt nostri theologi, qui tam audacter de Divinis disputant et asserunt. Nam ut dixi, affirmativa theologia est sicut lac ad vinum respectu negative. Et hec in disputatione et multiloquio tractari non potest, sed in summo mentis ocio et silentio, velut in raptu et extasi. Et hec facit verum theologum. Sed non coronat ullum ulla universitas, nisi solus spiritus sanctus. Et qui hanc viderit, videt quam nihil sciat omnis affirmativa theologia. Sed hec plura forte quam modestia patitur."

Wort ist zunächst zur Reinheit des Herzens nötig; wer sie hat, kann dann schließlich durch dieses fleischgewordene Wort zu dem ungeschaffenen Wort ‚durch einen Aufstieg' entrückt werden" (WA 56; 299, 17—300, 5). Hier geht es nicht um den Gegensatz „zwischen der frommen Betrachtung des Leidens Christi und der mystischen Theologie"[8], sondern um eine Christusmystik gegen eine spekulative Logosmystik.

Wie vor ihm schon Bernhard (In cant. sermo 3,2; 41,2; 62,7) und Bona-ventura (Itinerarium mentis in deum cap. IV) betont Luther, daß wir nur durch den Menschgewordenen und Gekreuzigten Zugang haben zu dem ewigen, un-begreiflichen Gott, nur durch den geoffenbarten den verborgenen Gott finden. Hochachtung vor der Mystik und Kritik zugleich, verbunden mit dem Ansatz zu einem eigenen mystischen Weg spricht aus der vielzitierten Anmerkung zu der Weihnachtspredigt Taulers über die dreifache Geburt.

Hier stellt Luther dem kontemplativen Leben und der geistlichen Geburt das tätige Leben in der Übung der Tugenden und die moralische Geburt gegen-über. Dieses, in Martha verkörpert, ist der häufigere und leichte Weg, jenes, in Maria dargestellt, ist seltener und den Erfahrenen vorbehalten. Die Taule-rische Predigt stehe ganz auf dem Boden der mystischen Theologie, als einer *„sapientia experimentalis et non doctrinalis"*. Sie spreche von der geistlichen Geburt des ungeschaffenen Wortes. Die eigentliche *(propria)* Theologie da-gegen sei die von der geistlichen Geburt des fleischgewordenen Wortes. Sie habe das „einzig Notwendige" und den „besten Teil". Sie sei nicht „um vieles besorgt" und lasse sich nicht dadurch verwirren, sei aber besorgt um die Tugend und um deren Sieg über die Laster und insofern noch nicht des vollen Seelenfriedens teilhaftig[9].

Theologia propria ist für Luther, der sich dabei auf Dionysius Areopagita beruft[10], die mit Vernunftsgründen arbeitende diskursive („wissenschaftliche") Theologie, die den *de potentia ordinata* beschrittenen Heilsweg beschreibt. Diese unterscheidet er von der sinnenhaften, auf Bilder sich stützenden, und von der mystischen Theologie. In der Hebräervorlesung sagt er zu Hebr. 9,2: „Dem [d. h. dem Vorhof und den beiden Heiligtümern des Tempels] entspricht

---

[8] M. Elze: ZThK 62 (1965), S. 399.

[9] WA 9; 98, 14—27; Cl. V; 306, 21—307, 5: „Verum est sic nasci deum in nobis secundum statum vitae contemplativae et spirituali anagogia. Sed moraliter nascitur non in quiete, sed in operatione virtutum secundum statum vitae activae. Et hoc ad Martham, illud ad Mariam pertinet: hoc facile, illud difficile, hoc saepius illud rarum est. Hanc omnes facile intelligunt, illam autem non nisi experti. Unde totus iste sermo procedit ex theologia mystica, quae est sapientia experimentalis et non doctrinalis. Quia nemo novit nisi qui accipit hoc negotium absconditum. Loquitur enim de nativitate spirituali verbi increati. Theologia autem propria de spirituali nativitate verbi incarnati habet unum necessarium et optimam partem. Haec non sollicita est et turbatur erga plurima et contra peccata crescit et pugnat ad virtutem sollicita, quaerit, ubi illa victrix viciorum triumphat."

[10] Luther konnte diese Auffassung des Areopagiten entnehmen dem Werk von Joh. Gerson, De Theologia Mystica. Vgl. Jean Gerson, Œuvres complètes, hrsg. v. Mgr Glorieux, III (Tournai 1962) 252 f.

jene dreifache Theologie: die symbolische den Sinnen, die eigentliche dem Verstand, die mystische der (höheren) Vernunft."[11]

Es ist beachtlich, daß Luther den Gegensatz von geistlicher und moralischer Geburt nicht durchhält, sondern im folgenden von geistlicher Geburt des ungeschaffenen und der ebenfalls geistlichen Geburt des fleischgewordenen Wortes spricht. Somit gilt auch für die „eigentliche", an sich ja unmystische Theologie, daß sie sich wie Maria um das einzig Notwendige kümmert und den besten Teil erwählt hat.

Luther warnt zwar wie Bernhard v. Cl., Bonaventura und die Mystiker davor, unmittelbar die mystische Beschauung anzustreben; wer mit Luzifer in den Himmel aufsteige, laufe Gefahr, mit ihm hinabzustürzen (WA 9; 98, 33; vgl. 9; 100, 28 ff.). Aber bei ihm wird immer deutlicher, daß die Begegnung mit dem menschgewordenen Wort nicht bloße pädagogische Vorstufe ist, die man hinter sich läßt, um schließlich zum unerschaffenen Wort oder zum „deus nudus" vorzustoßen. Nein, die eigentliche, gar nicht zu überholende Einigung mit Gott geschieht in der Begegnung mit dem gekreuzigten Christus. Diese vollzieht sich aber nicht in bloßer Betrachtung und moralischer Nachfolge, sondern als seinshafte Gemeinschaft in der Tiefenschicht der menschlichen Person, die dem Vermögen, Verstand und Willen vorgeordnet und dem Bewußtsein nicht zugänglich ist. Es geht nicht um Askese oder Frömmigkeit, sondern um „Hochmystik", wenn auch anderer Art.

Luther warnt vor einer bloß spekulativen Mystik, die vom gekreuzigten Christus absieht, als eitel, aufgeblasen, selbstgefällig, als wahrer Teufelsfalle vor und während seines Kampfes mit den Schwärmern. Eine solche Mystik ist nicht nur unnütz und läßt das Herz leer[12], sondern sie ist gefährlich, weil sie

---

[11] WA 57,3; 197,15—20: „Et breviter ad istum modum sensus est atrium, ratio est sanctum, intellectus sanctum sanctorum, qui sunt tres illi homines a Paulo celebrati, scilicet animalis, carnalis, spiritualis. Et in singulis suus est ritus et sua theologia, suus cultus Dei, quibus respondet triplex illa theologia: simbolica sensui, propria rationi, mystica intellectui." Vgl. Scholion zu Hebr. 5,12: „Sermones Dei Apostolus hic manifeste distinguit in perfectos [et] incipientes, quare et necessario in proficientes. Que differencia non facilius intelligitur quam iuxta triplicem illam teologiam superius quoque commemoratam, scil. simbolicam, propriam, misticam, seu sic: sensualem, racionalem, spiritualem. Quam ultimam Dionisius vocat ἄλογον i. e. irracionalem, scil. quod nec verbo nec racione tradi aut capi potest, sed sola experiencia. Simbolica theologia est ea, que docet Deum per figuras et sensibiles imagines, ut olim apud Iudeos in templo, tabernaculo, archa, sacrificiis et similibus cognoscere. Que et hodie tollerantur apud Christianos in ornamentis imaginum ecclesiarum, item in cantibus, in organis et similibus" (WA 57,3; 179,5—15).

[12] Operationes in Ps. (1519/21) zu Ps. 5,12: „Multi multa de Theologia mystica, negativa, propria, symbolica moliuntur et fabulantur, ignorantes, nec quid loquantur, nec de quibus affirment. Neque enim quid affirmatio aut negatio sit, aut quomodo utra fiat, noverunt. Nec possunt commentaria eorum citra periculum legi, quod quales ipsi fuerunt, talia scripserunt, sicut senserunt, ita locuti sunt. Senserunt autem contraria negativae theologiae, hoc est nec mortem nec infernum dilexerunt, ideo impossibile fuit, ut non fallerent tam seipsos quam suos lectores. Haec admonendi gratia dicta velim, quod passim circumferuntur tum ex Italia tum Germania Commentaria Dionysii super Theologiam mysticam, hoc est mera irritabula inflaturae et ostentaturae seipsam scientiae, ne quis se Theologum mysticum credat, si haec legerit, intellexerit, docuerit seu potius intelligere et docere sibi visus fuerit. Vivendo, immo

den Menschen in die Gefahr bringt zu meinen, er könne aus sich heraus durch Versenkung in den eigenen Seelengrund oder durch mystischen Aufstieg zur Einigung mit Gott kommen [13]. So ersetzt er in den Randbemerkungen zu Tauler „Syntheresis" oder „gemüte" durch fides (WA 9; 103, 41).

Das platonische Stufendenken des Areopagiten mit der Vorstellung der Himmelsleiter lehnt Luther scharf und durch sein ganzes Werk hindurch ab, wenn damit der Eindruck erweckt wird, als könne sich der Mensch aus eigener Kraft zu Gott emporschwingen [14]. Unsere Leiter kann nur die Menschheit dessen sein, der zu uns herabstieg. Bei seiner Niedrigkeit müssen wir den Aufstieg beginnen [15]. Doch bedeutet, wie gesagt, diese Ablehnung einer spekulativen

---

moriendo et damnando fit theologus, non intelligendo, legendo aut speculando" (WA 5; 163, 17—29); WA Tr. 1; 302, 30 ff., Nr. 644: „Speculativa scientia theologorum est simpliciter vana. Bonauenturam ea de re legi, aber er hett mich schir toll gemacht, quod cupiebam sentire unionem Dei cum anima mea (de qua nugatur) unione intellectus et voluntatis. Sunt mere fanatici spiritus. Hoc autem est vera speculativa, quae plus est practica: Crede in Christum et fac, quod debes. Sic mystica theologia Dionisii sunt merissimae nugae; sicut enim Plato nugatur: Omnia sunt non ens et omnia sunt ens vnd lests so hangen, sic illa mystica theologia est: Relinque sensum et intellectum et ascende super ens et non ens. In istis tenebris est ens? Deus est omnia etc."

[13] „Zu diesen Spekulationen über die nackte Majestät Gottes gab Dionysius mit seiner mystischen Theologie und andere, die ihm folgten, Anlaß. Sie schrieben vieles über die geistliche Hochzeit, da sie Gott selbst als Bräutigam, die Seele als Braut annahmen und lehrten, die Menschen könnten in diesem sterblichen und korrupten Fleische ohne Mittel mit der unerforschlichen und ewigen Majestät Gottes verkehren und handeln. Und gewiß ist diese Lehre als höchste und göttliche Weisheit hingenommen worden. Auch ich bin in ihr einmal gewandelt, jedoch zu meinem großen Schaden. Ich ermahne euch, daß ihr diese mystische Theologie des Dionysius und ähnliche Bücher, in denen solches Geschwätz enthalten ist, verabscheut wie die Pest und teuflische Vorspiegelungen" (WA 39, 1; 389, 18 ff.); 1. Disp. gegen die Antinomer (18. 12. 1537).

[14] „Nostra enim iusticia de coelo prospicit et ad nos descendit. At impii illi sua iusticia in coelum ascendere praesumpserunt et veritatem illinc adducere, quae apud nos de terra orta est" (WA 2; 493, 12; Galat. 1519); „Omnis ascensus ad cognitionem Dei est periculosus praeter eum qui est per humanitatem (humilitatem) Christi, quia haec est scala Jacob, in qua ascendendum est" (WA 4; 647, 19 f.; Cl. V; 431, 14—16). „In ,Theologia' vero ,mystica', quam sic inflant ignorantissimi quidam Theologistae, etiam perniciosissimus est, plus platonisans quam Christianisans, ita ut nollem fidelem animum his libris operam dare vel minimam. Christum ibi adeo non disces, ut, si etiam scias, amittas. Expertus loquor. Paulum potius audiamus, ut Jesum Christum et hunc crucifixum discamus. Haec est enim via, vita et veritas: haec scala, per quam venitur ad patrem . . ." (WA 6; 562, 8—14; vgl. WA 39, 1; 389, 10 ff.).

[15] „Ipse descendit et paravit scalam" (Predigt über 2. Mose 9 [1524], WA 16; 144, 3 f.). In einer Predigt zu Gen. 28 (1519/21): „Wenn sie mit dem Kopf durch den Himmel bohren und sehen sich in dem Himmel um, da finden sie niemand; denn Christus liegt in der Krippe und in des Weibes Schoß; so stürzen sie wieder herunter und brechen den Hals. Et ii sunt scriptores super primum librum sententiarum. Deinde adeo nihil consequuntur istis suis speculationibus, ut neque sibi neque aliis prodesse aut consulere possunt . . ., hebe unten an nicht oben. Darum wer Christum will lernen kennen, der muß der verachteten Gestalt acht haben . . . Einem Menschen kann ich nicht recht trauen, es sei denn ich kenne ihn von Herzen. Ita deo non possimus confidere nisi cor et voluntatem eius cognoscamus. Id quod fit in Christo. Denn in ihm sehe ich, was Gott in seinem heimlichen Willen hat" (WA 9; 406, 17—31). Ähnlich in den Vorlesungen über 1. Mose von 1535/45: „Qui enim recte speculari volet, intueatur Baptismum suum: legat Biblia sua, audiat conciones, honoret patrem et matrem, frati laboranti subveniat, non concludat se, ut sordidum monacharum etovulgus solet, in angulum, et delectetur ibi suis devotionibus, ac sic putet se in Dei sinu sedere, et commer-

Mystik, die in der Gefahr ist, den *de potentia dei ordinata* bestimmten Heilsweg zu vernachlässigen, für Luther nicht, sich wie die Devotio moderna zu
begnügen mit einem „psychologischen Realismus ohne alle Überschwenglich-
keit, bedacht auf kluge Mäßigung und solide, nicht dem Augenblick verfallende,
deshalb auch alle Brillanz scheuende innerlich fromme Haltung"[16]. Abgesehen
davon, daß diese brave Frömmigkeit Luthers religiöser Potenz nicht genügte
und keine Antwort war auf die aus der Tiefe bei ihm aufgebrochenen Fragen,
sah er sie in Gefahr, sich auf die psychologischen und moralischen Kräfte des
Menschen zu verlassen. Von daher betont er in der Hebräerbriefvorlesung:
„Wer darum sich Christo nachbilden will als einem Vorbild, muß zuerst in
festem Glauben fassen, daß Christus für ihn gelitten hat und gestorben ist als
göttliches Zeichen *(sacramentum)*. Gewaltig also irren die Leute, welche versuchen, sogleich mit Werken und Anstrengungen der Buße die Sünde zu tilgen
und gleichsam mit dem Vorbild *(exemplum)* zu beginnen, wo sie mit dem göttlichen Zeichen *(sacramentum)* anheben sollten" (WA 57, 3; 114, 13—19).
Luther fordert eine praktische, wenn man so will, existentielle Theologie, in
deren Mitte das Kreuz steht, das ist keine Mystik *per viam negativam,* sondern *per viam contrarii.*

„Denn unser Gut ist verborgen, und zwar so tief verborgen, daß es unter
seinem Gegensatz *(contrarium)* verborgen ist. So ist unser Leben verborgen
unter dem Tode, die Liebe zu uns unter dem Haß wider uns, die Herrlichkeit
unter der Schmach, das Heil unter dem Verderben, das Königreich unter dem

---

tium habere cum Deo sine Christo, sine verbo, sine Sacramentis etc. ... Vera vita speculativa
est, audire et credere verbum vocale, ac nihil velle scire, ‚nisi Christum, eumque crucifixum'.
Is solus cum verbo suo est obiectum speculationis utile et salutare, ab eo cave discedas, qui enim
abiecta vel neglecta humanitate, seu carne Christi, de Deo, ut monachi solebant, et nunc
Suenckfeldius et alii solent, speculantur, aut ad desperationem adiguntur, oppressi claritate
Maiestatis, aut iubilant stulte, ac se in coelos positos somniant, decepti a Satana, talibus
praestigiis animos ludente. Ac desperantibus quidem succurri potest, sed istis, qui ceu gaudio
ebrii se in sinu Dei sedere putant, non item.
    Gerson quoque scripsit de vita speculativa, ac ornat eam magnis titulis, ac imperiti cum
legunt talia, amplectuntur ea pro divinis oraculis, sed revera, Ut in Proverbio dicitur:
Thesaurus carbones. Igitur seu externum, seu civilem te appellent vani speculatores isti, nihil
te hic moveat, age tu Deo gratias pro verbo et externis istis, et relinque istas ampullosas
speculationes aliis.
    Ego legi tales libros cum magno studio, et vos quoque hortor, ut legatis: sed cum iudicio,
nec nulla causa est, cur ego haec sic urgeam et inculcem, ut in ordinatam Dei potentiam et
ministeria Dei intueamini: ‚nolumus enim agere cum Deo nudo, cuius viae sunt impervestigabiles, et abscondita iuditia', Romanos undecimo.
    Ordinatam potentiam, hoc est, filium incarnatum amplectemur, ‚in quo reconditi sunt
omnes thesauri divinitatis'. Ad puerum illum positum in gremio matris mariae, ad victimam
illam pendentem in cruce nos conferemus, Ibi vere contemplabimur Deum, ibi in ipsum cor
Dei introspiciemus, quod sit misericors, quod nolit mortem peccatoris: sed ut convertatur et
vivat. Ex hac speculatione seu contemplatione nascitur vera pax, et verum gaudium cordis.
Itaque Paulus dicit: ‚Nihil iudico me scire praeter Christum' etc. Huic speculationi cum
fructu vacamus. Illa autem unio animae et corporis, de qua Gerson magnifice disputat,
saepe cum magno periculo est, et merum Sathanae ludibrium, qui tales devotiones in animis
excitat" (WA 43; 72, 9 ff.).
[16] M. Elze: ZThK 62 (1965) 392 f.

66

Elend, der Himmel unter der Hölle, die Weisheit unter der Torheit, die Gerechtigkeit unter der Sünde, die Kraft unter der Schwachheit" (WA 56; 392, 28—32). Nicht ausnahmsweise, sondern „ganz allgemein ist all unser Ja zu irgendeinem Gut unter dem Nein, damit der Glaube Raum habe in Gott, der die ganz andere Wesenheit und Güte und Weisheit und Gerechtigkeit ist, den man nicht besitzen oder an den man nicht rühren kann, es sei denn durch die Verneinung aller unserer Bejahungen" (WA 56; 392, 32—393, 3). Aber die von Luther gemeinte Verneinung ist nicht der Aufstieg *per viam negationis,* sondern *per contrarium.*

„Wie die Weisheit Gottes verborgen ist unter dem Schein der Torheit, und die Wahrheit unter der Gestalt der Lüge, so kommt das Wort Gottes, so oft es kommt, in einer unserem Geist widrigen Gestalt." [17]

„Der Gotteswille ist so verborgen unter dem Schein des Bösen, Mißfälligen und Verzweifelten, daß er unserem Willen in keiner Weise als Gottes, sondern des Teufels Wille erscheint." [18] Nach diesem Gegensatzdenken ist „der Glaube eine gewisse Erkenntnis oder Finsternis, die nichts sieht. Und doch sitzt in dieser Finsternis Christus, der durch den Glauben ergriffen wird, so wie Gott auf dem Sinai und im Tempel saß inmitten der Finsternis." [19]

Luthers negative Theologie ist das Kreuz, an dem Gott sich unter dem Gegenteil verbirgt, unter dem Knecht, der ein Wurm ist und kein Mensch [20].

Die Anfechtungen sind letzthin nicht die Versuchungen der Sünde und des Teufels, nicht die dunkle Nacht der Seele, in der Gott sich uns entzieht, sondern Anfechtung bedeutet, daß Gott sich uns in seinem Gegenteil darbietet. Es geht um den Widerspruch zwischen dem fordernden und verheißenden Gott [21]. „Alle anderen Anfechtungen sind nur Andeutung und Vorspiel jener Anfechtungen, in denen wir uns gewöhnen müssen zu Gott gegen Gott unsere Zuflucht zu nehmen" (WA 5; 204, 26). „Wir müssen wider Gott zu Gott dringen" (WA 19; 223, 15). „Von Gott dem Richter zu Gott dem Vater" (WA 19; 229, 31). Man muß Gott dem Tyrannen zustimmen, auf daß er so Freund und Vater wird, anders wird er's niemals [22].

„Denn da wir Lügner sind, kann die Wahrheit niemals anders zu uns kommen als in einer Gestalt, die dem widerspricht, was wir denken" (WA 56; 250, 8 f.; 392, 32; 446, 32).

---

[17] WA 56; 446, 31: „Sicut Itaque Dei Sapientia abscondita est Sub spetie stultitie et veritas sub forma mendacii — Ita enim verbum Dei, quoties venit, venit in spetie contraria menti nostre."

[18] WA 56; 447, 4 ff.; vgl. 393, 5.

[19] WA 40, 1; 229, 15 ff.

[20] „Quare merito ridetur Dionysius, qui scripsit de Theologia Negativa et Affirmativa ... Nos autem, si vere volumus Theologiam negativam definire, statuemus eam esse sanctam Crucem et tentationes, in quibus Deus quidem non cernitur, et tamen adest ille gemitus, de quo iam dixi" (En. Ps. 90, 7 [1534/35]; WA 40, 3; 543, 8—13).

[21] WA 43; 202, 16 ff.

[22] WA 56; 368, 28.

In der bräutlichen Umarmung mit Christus ergreift die Seele das Kreuz, d. h. Tod und Hölle, und empfängt gerade dadurch das Leben[23]. „Denn gleichwie Christus durch die Einigung mit der unsterblichen Gottheit durch das Sterben den Tod überwand, so überwindet auch der Christenmensch, indem er *durch* den Glauben an Christus mit ihm, dem Unsterblichen, eins wird, gleichfalls durch das Sterben den Tod. Und so nimmt Gott dem Teufel durch den Teufel selbst die Macht und vollendet durch das fremde sein eigenes Werk."[24] Diesen mystischen Zug von Luthers Theologie möchte ich noch deutlich machen an seinem Verständnis des Glaubens, an der Vorstellung vom fröhlichen Wechsel und an dem Begriffspaar *sacramentum — exemplum.*

II. Der mystische Zug des Glaubens bei Luther

Man hat vom „*sola fide*" her eine Ablehnung der Mystik durch Luther herleiten wollen. Dabei trägt der Glaube bei Luther ausgesprochen mystische Züge und wird mit einem Zentralbegriff der Mystik, mit „*raptus*", umschrieben. Die Ekstase beschreibt Luther als „*sensus fidei*" und als „das Hineingerissensein *(raptus)* des Geistes in die klare Erkenntnis des Glaubens" (WA 4; 265, 30 f.). In der oben zitierten Stelle aus der Hebräerbriefvorlesung ist gesagt, daß wir im Glauben an Christus eins werden mit ihm, so daß der an seiner Menschheit vollzogene Tod und die Auferstehung auch unser Schicksal sind. Wiederholt wird in dieser Vorlesung der Glaube als *raptus* gekennzeichnet. „Der Christusglaube ... ist ein Hinweggenommen- *(raptus)* und Entrücktwerden *(translatio)* von allem, das innen und außen fühlbar ist, auf das hin, was weder innen noch außen fühlbar ist, eben auf Gott, den unsichtbaren, gar hohen, unbegreiflichen" (WA 57, 3; 144, 10).

„Der Glaube läßt ja das Herz sich heften und hängen an das Himmlische, läßt es ganz und gar hingerissen werden und verweilen in dem Unsichtbaren *(penitusque rapi et versari in invisibilibus)* ... Denn so geschieht es, daß der Gläubige zwischen Himmel und Erden hängt und ‚mitten zwischen den Grenzen‘, wie Ps. 68, 14 sagt ‚schläft‘, d. h. in Christus, in der Luft hängend, gekreuzigt wird."[25]

---

[23] „Sicut et filii patrem carnis dulcius amant post virgam, qua verberati sunt, ita carni contraria voluptate sponsus sponsam suam afficit Christus, Nempe post amplexus. Amplexus vero ipsi mors et infernus sunt" (WA 5; 165, 21—23; Op. in Ps. 5, 12).

[24] WA 57, 3; 129, 21—25 „Sicut enim Christus per unionem immortalis divinitatis moriendo mortem superavit, ita Christianus per unionem immortalis Christi (que fit per fidem in illum) eciam moriendo mortem superat ac sic Deus diabolum per ipsummet diabolum destruit et alieno opere suum perficit" (zu Hebr. 2, 14).

[25] WA 57, 3; 185, 1—8: „Quam pulchre conjungit utrumque, fidem et patientiam! Fides enim facit cor fixum haerere in coelestibus penitusque rapi et versari in invisibilibus. Ideo necessaria est patientia, qua sustentetur non solum in contemptu allicientium, sed etiam in tollerantia sevientium rerum visibilium. Sic enim fit, ut fidelis inter coelum et terram pendeat et ‚inter medios cleros‘, ut psalmus ait, ‚dormiat‘, hoc est, in Christo in aere suspensus crucifigatur."

„Einerseits wird Christus durch den Glauben unsere ,substantia‘, d.h. unser Reichtum, genannt, andererseits werden wir — durch denselben Glauben — seine ,substantia‘, d.h. eine neue Kreatur" (WA 57, 3; 153, 9 f.).

Glauben heißt, Christus anziehen, eins mit ihm werden und alles mit ihm gemeinsam haben (WA 2; 504, 6; vgl. 535, 24; WA 4; 408, 22—24). Im Glauben wird der Christ eins mit dem fleischgewordenen Wort (WA 1; 28, 40), „quasi una persona" [26]. „Wer an Christus glaubt, haftet in Christus, ist eins mit Christus, hat dieselbe Gerechtigkeit mit ihm" (WA 2; 146, 14 f.). Der Glaube ist nicht nur ein Christusanhangen (WA 57, 3; 178, 11), sondern ein Hineingerissen- und Umgestaltetwerden in Christus [27]. „Siehe: durch ihn in ihn hinein." [28]

Der Glaube ist ein Hinüberspringen [29], ein Hinübergeworfenwerden (WA 40, 1; 589, 25), ein Christus Ansichreißen (WA 40, 2; 527, 9), ein Sich-Selbst-Entrissen-Werden (40, 1; 284, 6; 285, 24), eine Zusammenleimung (conglutinatio) von Christus und dem Sünder (40, 1; 284, 6). Dieser kriecht in Christus hinein und hängt sich ihm an den Hals [30]. „Der wird auf Christi Schultern getragen, der im Glauben auf ihn sich stützt; und eben er wird seliglich den Hinübergang gewinnen mit der Braut, von der geschrieben steht (Hoh. 8, 5), sie steige herauf durch die Wüste und stütze sich auf ihren Geliebten" (WA 57, 3; 224, 13 ff.).

Von hier aus wehrt sich Luther gegen die Vorstellung, als sei die Gnade ein statischer Besitz. Sie ist dauernde Tätigkeit, durch die der Geist Gottes selbst uns mitreißt [31].

Luther wehrt sich aber nicht weniger gegen eine Spiritualisierung der Gegenwart Christi in uns: „Ich glaube an den Sohn Gottes, der für mich gelitten hat, sehe meinen Tod in seinen Wunden und nichts sehe und höre ich als ihn. Das heißt Glaube Christi und an Christus. Die Schwärmer sagen, geistigerweise ist er in uns, d.h. spekulativ, realiter aber, sagen sie, ist er droben. Aber es muß

---

[26] WA 40,1; 285,5. Auch W. v. Loewenich, der in der 1. Auflage von „Luthers Theologia crucis" (München 1929) einen absoluten Gegensatz zwischen Luthers Kreuzestheologie und der deutschen Mystik des Mittelalters behauptet — ein Urteil, das er freilich im Nachwort zur 4. Auflage (München 1954) weitgehend zurückgenommen hat (S. 246 f.) —, spricht im Zusammenhang von Luthers Glaubensbegriff „von einer Christusmystik Luthers" (S. 136) und sagt S. 135: „Im einzelnen beschreibt Luther diese unio cum Christo in Bildern, die ihm aus Paulus und wieder aus der Mystik geläufig waren."

[27] „... in illum nos rapi de die in diem magis voluit, non in acceptis consistere, sed in Christum plane transformari" (WA 8; 111,33 ff.; Antilatomus [1521]).

[28] „Ecce per eum in ipsum" (WA 8; 112,5 f.).

[29] WA Tr. 2; 468,20 f., Nr. 2457 a: „Et haec est ars christianorum a meo peccato transilire ad Christi iustitiam."

[30] WA 36; 285,1.

[31] „Sed nos de gratia aliter docemus et credimus, nempe quod Gratia sit continua et perpetua operatio seu exercitatio, qua rapimur et agimur Spiritu Dei, ne simus increduli promissionibus eius et cogitemus atque operemur, quicquid Deo gratum est et placet. Spiritus enim est res viva, non mortua. Sicut autem vita nunquam ociosa, ... sic Spiritus sanctus nunquam ociosus est in piis, semper aliquid agit, quod pertinet ad regnum Dei" (WA 40,2; 422,28—36).

Christus und der Glaube verbunden werden, und wir müssen im Himmel weilen, und Christus im Herzen. Es geht nicht spekulative, sondern realiter zu" (WA 40, 1; 546, 5—8).

Dieses, wenn ich so sagen darf, mystische Verständnis der Rechtfertigung als Lebens- und Liebesgemeinschaft mit Christus, die es immer enger zu schließen gilt, paßt nicht in das Schema der bloß imputativen Rechtfertigung und bringt die lutherischen Theologen in nicht geringe Schwierigkeiten[32].

Noch gegen Ende seines Lebens charakterisiert Luther den Glauben als „Erkennen" im Sinne einer mystischen Liebesvereinigung. „Der Glaube ist eine experimentale Erkenntnis und findet Ausdruck in dem Wörtchen: ‚Adam erkannte sein Weib', d. h. in der Erfahrung *(sensu)* erkannte er sie als sein Weib, nicht spekulativ und historisch, sondern experimentaliter. Der historische Glaube sagt zwar auch: Ich glaube, daß Christus gelitten hat, und zwar auch für mich, aber er fügt nicht diese sensitive und experimentale Erkenntnis hinzu. Der wahre Glaube aber statuiert dieses: Mein Geliebter ist mein, und ich ergreife ihn mit Freude."[33] Bei dieser experimentalen Erfahrung handelt es sich nicht um die natürliche Empfindungsfähigkeit. Sich auf sein Gefühl, sein Gewissen, sein Werk verlassen, hieße auf den *sensus peccati* bauen. Hier gibt es keine Sicherheit. Wenn wir aber im Glauben uns außerhalb uns stellen, wenn wir auf Christus und seine Verheißungen uns stützen, dann können wir Heilssicherheit gewinnen[34]. Auf die Erfahrung des alten Menschen darf ich mich nicht verlassen; nach der Rechtfertigung gibt es aber so etwas wie eine (mystische) Erfahrung des Heils. „Nachdem ich bereits gerechtfertigt bin und erkenne, daß mir durch die Gnade *(gratia)* ohne meine Verdienste die Sünden vergeben sind, da ist es nötig, daß ich anfange zu fühlen, damit ich einigermaßen begreife."[35]

---

[32] Vgl. Rudolf Hermann, Luthers These „Gerecht und Sünder zugleich" (Gütersloh ²1960) S. 280 zu der oben zitierten Stelle aus dem „Antilatomus".

[33] WA 40, 3; 738, 4 ff.: „Haec noticia est ipsa ‚Fides', non tantum ‚historica, qua Diabolus et credit' et Deum praedicat, quemadmodum etiam haeretici. Sed est agnitio experimentalis, et fides significat hoc vocabulum: ‚cognovit Adam uxorem suam', id est, sensu cognovit expertus eam suam uxorem, non speculative aut historice, sed experimentaliter; ... historica fides ... dicit quidem: credo, quod Christus passus sit, atque etiam pro me, sed non addit hanc sensitivam, experimentalem. Vera autem fides hoc statuit: dilectus meus mihi et ego apprehendam eum cum laeticia." WA 40, 3; 739, 13—15: „quae causa, modus aut forma illius iustificationis est? cognoscere Christum crucifixum; is modus, quo pervenitur ad iusticiam." Im Gal.-Kommentar 1531 (1535) folgert Luther aus der Intimität des ehelichen Aktes, daß der Glaube zunächst allein sein muß ohne die Werke: „Oportet hunc sponsum Christum esse solum cum sponsa in sua quiete, amotis omnibus ministris et tota familia ..." (WA 40, 1; 241, 13 f.).

[34] WA 40, 1; 589, 25—30: „Atque haec est ratio, cur nostra Theologia certa sit: Quia rapit nos a nobis et ponit nos extra nos, ut non nitamur viribus, conscientia, sensu, persona, operibus nostris, sed eo nitamur, quod est extra nos, Hoc est, promissione et veritate Dei, quae fallere non potest. Hoc Papa nescit, ideo sic impie nugatur cum suis furiis Neminem scire, ne iustos quidem et sapientes, Utrum digni sint amore etc."

[35] WA 40, 2; 422, 3 f.: „Nunc opus, ut incipiam sentire, ut aliquo modo comprehendam." Über „Glaube als Erfahrung" vgl. W. v. Loewenich, Luthers Theologia crucis (München ⁴1954) S. 118—121.

Gegenüber dem „Geschrei des Gesetzes, der Sünde, des Teufels etc." in der Anfechtung ist die Glaubenserfahrung, ist das Rufen des Geistes allerdings nur ein minimaler Seufzer[36]. Es gibt demnach für Luther einen *gemitus*, der Zeichen der Geistbegabung (Röm. 8, 26) und nicht sündhafte Schwäche ist.

III. Der fröhliche Wechsel.

Ein zentrales „mystisches" Motiv bei Luther ist der fröhliche Wechsel zwischen dem Christen und Christus[37]. Der Mensch tauscht seine Sünde mit dessen Gerechtigkeit. Diese Vorstellung Luthers ist nur vor dem Hintergrund der patristischen Erlösungslehre zu verstehen und nicht der scholastischen Satisfaktionstheorie, die der moralisch-juridischen Ebene verhaftet bleibt.

Nach den Kirchenvätern und unter ihnen nach Augustinus hat der Mensch im Ungehorsam sich von Gott dem Leben losgesagt und sich dem Tode überantwortet. Das dem Tode verfallene Fleisch hat Christus auf sich genommen und in seinem Tod am Kreuz dem Tod Genüge getan. Der Tod konnte aber seine Beute nicht festhalten. An der Überfülle des Lebens Christi hat er sich übernommen. Die Menschheit Christi war die Larve am Angelhaken der Gottheit Christi. Das Schnappen nach dieser Larve führte zum Tod des Todes. In der Kenosis, im Gehorsam bis zum Tode am Kreuze, hat Christus nicht nur die menschliche Hybris gesühnt, sondern hat er den Tod von innen her entmachtet und in der Auferstehung die menschliche Natur geheiligt, ihr sein göttliches Leben geschenkt.

Ausführlich, und zwar in Verbindung mit der mystischen Vorstellung vom Glauben als ehelichen Akt zwischen der Seele und Christus, hat Luther vom fröhlichen Wechsel und Streit in der Schrift „Von der Freiheit eines Christenmenschen" (1520) gesprochen. „Nicht allein gibt der Glaube so viel, daß die Seele dem göttlichen Wort gleich wird, aller Gnaden voll, frei und selig, sondern vereiniget auch die Seele mit Christo wie eine Braut mit ihrem Bräutigam; aus welcher Ehe folgt, wie St. Paulus sagt, daß Christus und die Seele ein Leib werden; so werden auch beider Güter, Fall, Unfall und alle Dinge gemeinsam, so daß, was Christus hat, das ist eigen der gläubigen Seele; was die

---

[36] WA 40, 1; 591, 31—592, 13: „Est autem iste clamor et gemitus formaliter, ut Deum in tentatione appelles non Tyrannum, non iratum Iudicem aut tortorem, sed Patrem, Quanquam is gemitus tam minutulus sit, ut vix sentiri possit. Contra alter clamor, quo in veris pavoribus conscientiae vocamus deum iniquum, crudelem, iratum tyrannum ac iudicem, maximus est et fortissime sentitur." WA 40, 3; 542, 9 sagt er von den „gemitus inenarrabiles": „Non possunt dici, tractari, sed solo sensu sentiri. Ibi oportet adesse experientiam."

[37] Wertvolle Anregungen für diesen Abschnitt verdanke ich der Einsicht in eine bisher ungedruckte Arbeit von Th. Beer, Die Grundzüge der Theologie Luthers im Lichte des katholischen Glaubens, deren Ergebnisse ich freilich nicht bejahe. Vgl. weiter W. Maurer, Von der Freiheit eines Christenmenschen. Zwei Untersuchungen zu Luthers Reformationsschriften 1520/21 (Göttingen 1949) S. 55—77; F. W. Kantzenbach, Christusgemeinschaft und Rechtfertigung. Luthers Gedanke vom fröhlichen Wechsel als Frage an unsere Rechtfertigungsbotschaft, in: Luther 35 (1964) S. 34—45; E. Vogelsang, Die unio mystica bei Luther; ARG 35 (1938) 63—80.

Seele hat, wird eigen Christi. So hat Christus alle Güter und Seligkeit: die sind der Seele eigen; so hat die Seele alle Untugend und Sünde auf sich: die werden Christi eigen. Hier erhebt sich nun der fröhliche Wechsel und Streit. Dieweil Christus ist Gott und Mensch, welcher noch nie gesündigt hat, und seine Frommheit unüberwindlich, ewig und allmächtig ist, so er denn der gläubigen Seele Sünde durch ihren Brautring, das ist der Glaube, sich selbst zu eigen macht und nicht anders tut, als hätte er sie getan, so müssen die Sünden in ihm verschlungen und ersäuft werden. Denn seine unüberwindliche Gerechtigkeit ist allen Sünden zu stark. Also wird die Seele von allen ihren Sünden nur durch ihren Mahlschatz, das ist des Glaubens halber, ledig und frei und begabt mit der ewigen Gerechtigkeit ihres Bräutigams Christi. Ist nun das nicht eine fröhliche Wirtschaft, da der reiche, edle, fromme Bräutigam Christus das arme, verachtete, böse Hürlein zur Ehe nimmt und sie entledigt von allem Übel, zieret mit allen Gütern? So ist's nicht möglich, daß die Sünden sie verdammen, denn sie liegen nun auf Christo und sind in ihm verschlungen. So hat sie so eine reiche Gerechtigkeit in ihrem Bräutigam, daß sie abermals wider alle Sünde bestehn kann, ob sie schon auf ihr lägen. Davon sagt Paulus, I Kor. 15, 57: ‚Gott sei Lob und Dank, der uns hat gegeben eine solche Überwindung in Christo Jesu, in welcher verschlungen ist der Tod mit der Sünde‘ " (WA 7; 25 f.).

Diese Vereinigung des Christen mit Christus, diesen Austausch der Naturen nimmt Luther so wirklich, daß er die Idiomenkommunikation darauf anwendet. Wie in Christus die beiden Naturen so vereinigt sind, daß ich von der Menschheit aussagen kann, was eigentlich nur von der Gottheit gilt, so kann ich von der Adamsnatur des Menschen aussagen, was von seiner Christusnatur gilt, kann ich vom fleischlichen Menschen sagen, daß er geistlich ist. Schon in der Römerbriefvorlesung führt Luther aus: „So nämlich kommt es zu der Gemeinschaft der Eigenschaften, daß ein und derselbe Mensch geistlich und fleischlich ist, gerecht und sündig, gut und böse. So wie ein und dieselbe Person Christi zugleich tot und lebendig, zugleich leidend und selig, zugleich wirkend und untätig ist usw., um der Gemeinschaft der Eigenschaften willen, auch wenn keiner von den beiden Naturen das, was der anderen Natur eigentümlich ist, zukommt, sondern der schroffste Widerspruch zwischen ihnen besteht, wie bekannt ist" (WA 56; 343, 18—23).

Der fröhliche Wechsel bedeutet, daß Christus all unsere Sünden trägt. Das läßt uns die Sünde aushalten, von der wir erst langsam geheilt werden (*„simul iustus et peccator"*). „Genug, daß die Sünde uns mißfällt, auch wenn sie noch nicht völlig das Feld räumt. Denn Christus trägt alle Sünden, wenn sie uns nur mißfallen, und dann sind sie schon nicht mehr unsere, sondern die seinen und umgekehrt ist seine Gerechtigkeit unser eigen geworden."[38]

---

[38] WA 56; 267, 5 ff.: „Sufficit enim, quod peccatum displicet, etsi non omnino recedat. Christus enim omnia portat, si displiceant et iam non nostra, Sed ipsius sunt et Iustitia eius nostra vicissim."

Für Luthers Vorstellung vom fröhlichen Wechsel spielt wie bei den Kirchenvätern Phil. 2, 5 ff. eine wichtige Rolle. Nach dem *Sermo de duplici iustitia* (WA 2; 145—152), einer Auslegung dieser Stelle, hat Christus sich der *forma dei*, nicht der *substantia dei*, entäußert, d. h. er hat die Weisheit, Ehre, Kraft, Gerechtigkeit, Güte, Freiheit abgelegt und die *forma servi*, das sind unsere Sünden, auf sich genommen. Dafür hat er uns seine Gerechtigkeit geschenkt. Diese — Luther nennt sie die *iustitia essentialis* — muß fruchtbar werden in einer zweiten Gerechtigkeit. Diese ist unsere eigene, weil wir dazu mitgewirkt haben. Sie fließt aus der ersten und ist deren Erfüllung. Dieses Fließen, Mitarbeiten und Vollenden vollzieht sich in einem Liebesaustausch zwischen dem Bräutigam und der Braut [39]. „Durch die erstere Gerechtigkeit entsteht die Stimme des Bräutigams, der zur Seele spricht: ‚dein bin ich‘, durch die zweite aber die Stimme der Braut, welche spricht: ‚dein bin ich.‘ Dann ist die Ehe fest vollendet und vollzogen" (WA 2; 147, 26—29). Es erübrigt sich, dieses Motiv des fröhlichen Wechsels durch das ganze Werk Luthers zu verfolgen. Doch um deutlich zu machen, daß es hier nicht um eine Vorstellung geht, die ihm gelegentlich sozusagen als Relikt aus seiner katholischen Zeit in die Feder fließt, sei ihre zentrale Bedeutung noch am großen Galaterkommentar von 1531 (1535) aufgewiesen.

Auch hier ist der Glaube und die neue Gerechtigkeit als mystische Vereinigung mit Christus in der Tiefe der Person verstanden, ja im Glauben bekommt der Christ in Christus einen neuen Person-Grund. „Wo der rechte Glaube gelehrt wird, da wirst du durch den Glauben so mit Christus zusammengeleimt, daß aus dir und Ihm gewissermaßen eine Person wird, die nicht getrennt werden kann, sondern ewig Ihm anhangt und sagen darf: Ich bin wie Christus, und Christus hinwiederum sagt: Ich bin wie jener Sünder, der mir anhangt und ich ihm." [40]

„In einem glücklichen Tausch mit uns hat er unsere sündige Person angenommen und uns seine unschuldige und siegreiche Person geschenkt ... Er spricht zu uns: Ich entäußere mich und nehme euer Kleid und euere Larve an, und wandele in ihr und erleide den Tod, um euch vom Tode zu befreien." [41]

---

[39] Das Motiv von dem bräutlichen Verhältnis der Seele zu Christus bei Luther klang schon im 2. Abschnitt an und steht in unmittelbarer Beziehung zu dem fröhlichen Wechsel. Es soll hier nicht eigens behandelt werden. Bis 1521 ist ihm nachgegangen F. Th. Ruhland, Luther und die Brautmystik. Nach Luthers Schrifttum bis 1521 (Diss. Gießen 1938).

[40] WA 40, 1; 285, 24—27: „Verum recte docenda est fides, quod per eam sic conglutineris Christo, ut ex te et ipso fiat quasi una persona quae non possit segregari sed perpetuo adhaerescat ei et dicat: Ego sum ut Christus, et vicissim Christus dicat: Ego sum ut ille peccator, quia adhaeret mihi, et ego illi."

[41] WA 40, 1; 443, 23 ff.: „Sic feliciter commutans nobiscum suscepit nostram peccatricem et donavit nobis suam innocentem et victricem personam. Hac induti et vestiti liberamur a maledictione legis, quia Christus ipse valens pro nobis factus est Maledictum, Ego, inquiens, pro mea persona humanitatis et divinitatis Benedictus sum et plane nullius rei egeo, Sed exinanibo me, assumam vestem et larvam vestram, atque in ea obambulabo et mortem patiar, ut vos a morte liberem."

So ist Christus zur Sünde geworden (2.Kor.5,21; WA 40,1; 448, 28 ff.). Er selbst ist schuldig geworden aller Sünden, die wir getan haben, also sind wir befreit nicht durch uns, sondern durch ihn [42]. Er hat die Person aller Sünder angenommen und ist darum aller Sünden schuldig geworden. Er hat nicht nur die Strafe auf sich genommen, sondern unsere der Sünde verfallene Natur. „Er ist unter den Zorn Gottes in meine Person getreten und hat mich auf seinen Hals genommen" (WA 40, 1; 442, 10). In Christus wurde so die Sünde niedergerungen und absorbiert (Kol.2,15). Darum gibt es keine Sünde mehr.

„Weil es eine göttliche und ewige Person war, darum war es dem Tode unmöglich sie festzuhalten. Darum stand er am 3.Tage vom Tode auf und lebt jetzt in Ewigkeit und es wird ferner an ihm nicht mehr gefunden Sünde und Tod und auch nicht mehr unsere Larve d. h. unser Sündenfleisch, sondern allein Gerechtigkeit, Leben und ewige Seligkeit" (WA 40, 1; 443, 11 ff.).

Die in Christus der menschlichen Natur zuteil gewordene Gerechtigkeit geht im Glauben auf uns über. „Was in mir ist an Gnade, Gerechtigkeit etc., das ist Christi eigen und doch ist es mein eigen durch die Zusammenleimung und das Anhaften, welches durch den Glauben geschieht, durch den wir ein Leib im Geiste werden" (WA 40, 1; 284, 23—25). Das Verhältnis von göttlicher und menschlicher Natur und ihr Zusammenwirken bei der Erlösung überträgt Luther auf das Verhältnis von Glauben und Werken beim Menschen. Die im Glauben begründete Gemeinschaft mit Christus muß in guten Werken fruchtbar werden. Der bloße Glaube *(fides absoluta)* muß sozusagen Fleisch und Blut annehmen *(fides incarnata)*. Aber wie nicht die Menschheit Christi Sünde und Tod besiegt, sondern die unter ihr verborgene Gottheit, wie nicht die Larve, in die der Teufel beißt, ihm den Tod beibringt, sondern der in dem Wurm verborgene Angelhaken, so rechtfertigen auch nicht die Werke, sondern der Glaube, deren Frucht sie sind. Der Glaube ist also die Göttlichkeit der Werke und so in diese ausgegossen wie die Gottheit in die Menschheit Christi. Wie man nun nach der Idiomenkommunikation auf Grund der Verbindung von Gottheit und Menschheit in Christus jener zuschreibt, was an sich nur dieser zukommt, so kann man auch um des Glaubens willen den Werken zuschreiben, was an sich vom Glauben gilt [43].

---

[42] WA 40,1; 438,8 f.: „Si ipse est reus omnium peccatorum quae fecimus, ergo absoluti nos non per nos sed illum."

[43] WA 40,1; 417,26—418,11: „Sic homo Theologicus est fidelis, item ratio recta, voluntas bona est fidelis ratio et voluntas, Ut fides in universum sit divinitas in opere, persona et membris, ut unica causa iustificationis quae postea etiam tribuitur materiae propter formam, hoc est, operi propter fidem. Ut regnum divinitatis traditur Christo homini non propter humanitatem sed divinitatem. Sola enim divinitas creavit omnia humanitate nihil cooperante; Sicut neque peccatum et mortem humanitas vicit, sed hamus qui latebat sub vermiculo, in quem diabolus impegit, vicit et devoravit diabolum qui erat devoraturus vermiculum. Itaque sola humanitas nihil effecisset, sed divinitas humanitati coniuncta sola fecit et humanitas propter divinitatem. Sic hic sola fides iustificat et facit omnia; Et tamen operibus idem tribuitur propter fidem."

Es ist hier nicht der Platz, zu untersuchen, ob Luther aus einer polemischen Voreingenommenheit heraus oder, positiver ausgedrückt, um sein Anliegen der Rechtfertigung *sola fide* nicht zu verdunkeln[44], das Mitwirken der menschlichen Natur Christi bei der Erlösung monophysitistisch verkürzt[45] und so auch die Chance verpaßt, die *„fides incarnata"*, die Werk-Werdung des Glaubens nach Analogie der Mensch-Werdung Gottes, theologisch näher bestimmen zu können[46].

Wir brauchen in diesem Zusammenhang an Luther auch nicht die kritische Frage zu stellen, wer denn das Subjekt dieser quasi hypostatischen Union von Sündennatur und Christusnatur im Christen ist. Dieses Problem besteht ja auch bei der „Entwerdung", die zur mystischen Einigung führt, ja selbst bei Röm. 6, 3—11 und Gal. 2, 20. Daß es sich hier bei Luther stellt, ist schon ein Beweis für den mystischen Zug der Vorstellung vom fröhlichen Wechsel.

IV. Sacramentum et exemplum.

Wenn Luther ein zu vordergründiges, moralisches Verständnis von Gal. 2, 19: „Mit Christus bin ich gekreuzigt" oder von 1. Petr. 2, 21: „Denn Christus hat für euch gelitten und euch ein Vorbild hinterlassen" ausschalten will, wenn er betonen will, daß nicht die Werke den Christen schaffen, sondern der Christ die Werke, dann braucht er das Begriffspaar *„sacramentum et exemplum"*[47]. Christus muß erst für mich *sacramentum* werden, d. h. sein Tod muß sich an mir vollziehen, indem ich der Sünde sterbe, bevor er für mich Vorbild werden kann.

Dieses Begriffspaar *„sacramentum et exemplum"* übernimmt Luther von Augustinus aus „De trinitate" Buch IV cap. 3. Dort führt der Kirchenvater aus: Christus war ohne Sünde und bedurfte nicht der inneren Erneuerung. Er hat aber unser sterbliches Fleisch auf sich genommen und damit auch den Tod, der als Strafe für die Sünde darüber verfügt war. Er ist nur dem Fleische nach gestorben und bedurfte nur leiblich der Auferstehung. Diesen seinen in diesem Sinne einfachen Tod und seine einfache Auferstehung stellt er vor uns hin in doppelter Bedeutung als *„sacramentum et exemplum"*. Denn wir müssen eines doppelten Todes sterben und bedürfen einer doppelten Auferstehung. Wir müssen der Sünde sterben und auferstehen zu einem neuen Leben und müssen

---

[44] WA 40, 1; 240, 21 ff.: „Non quod opera aut charitatem reiiciamus, ut adversarii nos accusant, sed ex Statu caussae nolumus divelli."

[45] Vgl. Yves Congar, Regards et réflexions sur la christologie de Luther: Das Konzil v. Chalkedon, hrsg. v. A. Grillmeier und H. Bacht, Bd. III (Würzburg 1954) 457—486. Wichtig die Weiterführung bei P. Manns, Fides absoluta Fides incarnata. Zur Rechtfertigungslehre Luthers im großen Galater-Kommentar, in: Reformata Reformanda. Festgabe für Hubert Jedin, hrsg. von E. Iserloh u. K. Repgen, I (Münster 1965) 265—312, bes. 271—275; 300 f.

[46] P. Manns, a.a.O. S. 276.

[47] Ich wiederhole hier in gekürzter Fassung meinen Beitrag: Sacramentum et exemplum. Ein augustinisches Thema lutherischer Theologie, in: Reformata Reformanda, Festgabe für Hubert Jedin, hrsg. v. E. Iserloh und K. Repgen, I (Münster 1965) 247—264.

Leiden und Tod als Strafe für die Sünde auf uns nehmen bis zu unserer leiblichen Auferstehung. „Für diesen unseren doppelten Tod also läßt es sich unser Erlöser seinen einfachen kosten; und um unsere zweifache Auferstehung zu wirken, stellte er im voraus seine einmalige vor uns hin als Sakrament und als Beispiel." [48]

Den in seiner Weitschweifigkeit etwas undurchsichtigen Augustinustext macht Luther sich am Rande seiner Ausgabe in einem Schema deutlich. Danach ist die Kreuzigung Christi Sakrament, insofern sie das Kreuz der Buße „bedeutet", an dem die Seele der Sünde stirbt, und sie ist „Beispiel, weil sie auffordert, den Leib in Wahrheit dem Tode oder dem Kreuz auszuliefern" [49].

Die Kreuzigung Christi ist Sakrament, sie ist ein Geschehen, das nicht in sich seinen Abschluß findet, sondern Zeichen ist, d.h. weiterweist auf ein Geschehen in dem von ihr betroffenen Menschen; sie weist aber nicht nur hin auf einen Bewußtseinsvorgang im Menschen, insofern sie in ihrer Heilsbedeutung verstanden werden will oder eine Gesinnungsänderung veranlaßt, sondern bewirkt etwas, allerdings wesentlich Verborgenes, im Menschen. „Der Tod Christi macht die Seele der Sünde sterben, so daß wir der Welt gekreuzigt sind und die Welt uns." [50]

Ernst Bizer deutet diese Stelle direkt im Widerspruch mit der Intention Luthers, wenn er die sakramentale Bedeutung des Todes Christi im Bereich der Erkenntnis und des moralischen Verhaltens beschlossen sieht. Er meint zu der Stelle: „Wir können einfach sagen: der Tod Jesu am Kreuz zeigt uns die Demut als den Weg des Heils, denn die Demut ist die Haltung des Büßenden ... Und das Sakrament *gibt* nicht in erster Linie etwas, sondern es vermittelt eine am Kreuz Christi zu gewinnende Erkenntnis, die auf einer bestimmten Deutung

---

[48] „... edisserendum est quemadmodum simplum Domini et Salvatoris nostri Jesus Christi duplo nostro congruat, et quodam modo concinat ad salutem. Nos certe, quod nemo christianus ambigit, et anima et corpore mortui sumus: anima, propter peccatum; corpore, propter poenam peccati, ac per hoc et corpore propter peccatum" (PL 42,889 f.; Bibliothèque Augustinienne Nr. 15 [1955] 346 f.). „Huic ergo duplae morti nostrae Salvator noster impendit simplam suam: et ad faciendam utramque resuscitationem nostram, in sacramento et exemplo praeposuit et proposuit unam suam. Neque enim fuit peccator aut impius, ut ei tanquam spiritu mortuo in interiore homine renovari opus esset, et tanquam resipiscendo ad vitam justitiae revocari: sed indutus carne mortali, et sola moriens sola resurgens, et sola nobis ad utrumque concinuit, cum in ea fieret interioris hominis sacramentum, exterioris exemplum" (Pl 42,891; Bibliothèque Augustinienne Nr. 15 [1955] 350).
[49] „Crucifixio Christi est sacramentum, quia significat sic crucem poenitentiae, in qua moritur anima peccato est Exemplum quia hortatur pro veritate corpus morti offerre vel cruci" (WA 9; 18,19 ff.; CL V; 4). Die Stelle ist behandelt bei A. Hamel, Der junge Luther und Augustin I (Gütersloh 1934) 23, und bei W. Jetter, Die Taufe beim jungen Luther (Tübingen 1954) 136—142. Vgl. den „Exkurs: Die Geschichte Christi als Sakrament und Exempel" ebd. 142—159; O. Ritschl bemerkt zu dieser Stelle (Dogmengeschichte des Protestantismus II, 1 [Leipzig 1912] 43): „Bereits 1509 hat er den Grundgedanken seiner theologia crucis unter Verwertung eines von Augustin entlehnten Begriffspaares in voller Deutlichkeit ausgesprochen."
[50] „Ut mors Christi faciat animam mori peccato, ut sic simus crucifixi mundo et mundus nobis" (WA 9; 18,29 f.).

desselben beruht."[51] Dabei sagt Luther ausdrücklich: *„ut mors Christi faciat animan mori".* Wenn Bizer Luther richtig verstünde, wäre gar nicht einzusehen, weshalb dieser den wesentlichen Unterschied von sacramentum und exemplum so stark betont. Denn vom Vorbild gilt doch vielmehr, daß es mich zur Buße „veranlaßt" und die „Demut als den Weg des Heils" weist. Luther will aber gerade das Mißverständnis der spätmittelalterlichen Leiden-Jesu-Frömmigkeit ausschließen, als wenn wir Christus in der Imitatio seiner Demut und seines Leidens ähnlich werden könnten, bevor sein Tod und seine Auferstehung für uns Sakrament geworden sind, d. h. sich in mysterio an uns vollzogen haben. Keineswegs läßt Luther „hier also den traditionellen Begriff des Sakramentes einfach beiseite", wie Bizer meint[52]. Im Gegenteil: in Rückführung des Sakramentsbegriffs im Sinne der älteren Tradition auf Christus als Ursakrament überwindet Luther die Entleerung des Sakraments durch den Nominalismus und läßt er zugleich die stark vom juristischen Denken bestimmte, als Satisfaktion verstandene Erlösungslehre zurücktreten zugunsten der in der Vätertheologie maßgebenden Auffassung von der Erlösung[53]. Danach hat Christus unsere von der Sünde getroffene menschliche Natur auf sich genommen, hat sie durch den Tod hindurchgetragen und heimgeführt in die göttliche Herrlichkeit. Durch die Verbindung mit Christus dem Gekreuzigten, durch das Verwachsensein mit seinem Tode und durch die Teilnahme an seiner Auferstehung werden wir dessen göttlichen Lebens teilhaftig; ist sein Leben unser Leben, sind seine Sohnschaft, Gerechtigkeit, Weisheit, Liebe unser Anteil und von uns aussagbar. Tod und Auferstehung sind nicht nur Ereignisse, die sich einmal historisch an Christus vollzogen haben, sondern sind zugleich Sakramente, d. h. Zeichen, die unser Heil bezeichnen und bewirken.

Was an Christus geschah, will sich entfalten wie die Wurzel zum Baum, will zur Auswirkung kommen wie die Ursache in der Wirkung. Auf die Randbemerkung zu Augustinus allein gestützt, ginge diese Interpretation selbstverständlich zu weit. Sie wird aber bestätigt durch Luthers exegetische Vorlesungen in den folgenden Jahren. So in den *„Dictata super Psalterium"* bei der Erklärung von Ps. 110 (111), 4: *„Memoriam fecit mirabilium suorum."* Diese Wundertaten sind nicht die Wunder, die Christus gewirkt hat, sondern die sich an ihm vollzogen haben, daß er nämlich den Tod in seinem Tod tötete,

[51] E. Bizer, Die Entdeckung des Sakraments durch Luther: Ev. Theol. 17 (1957) 64—90, bes. 66.

[52] Ebd. 66; vgl. 68: „Für das Sakrament im hergebrachten Sinn ist dabei nur Raum, soweit es dazu ermahnt und diese Bedeutung des Todes Christi vermittelt; ‚Gnadenmittel' kann es nur in sehr abgeleitetem Sinne sein, sofern es eben Andachtsmittel ist und zu dieser Nachfolge auffordert." Dabei braucht Luther das Wort „hortatur" in der Linie des „exemplum".

[53] Vgl. W. Jetter, Die Taufe beim jungen Luther (Tübingen 1954) 139 Anm. 1: „Luther scheint hier mit ‚sacramentum' über die scholastische Dogmatik hinweg auf Augustin zurückzugreifen und ein andersartiges, gerade nicht in den Sakramenten erfolgendes Gegenwärtig-und Wirksamwerden der Passion Christi zu meinen, nämlich ein durchs Wort vermitteltes." Weshalb Rückgriff auf Augustin Vermittlung durch das Wort statt durch Sakramente bedeuten soll, ist weder aus dem Augustinus- noch aus dem Luthertext, sondern nur aus dem Apriori einer modernen „Worttheologie" zu verstehen.

die Strafen in seiner Pein, die Leiden in seinem Leiden, die Schmähungen in seiner Schmach vernichtete. Denn im Tode Christi ist der Tod so „kostbar geworden in den Augen des Herrn" (Ps. 115 [116], 15), daß er ewiges Leben bedeutet, zur Freude wurde die Strafe, zur Lust das Leiden, zur Herrlichkeit die Schmach. Die Betrachtungsweise Gottes steht hier im Widerspruch zu der der Menschen. So hat „der Herr aus seinem Heiligen seine Wunderkraft erwiesen" (Ps. 4, 4).

Diese Wundertaten weisen und wirken weiter, sie haben sich in der Passion an Christus radicaliter und causaliter vollzogen, d. h. als etwas, das in der Auswirkung an uns sich erfüllen muß wie die Wurzel im Baum und die Ursache in der Wirkung; nach Christi Beispiel müssen wir alle gestaltet werden. Das ist möglich, weil die Passion im Sakrament der Eucharistie uns gleichzeitig und zum bewirkenden Zeichen für uns wird. Sie ist das „Denkmal der Heilstaten" Gottes, durch sie werden erquickt und gespeist, die den Herrn fürchten. Speise und Gedächtnis sind zweierlei: Sakrament und Wort, d. h. die Predigt von Christus und das Evangelium[54].

Das Christusereignis will in uns Gestalt gewinnen, es drängt sozusagen zur Realisierung im Gläubigen. Christus ist, wie Luther an anderen Stellen der „Dictata" sagt, unser *Abstractum*, und wir sind sein *Concretum*[55].

Nur weil das Schicksal Christi uns sozusagen gleichzeitig geworden ist in unserem Sterben und Auferstehen mit ihm und in ihm und wir fortan am Christusleben Anteil haben, ist die tropologische Auslegung der Psalmen möglich und keine allegorische Spielerei. Deshalb kann das, was dem Literalsinn nach von Christus gesagt ist, im tropologischen Sinn vom Christen verstanden werden. Diesem Leben in und mit Christus, das nur im Glauben gegeben ist, müssen die opera fidei entsprechen. Das *sacramentum* ist Voraussetzung des *exemplum*, die Christusexistenz wird zur Christusnachfolge.

Auch wenn Luther bei Bezugnahme auf die Stelle aus De trinitate (IV c. 3 n. 6) das Begriffspaar *sacramentum — exemplum* nicht anführt, meint er die Sache, daß nämlich Christi Tod vorbildlich und heilsvermittelnd für uns ist und in unserer leiblich-geschichtlichen Existenz nachzuvollziehen. Christi Tod und Auferstehung haben im Christen eine doppelte Entsprechung, insofern dieser geistlich (d. h. im Glauben) der Sünde sterben und sich über das tötende Fleisch immer wieder erheben muß, bis er schließlich im leiblichen Tod das Todesschicksal auch äußerlich erfährt und am Siege Christi Anteil erhält[56].

---

[54] WA 4; 243,7—24; CL V; 192,12—27; WA 4; 172,27: „In abstracto autem loquitur, quia nos sumus eius concretum."

[55] „... ita ipse nostrum abstractum, nos ipsius concretum" (WA 4; 173,23; CL V; 188,24); vgl. WA 4; 242,6—10; CL V; 191.

[56] „Breviter itaque Occasus domini simplus (secundum Augustinum) concinit nostro occasui duplo: Et ipse uno simplo victo et ascenso nostrum simul vicit duplum. Occasus enim noster in peccatum et mortem est utrunque. Christi autem in mortem tantum et non in peccatum. Et assidue nunc ascendit in nobis super occasum [peccati] in peccatum per fidem sui: quod est ex carne occidente. Tandem in futuro etiam ascendet super occasum mortis,

Unserem doppelten Übel Sünde und Strafe entspricht bei Christus nur ein einfaches, nämlich die Strafe, die er für uns auf sich genommen hat. Sein Gebet um Befreiung von Strafe ist für uns ein Gebet um Befreiung von Sünde und Strafe. Die Gleichheit des äußeren Schicksals *(exemplum)* setzt voraus, daß Christi Tod zuvor für uns bewirkendes Zeichen *(sacramentum)* des Absterbens der Sünde wurde[57].

Dieses Begriffspaar *sacramentum* und *exemplum* oder die ihm zugrunde liegende Vorstellung finden sich nicht nur in den frühen Schriften Luthers, wo sie ja bloße Lesefrüchte aus den Werken Augustins sein könnten, sondern durchziehen das ganze Lebenswerk des Reformators.

Das setzt uns in Erstaunen, weil unsere Ansicht von Luthers Erlösungs- und Rechtfertigungslehre allzusehr von der Systematisierung der lutherischen Orthodoxie und den von daher bestimmten Lehrbüchern her geprägt ist.

In der Römerbriefvorlesung verwendet Luther die Formel „*sacramentum — exemplum*" oder einfach „*sacramentaliter*" fünfmal, um die „*Pro-nobis*"-Bedeutung des Todes und der Auferstehung Christi zum Ausdruck zu bringen. Nach der Glosse zu Röm. 6, 19 ist Christus von den Toten erstanden „*ibi corporaliter, nobis sacramentaliter*"[58]. In diesem Zusammenhang wird deutlich, wie unzutreffend es ist, zu sagen, bei Luther sei an die Stelle des mystischen „*in nobis*" das „*pro nobis*" getreten. In der Glosse zu Röm. 5, 10 betont Luther ausdrücklich, daß er Sakrament im engen Sinn als bewirkendes Zeichen verstanden wissen will, das den Glaubenden zu Auferstehung und Leben führt[59]. Den Glauben als Bedingung dafür, daß Tod und Auferstehung Christi für uns zum bewirkenden Zeichen unseres Todes und unserer Auferstehung werden, betont Luther auch im Scholion zu Röm. 4, 25: „Der Tod Christi ist der Tod der Sünde, und seine Auferstehung ist das Leben der Gerechtigkeit. Denn durch seinen Tod hat er für unsere Sünde genuggetan und durch seine Auferstehung uns seine Gerechtigkeit zugewandt. So bezeichnet *(significat)* sein Tod nicht nur die Sündenvergebung, sondern er bewirkt sie auch als voll ausreichende Genugtuung. Und seine Auferstehung ist nicht nur Zeichen *(sacramentum)* unserer Gerechtigkeit, sondern bewirkt sie, wenn wir an sie glauben, und ist ihre Ursache" (WA 56; 296, 17—22).

Von der Taufe als der Weise, in der für uns der Tod Christi im Glauben zum wirksamen Zeichen unseres Todes und unserer Auferstehung wird, spricht Luther hier nicht ausdrücklich, wohl steht die Taufe dem Zusammenhang von Röm. 6 entsprechend selbstverständlich im Hintergrund der Argumentation[60].

---

cum novissima destructa fuerit mors et mors absorpta in victoria. Interim peccatum et mors spiritualis absorbetur in victoria Christi" (WA 3; 392, 35 ff.).

[57] WA 3; 418, 19 ff.

[58] WA 56; 58, 19; vgl. zu 6, 10: WA 56; 59, 15 ff.

[59] „Resurrectio et Vita Christi est non tantum sacramentum, Sed et causa i. e. efficax sacramentum nostrae spiritualis resurrectionis et vitae, quia facit resurgere et vivere credentes in eam" (WA 56; 51, 20 ff.).

[60] WA 56; 321 f. Über die Taufe als Sterben mit Christus spricht Luther: WA 56; 324, 15—23; 56; 57 f., zu Röm. 6, 4; 56; 58, zu Röm. 6, 8; 56; 327, 20; 56; 328, 11; 56; 64, 21; „Ita

Aus dem Gesamtzusammenhang der Römerbriefvorlesung läßt sich ermitteln, daß das Christusereignis im Wort und Sakrament an den Menschen herangetragen wird, aber nur im Glauben ihm zu eigen werden kann.

Die Vorstellung vom Tode Christi als *sacramentum et exemplum* führt Luther in der Hebräervorlesung von 1517/18 näher aus. Hier bringt er sie in noch engere Verbindung mit der Rechtfertigung, die stark christologisch verstanden ist.

Christi Leiden ist göttliches Zeichen *(sacramentum)* der Abtötung des inneren Menschen und der Nachlassung der Sünden (WA 57, 3; 222). Der Mensch muß mit Christus im Glauben sterben, damit Christus in ihm leben und wirken, ja herrschen kann. „Dann strömen von selbst die Werke nach außen aus dem Glauben. So fließt unsere Geduld aus der Geduld Christi, unsere Demut aus der Christi, und ebenso alles übrige, was sein ist." „Wer darum sich Christo nachbilden will als einem Vorbild, muß zuerst in festem Glauben fassen, daß Christus für ihn gelitten und gestorben als göttliches Zeichen. Gewaltig also irren die Leute, welche versuchen, sogleich mit Werken und Anstrengungen der Buße die Sünde zu tilgen und gleichsam mit dem Vorbild beginnen, wo sie mit dem göttlichen Zeichen ⟨des Leidens Christi⟩ anheben sollten" (WA 57, 3; 114, 13—19). Nach Luthers Deutung von Hebr. 10, 19 sind Christi Tod und sein Eingang in die Herrlichkeit des Vaters Zeichen und Sakrament der Nachahmung Christi (*„significat et est sacramentum imitandi Christum"*, WA 57, 3; 222, 25). Der Tod Christi ist Gottes Zeichen der Abtötung der Konkupiszenz, ja ihres Todes, und sein Eingang in den Himmel ist Zeichen *(sacramentum)* „des neuen Lebens und des Weges, darauf wir nun das Himmlische suchen und lieben" (WA 57, 3; 223, 2 f.). Christus ist dementsprechend nicht nur Vorbild für unseren Hinübergang, für unser Pascha in das neue Leben, sondern Helfer, ja Fährmann. „Wer sich im Glauben auf ihn stützt, der wird auf Christi Schultern hinübergetragen" (WA 57, 3; 224, 13).

Diese Vorstellung vom Tode Christi als *sacramentum* und *exemplum* steht im engen Zusammenhang mit der vom fröhlichen Wechsel und kann wie diese nicht auf dem Boden der anselmischen Satisfaktionslehre, sondern nur der patristischen, wir können sagen mystischen Erlösungslehre verstanden werden.

Um die Tragweite dieses Rückgriffes auf die Vätertradition recht ermessen zu können, müßten wir uns die Christologie des Nominalismus in ihrer ganzen Dürftigkeit vorführen[61]. Doch dazu fehlt uns die Zeit.

Luther wird nicht müde, immer wieder zu betonen, daß aller moralischen und äußeren Nachfolge des leidenden Christus die Besinnung auf das sakramentale, innere Sterben und Auferstehen mit ihm vorausgehen muß. Aus der Fülle der Belege sei hier nur eine Auswahl angeführt:

---

a lege literae nemo solvitur, nisi cum Christo moriatur per baptismum"; 56; 70, 25: „In Baptismate fit remissio omnium peccatorum" (56; 349, 24) .

[61] Vgl. E. Iserloh, Gnade und Eucharistie in der philosophischen Theologie des Wilhelm von Ockham (Wiesbaden 1956) S. 27—43.

80

Nach dem „Asterisci" gegen die „Obelisci" des Joh. Eck vom August 1518 ist das Leben Christi Sakrament, sofern er uns rechtfertigt im Geiste ohne uns, und Beispiel, sofern er uns mahnt, ähnliches zu tun und dazu mit uns wirkt[62].

Im Kommentar zum Galaterbrief von 1519 heißt es zu Gal. 2, 19: „Mit Christus bin ich gekreuzigt." „Augustin lehrt, daß die Passion Christi sowohl Sakrament als auch Beispiel ist. Als Sakrament bezeichne sie und schenke sie denen, die da glauben, den Tod der Sünde in uns, und als Beispiel müßten wir sie leiblich durch Leiden und Sterben nachahmen" (WA 2; 501, 34).

Daß Christus erst an uns handeln und seine Verheißungen an uns erfüllen muß, bevor wir ihm als unserem Vorbild nachfolgen können, drückt Luther im Anschluß an Gal. 3, 14 aus mit den Worten: „Nicht die Nachahmung macht zu Söhnen, sondern das Sohnwerden macht zu Nachahmern" (WA 2; 518, 16). Bloße Nachahmung läßt uns zu Affen werden, die nur äußerlich imitieren, in Wirklichkeit aber Affen bleiben.

Christus ist mehr als nur Beispiel, betont Luther in der Weihnachtspredigt von 1519; sonst wäre er ja nicht mehr als jeder Heilige. Er bewirkt in uns und schenkt uns das, wofür er Vorbild ist. Das meine er, bemerkt Luther, wenn er von *„sacramentaliter"* spreche. „Alle Worte, alle Geschichten des Evangeliums sind Sakramente *sacramenta quaedam),* d. h. heilige Zeichen, durch die Gott in den Glaubenden bewirkt, was diese Geschichten bezeichnen" (WA 9; 440, 2—5).

Luther schränkt den Begriff Sakrament als heilswirkendes Zeichen nicht auf die sieben Sakramente ein. Wenn er das Wort als Sakrament bezeichnet, will er aber den Sakramentsbegriff nicht aufgeben, im Gegenteil, an Taufe und Buße macht er deutlich, was die Sakramentalität des Wortes bedeutet[63]. Es ist auch nicht so, daß erst jetzt (1519) hinter der Bezeichnung *„sacramentum"* „das *sacrum signum efficax* der traditionellen Sakramentslehre" steht[64]. Auch in der

---

[62] „De his duobus B. Augustinus lib. 3. tri. ca. 4. dicit, quod vita Christi est simul sacramentum et exemplum, Sacramentum primo modo, dum nos iustificat in spiritu sine nobis, Exemplum, dum nos similia facere monet etiam in carne, et operatur cum nobis" (WA 1; 309, 18—21). „Daß in dieser Streitschrift gegen Eck erstmals das exemplum dem sacramentum nachgeordnet wird", wie W. Jetter, a.a.O. 149, behauptet, trifft nicht zu. Denn von Anfang an liegt der Argumentation Luthers zugrunde, daß das exemplum dem sacramentum sachlich und zeitlich folgt, und er betont, wie wir sahen, schon zu Beginn der Hebräerbrief-Vorlesung scharf, daß die Leute sich sehr irren, die mit dem exemplum statt dem sacramentum beginnen (WA 57,3; 114,17).

[63] WA 9; 440,6—19: „Generatio Jesu Christi. Hec verba sacramentum quoddam sunt, per quod, si quis credat, et nos regeneramur. Sicut baptismus est sacramentum quoddam, per quod deus instaurat hominem etc., Sicut absolutio est sacramentum, per quod deus dimittit peccata, Ita verba Christi sunt sacramenta, per que operatur salutem nostram. Itaque sacramentaliter notandum est Evangelium, idest verba Christi sunt meditanda tamquam symbola, per quae detur illa ipsa iusticia, virtus, salus, quam ipsa verba pre se ferunt. Iam intelliges discrimen Evangelii et humanarum historiarum Liviane historie exhibent virtutum spectra quedam sive simulachra, que ipse in aliis efficere non possunt. Evangelium vero exhibet virtutum spectra, ut simul sit instrumentum, quo deus immutet nos, innovet nos etc. Ecclesie Euangelium est in salutem omnia credenti, sicut proculdubio per baptismum gratia, item per absolutionem condonatio peccati est, ita proculdubio per meditationem verbi Christi gratia est et salus."

[64] W. Jetter, Die Taufe beim jungen Luther, S. 156.

Römerbriefvorlesung zeigt sich, wie wir sahen, die scholastische Definition des Sakraments hinter Luthers Argumentation[65].

Sehr eindringlich und wiederholt betont Luther in der Weihnachtspostille (1522) zu Gal. 3, 27, daß der äußeren, moralischen Nachfolge Christi die innere Gemeinschaft mit ihm vorangehen muß. Ich muß Christus anziehen, er muß mir zur Gabe geworden sein — statt *sacramentum* setzt er hier dessen Wirkung im Menschen *donum* —, bevor er Beispiel und Aufgabe für mich werden kann[66].

In seiner Spätzeit erläutert Luther das Schema *sacramentum et exemplum* vor allem in den Disputationen gegen die Antinomer. In der 5. Disputation von 1538 lautet These 50: „Wir wissen und sie haben es von uns gelernt, daß Christus für uns zum Sakramentum und Exemplum geworden ist" (WA 39, 1; 356, 35). In der 2. Disputation führt Luther aus: „Ihr wißt, daß Paulus meistens zwei Dinge zu verbinden pflegt, wie es auch Petrus tut (1. Petr. 2, 21). Zuerst, daß Christus für uns gestorben ist und uns erlöst hat durch sein Blut, um sich ein hl. Volk zu reinigen. Und so stellt er uns Christus zuerst vor als Gabe und Sakrament. Sodann stellen sie Christus als Beispiel vor, d. h. daß wir Nachahmer sein sollen der guten Werke" (WA 39, 1; 462, 14—23).

Im großen Galaterkommentar von 1531 betont Luther, daß das Wort Gal. 2, 19 „Ich bin mit Christus gekreuzigt" nicht auf die Mitkreuzigung durch Nachahmung des Beispiels bezogen werden dürfe, sondern daß hier „von jener erhabenen Mitkreuzigung die Rede ist, durch welche Sünde, Teufel, Tod gekreuzigt wird in Christo, nicht in mir." „Hier tut Christus allein alles; doch glaubend werde ich mit Christus gekreuzigt durch den Glauben, damit auch mir Sünde, Teufel, Tod usw. tot und gekreuzigt seien" (WA 40, 1; 280, 25—281, 20; vgl. WA 40, 1; 543, 34 f.; 540, 17 ff.).

---

[65] „... resurrectio eius non tantum est sacramentum Justitiae nostrae, Sed etiam efficit eam in nobis" (WA 56; 296, 20—22). „Vita Christi est non tantum sacramentum, Sed et causa i. e. efficax sacramentum nostrae spiritualis resurrectionis" (WA 56; 51, 20 f.).

[66] „Du sollst Christum, sein Wort, Werk und Leiden zweierleiweise fassen. Einmal als ein Exempel dir vorgetragen, dem du folgen sollst und auch also tun: ... aber das ist das Geringste vom Evangelium, davon es auch noch nit Evangelium heißen mag. Denn damit ist Christus dir nichts mehr nütz denn ein ander Heiliger. Sein Leben bleibt bei ihm und hilft dir noch nichts. Das Hauptstück und Grund des Evangelii ist, daß du Christum zuvor, ehe du ihn zum Exempel fassest, aufnehmest als eine Gabe und Geschenk, das dir von Gott gegeben ist und dein eigen sei, also daß, wenn du ihm zusiehst oder hörst, daß er etwas tut oder leidet, daß du nit zweifelst, er selbst, Christus, mit solchem Leiden und Tun sei dein, darauf du dich nit weniger mögest verlassen, denn als hättest du es getan, ja als wärest du derselbige Christus" (G. Buchwald, D. Martin Luthers Leben und Lehre, Gütersloh 1947, 103 = WA 10, 1, 1; 11, 1).

„Wenn du nu Christum also hast zum Grund und Hauptgut deiner Seligkeit, dann folgt das andre Stück, daß du auch ihn zum Exempel fassest, ergebst dich auch also deinem Nächsten zu dienen, wie du siehst, daß er sich dir ergeben hat. Siehe, da geht denn Glaub und Lieb im Schwang, ist Gottes Gebot erfüllt, der Mensch fröhlich und unerschrocken zu tun und zu leiden alle Ding. Drum siehe eben drauf: Christus als eine Gabe nährt deinen Glauben und macht dich zum Christen. Aber Christus als ein Exempel übt deine Werk, Die machen dich nit Christen, sondern gehen von dir Christen schon zuvor gemacht. Wie fern nu Gabe und Exempel sich scheiden, so fern scheiden sich auch Glaube und Werk. Der Glaube hat nichts

Luther hat also das Augustinische Thema *„sacramentum — exemplum"* eindrucksvoll durchgehalten. Gegen ein moralistisches Mißverständnis der Christusnachfolge betont er, daß sakramental, d.h. geistlich, gnadenhaft, verborgen an uns etwas geschehen muß, bevor wir dem Beispiel Christi entsprechend handeln können, daß Christus an uns wirksam werden muß, bevor wir mit ihm wirken können. Ich glaube, hiermit an einigen Beispielen gezeigt zu haben, wie Luther die Unio des Christen mit Christus als eine geistliche Wirklichkeit auffaßt. Sie vollzieht sich in der Personschicht, die vor allen Vermögen liegt und die die Mystik als Seelengrund bezeichnet hat, und sie vermag so den ganzen Menschen zu bestimmen. Sie wandelt nicht nur die Affekte, wie Herr Oberman sagt, und ist erst recht keine bloße Gegebenheit des Bewußtseins. Wenn man sich klarmacht, daß ontologisch nicht dinghaft, materiell und nicht statisch bedeutet, braucht man auch keine Bedenken zu haben, von „ontologischer Umwandlung" zu sprechen [67]. Weiter scheint mir in dem Ausgeführten deutlich geworden zu sein, daß nach Luther die Iustitia Christi dem Christen nicht bloß äußerlich zugerechnet, sondern ihm innerlichst zu eigen wird, wie die Brautgeschenke der Braut zu eigen werden. Die *iustitia* ist *„aliena"*, das heißt, daß sie nicht aus dem Menschen kommt und nicht durch seine Kräfte erworben oder verdient wird, sondern von außen kommt, Christi Verdienst ist und dem Menschen aus reiner Gnade geschenkt wird [68], bedeutet aber nicht, daß sie uns fremd und äußerlich bleibt. Ob die Unterscheidung der Juristen zwischen Besitz *(possessio)* und Eigentum *(proprietas)* Luther bewußt war und sie uns zu einer näheren Fassung seiner Rechtfertigungslehre dienlich sein kann, müßte durch entsprechende Texte noch erwiesen werden [69]. Es ist aber durch obige Ausführungen wohl auch hinreichend deutlich geworden, weshalb Luther Gefallen hatte an den Predigten Taulers und der „Theologia deutsch" und im Gegensatz zur Scholastik seiner Zeit mit diesen Theologen eine gewisse Wesensverwandtschaft spürte. Sprechen wir hier aber von Mystik, dann mit noch mehr Recht bei Luther. Bedürfte das noch eines Beweises, dann brauchte man nur Luthers Sermo „De assumptione Beatae Mariae Virginis" [70] mit der Predigt 46 von Tauler zu vergleichen [71].

---

eigenes, sondern nur Christus' Werk und Leben. Die Werk haben etwas eigenes von dir, sollen aber auch nit dein eigen sondern des Nächsten sein" (G. Buchwald, a.a.O. = WA 10,1,1; 12,12). Vgl. Predigt vom 11.12.1524: „Christus solus donum est, alii sancti possunt esse exemplum. In eo quod donum est, praecedit alios omnes. Exemplum est ferrum, donum est aurum ... Non prohibeo Christum amplectendum pro exemplo, sed ut prius praecedat" (WA 15; 778,2—8).

[67] Vgl. Oberman o. S. 54.

[68] Vgl. die Einleitung zur Röm.-Vorlesung: WA 56; 158,10—14 und den in Anm. 128 von Oberman zitierten Text: WA 39,1; 109,1—3.

[69] Das hat Oberman in Anm. 128 und in seinem Aufsatz nicht getan. Luther spricht von „zu eigen werden", von „iustitia propria" und von iustitia als „possessio" in einer Weise, daß eine Unterscheidung von possessio und proprietas bei ihm mir nicht gegeben zu sein scheint.

[70] Cl V; 428—434; WA 4; 645—650.

[71] Die Predigten Taulers, hrsg. v. F. Vetter (Berlin 1910) 201—207.

LUTHER UND DIE MYSTIK

Korreferat von BENGT HÄGGLUND

Vor mehr als hundert Jahren erschien in Leipzig eine kleine Schrift unter dem Titel: „Wer sind die Mystiker? Eine gründliche Belehrung über das, was Mysticismus ist und nicht ist. Gegen die Sprachverwirrung unserer Zeit"[1]. Der Verfasser war Franz Delitzsch. Er wollte zeigen — im Unterschied zur Verwendung des Wortes Mystik als einer negativen Bezeichnung für die pietistische Frömmigkeit —, daß es verschiedene Arten von Mystik gibt, die von einem christlichen Standpunkt her ganz verschiedenartig beurteilt werden müssen. Mit dem Wort Mystik konnte man eine genaue Beschreibung der mit dem christlichen Glauben verbundenen Erfahrung bezeichnen, aber auch eine falsche Innerlichkeit, worin Christliches und Heidnisches vermischt sind, wie im Schwärmertum oder in der areopagitischen Mystik. Um diese beiden grundverschiedenen Bedeutungen auseinanderzuhalten, schlägt der Verfasser eine Unterscheidung von „Mystik" und „Mysticismus" vor, ein Sprachgebrauch, der sich aber nicht durchgesetzt hat.

Auch unser Thema wird natürlich von Delitzsch behandelt. Die mittelalterliche Mystik — vor allem Tauler und Thomas a Kempis — wird hauptsächlich als eine Mystik im erstgenannten Sinne des Wortes beurteilt, obschon sie nach Delitzsch auch platonische Züge und einige wertlose Zusätze enthält. Durch die Kritik des Verdienstgedankens und des „opus operatum" der scholastischen Theologie wie auch durch die Absage der hochmütigen klerikalen Ansprüche wurde diese Mystik zu „einem Asyl für viele über den Schaden Josephs bekümmerte Seelen" und zum Wegbereiter der zukünftigen Reformation. Luther hätte bei Tauler eine Stütze in seiner Kritik an das damalige Papsttum gefunden.

Wieweit die kleine Schrift von Delitzsch einige Bedeutung gehabt hat, weiß ich nicht. Es scheint aber, als ob die Sprachverworrenheit, von der er geredet hatte, in der Folgezeit noch schlimmer wurde und sozusagen auf das wissenschaftliche Feld übertragen wurde. Delitzsch hatte sich gegen Mißverständnisse im allgemeinen Sprachgebrauch gewandt. Durch die Ritschlsche Schule wurden aber auch in der wissenschaftlichen Theologie unnuancierte und vergröberte Vorstellungen von der Mystik verbreitet und für lange Zeit zu festen Voraussetzungen der protestantischen Forschung. Das Wort „Mystik" klang für diese

---

[1] Leipzig 1842.

Schule beinahe ebenso schlimm wie „Metaphysik", und die historischen Erscheinungsformen der Mystik wurden unterschiedslos zu dem gerechnet, was dem echten Christentum fremd war[2].

Das Bild, das Harnack in seiner Dogmengeschichte von der mittelalterlichen Mystik zeichnet, hat einen großen Einfluß gehabt. Er gibt eine an sich klare Definition: „Die Mystik ist die katholische Frömmigkeit überhaupt, soweit diese nicht bloß kirchlicher Gehorsam, d.h. fides implicita ist."[3] Er mißbilligt die Versuche, die verschiedenen Richtungen der Mystik zu klassifizieren. Es lohnt sich nicht, zwischen romanischer und deutscher, katholischer und evangelischer Mystik zu unterscheiden. Denn „die Unterschiede sind im Grunde ohne Belang. Die Mystik ist immer dieselbe; sie ist vor allem nicht national oder konfessionell unterschieden." Das letzte ist ohne Zweifel richtig, die pauschale Beurteilung der Mystik kann man aber nur als einen Fehlgriff bezeichnen. Fragwürdig ist auch die eigenartige Definition der Mystik, die wir bei Harnack finden.

Wenn Mystik katholische Frömmigkeit überhaupt ist, können Reformation und Mystik folgerichtig nur als schärfste Gegensätze aufgefaßt werden. „Ein Mystiker, der nicht Katholik wird, ist ein Dilettant", ist eine bekannte Äußerung Harnacks[4]. Daraus kann der einfache Schluß gezogen werden, daß Luther, der weder Katholik noch Dilettant war, auch kein Mystiker gewesen sein könne.

Die Vorstellung von der Einheitlichkeit aller Mystik gehört zu den Vorurteilen der Harnackschen Darstellung. Er läßt — nach seinen eigenen Worten — die deutschen mittelalterlichen Mystiker überhaupt nicht zu Worte kommen, weil er überzeugt ist, daß sie dasselbe sagen, was man schon bei Origenes, Plotin, dem Areopagiten, Augustin etc. lesen könne[5].

Harnack meint vermutlich, mit seiner einseitigen Beurteilung der Mystik nur eine historische Deskription zu geben, obschon sie von seinem eigenen Christentumsverständnis stark geprägt ist. Eigentümlich ist aber, daß seine Beurteilung in der Tat mit der Position eines extremen Konfessionalismus zusammenfällt. Die Mystiker, die hier in Rede stehen, waren gute Katholiken. Also können sie mit Luther nichts gemeinsam haben, und ihre Verkündigung muß dem Luthertum fremd gewesen sein. Diese kurzsichtige Vorstellung vom Verhältnis zwischen Luther und der Mystik wurde durch die Harnacksche Geschichtsschreibung zur Würde einer wissenschaftlichen Aussage erhoben.

In einer Studie über Luther und Tauler (Bern 1918) hatte A. V. Müller versucht, eine ganze Reihe von Übereinstimmungen zwischen den beiden, z. B. in der Erbsündenlehre und in dem Verständnis der Rechtfertigung, aufzuzeigen.

---

[2] Vgl. Hanfried Krüger, Verständnis und Wertung der Mystik im neueren Protestantismus, München 1938.

[3] Lehrbuch der Dogmengeschichte III[3], S. 392.

[4] Ibid., S. 393.

[5] Ibid., S. 394, Anm. 1.

Diese Studie ist insofern einseitig und irreleitend, als der Verfasser nicht die typisch mystischen Gedanken bei Tauler behandelt und im übrigen den Einfluß der Mystik so hoch bewertet, daß er sie sogar als Ursprung der Reformation bezeichnet.

In einer scharfen Auseinandersetzung mit Müller hat O. Scheel die Mängel dieser Untersuchung aufgezeigt[6]. Er fällt aber ins entgegengesetzte Extrem. Taulers Gottesgedanke sei ganz und gar katholisch; weil nach Scheel ein unüberbrückbarer Gegensatz von Katholizismus und Reformation besteht, hat sich Luther schließlich nur zu Unrecht auf Tauler berufen. Obschon Ähnlichkeiten und verwandte Ideen vorhanden sind, ist doch der dahinterstehende religiöse Leitgedanke bei Tauler ein anderer als bei Luther.

Dieser Standpunkt, der für viele Lutherforscher charakteristisch gewesen ist, leidet an einer systematischen Festlegung der Positionen, die eine objektive, vorurteilslose Deutung der Texte effektiv verhindert. — Ist es so sicher, daß jeder Katholizismus von einem bestimmten Gottesgedanken geprägt ist, der ein anderer ist als der Gottesgedanke Luthers? Und was bedeutet die Rede von einem religiösen Leitgedanken hinter den Texten und Aussagen der Mystik? Derartige dunkle Vorstellungen haben lange in der Forschung einer adäquaten Darstellung des wirklichen Verhältnisses Luthers zur Mystik im Wege gestanden.

Es gibt also eine mächtige Tradition in der protestantischen Forschung, die unser Thema nach folgendem einfachen und im Grunde irreleitenden Schema behandelt hat:

Die Mystik ist katholisch. Was katholisch ist, wird von einem Gottesgedanken oder einem religiösen Leitgedanken beherrscht, der dem Luthertum fremd ist. Deshalb kann zwischen Luther und der Mystik kein wirklich positives Verhältnis bestanden haben.

Ich habe hier die Vorgeschichte unseres Themas so relativ ausführlich dargestellt, weil ich den Eindruck habe, daß diese Gedanken noch nicht tot sind, sondern noch heute ein Hindernis für eine unvoreingenommene Untersuchung der Frage und für die Zeichnung eines zutreffenden Bildes vom Verhältnis Luthers zur Mystik bilden können.

Eine erste Voraussetzung dafür ist, daß man den Gegensatz evangelisch-katholisch nicht in diese Frage hineinmengt. Schon Harnack hat betont, daß die Mystik nicht von konfessionellen Grenzen bestimmt ist, obschon er selbst diesem Grundsatz nicht folgt, da er Mystik und katholische Frömmigkeit gleichstellt. Eine zweite Voraussetzung ist, daß die Vorstellung von der Mystik als etwas im Grunde Einheitlichem aufgegeben wird. Was damit gemeint ist, will ich im folgenden näher auszuführen versuchen.

Ein neuer Ansatz in der Behandlung unseres Themas liegt in einem Artikel von E. Vogelsang im Luther-Jahrbuch 1937 vor. Er faßt nicht mehr die Mystik

---

[6] Taulers Mystik und Luthers reformatorische Entdeckung. Festgabe für D. Dr. Julius Kaftan, Tübingen 1920, S. 298—318.

als einen Block von systematisch festgelegten Ideen auf, sondern unterscheidet verschiedene Arten von Mystik, zu denen Luther sich in sehr verschiedener Weise geäußert hat: die areopagitische, die romanische und die deutsche Mystik.

Der eingehenden Kritik Professor Obermans an Vogelsangs Methode stimme ich zu, möchte aber hinzufügen, daß der erwähnte Aufsatz doch einen gewaltigen Fortschritt in der Behandlung unseres Themas bedeutete. In seiner differenzierten Beurteilung der Mystik konnte Vogelsang auf Luthers eigene Äußerungen aufbauen. Luther selbst unterscheidet zwischen der Mystik des Dionysios, die er als lächerliche Träume betrachtet, der Mystik eines Bernhard oder Bonaventura, der er teilweise zustimmt und die er nur in einzelnen Punkten kritisiert, und der Theologie Taulers, die er ohne Vorbehalt anerkennt[7].

Habe ich Professor Oberman recht verstanden, müssen wir einen Schritt weiter gehen: Die Mystik ist nicht von vornherein zu klassifizieren, sondern einzelne Verfasser, einzelne Texte und Gedankengänge müssen analysiert und mit relevanten Texten bei Luther verglichen werden. Die Ablehnung einer Klassifizierung der Mystiker hat eine ganz andere Bedeutung bei Professor Oberman als vorher bei Harnack. Dieser wollte nicht klassifizieren, weil er alle Mystik unterschiedslos als katholische Frömmigkeit und als theologisch uninteressant betrachtete. Professor Oberman dagegen lehnt die Klassifizierung ab, weil er die Mystik als eine so komplizierte Erscheinung auffaßt, daß man sie nicht nach einer festgelegten Typencharakteristik beschreiben kann.

Das Wort „vorläufig"[8] ist aber bedeutungsvoll: Wenn man „Luthers Verwendung und Wertung von allgemein anerkannten, zentralen Begriffen und Bildern der mystischen Theologie" (ebd.) darstellen will, kommt man m.E. ziemlich schnell zu einer Unterscheidung verschiedener Arten der Mystik. Nach und nach wird eine Klassifizierung notwendig, wenn man nicht bei unüberschaubaren Analysen bleiben soll. Es ist aber wichtig, die Differenzierung der Typen nicht nach nationalen oder konfessionellen Grenzen, sondern nur nach der Struktur der Gedankengänge vorzunehmen. Darin bin ich sicher mit dem Hauptreferenten einig.

Der Begriff „Mystik" hat die Tendenz, uns irrezuführen. Wir werden dazu verleitet, etwas Gemeinsames zu suchen, wo nichts Gemeinsames zu finden ist; uns eine einheitliche Größe vorzustellen, wo keine einheitliche Erscheinung vorhanden ist.

Wie viele andere ähnliche ideengeschichtliche Charakterisierungsbegriffe kann auch der Begriff „Mystik" als „offen" bezeichnet werden[9]. Historisch gesehen wurde er in verschiedener Weise gedeutet und definiert und ist für neue Deutungen offen. Man kann nicht sagen: Hier ist die einzig richtige, die endgültige Definition.

---

[7] Siehe Vogelsangs Artikel, Luther-Jahrbuch 1937, S. 32 ff.

[8] H. Obermans Hauptreferat, 1. Absatz von Abschnitt III, S. 40.

[9] Vgl. F. Waismann, Verifiability (Logic and Language, ed A. Flew, I, Oxford 1951), wo die „offene Struktur" einiger alltäglicher Begriffe erörtert und der Terminus „open texture" geprägt wird.

Es kann eines Tages ein Theologe oder ein Ideengeschichtler erstehen, der den Begriff Mystik in einer neuen Weise definiert, weil er neue, früher unbeachtete Seiten der relevanten Texte oder der mystischen Erfahrung entdeckt hat.

In der Tat verändert sich das, was man mit Mystik meint und was man an diesen Erscheinungen, Erfahrungen und Aussagen wesentlich findet, von Zeit zu Zeit und von einem Autor zum anderen [10]. Tauler wurde nicht in derselben Weise von Johann Arndt gelesen wie von den Brüdern des gemeinsamen Lebens. Die mystischen Erfahrungen können mit verschiedenen Gedanken, Symbolen und Konzeptionen zusammengestellt werden.

Deshalb ist es nicht ein Mangel oder eine aufzuhebende Schwachheit, daß der Begriff Mystik offen ist. Die offene Struktur (open texture) entspricht der Mannigfaltigkeit der historischen Wirklichkeit. Die mystische Erfahrung kann in verschiedener Weise expliziert werden.

Dies bedeutet nicht, daß der Begriff Mystik unverwendbar ist; aber es bedeutet, daß er nie endgültig oder befriedigend definiert werden kann. Wenn das zugestanden wird, braucht er die Forschung nicht mehr irrezuführen. — Damit wird nur expliziert, was schon früher gesagt wurde, daß nämlich die Vorstellung von der Mystik als einer im Grunde einheitlichen Größe aufgegeben werden muß, wenn wir ein richtiges Bild vom Verhältnis Luthers zur Mystik gewinnen wollen.

Ich bin nicht sicher, ob die mystische Literatur des Spätmittelalters überhaupt für einen Vergleich mit der Theologie Luthers geeignet ist. Werden nicht bei einer solchen Verfahrensweise die Ergebnisse völlig unüberschaubar? Am nächsten liegt es, Taulers Predigten und die Theologia Deutsch zu untersuchen, weil Luther diese als einzige unter den mystischen Schriften ohne Vorbehalt anerkannt hat.

Es ist der Forschung ein Rätsel gewesen, wie Luther — trotz der tatsächlichen Unterschiede — sich so vorbehaltlos mit Tauler einig erklären konnte. Dieses Rätsel löst sich auf, wenn wir die Vorstellung aufgeben, hinter aller Mystik stehe ein religiöser Grundgedanke, der den reformatorischen Grundideen fremd sei.

Der Vergleich zwischen dem, was Tauler gesagt hat, und Luthers Theologie scheint ein wichtiges Feld der Forschung zu sein, auf dem bisher nur wenig getan wurde — trotz der vielen guten Darstellungen von Taulers Gedankenwelt, die schon vorhanden sind [11]. In der großen Festschrift zum Tauler-Jubiläum 1961 gibt es eine Reihe von Untersuchungen über die Wirkungen und Einflüsse der Taulerschen Theologie. Die Beziehungen zu Luther und zur Reformation werden aber mit keinem Wort berührt, außer in der Bibliographie. Unser Thema hat auch eine ökumenische Seite. Wenn katholische und protestantische Forscher

---

[10] Eine gute Illustration dieser Tatsache findet man in H. Krüger a.a.O. (Anm. 2).
[11] Vgl. die Bibliographie von G. Hofmann in: Johannes Tauler. Ein deutscher Mystiker. Gedenkschrift zum 600. Todestag, Essen 1961, S. 436—479.

über Tauler einig werden könnten, dann läge es nicht mehr so fern, auch über Luther einig zu werden.

Im folgenden möchte ich einige Beispiele der Probleme geben, die für unser Thema relevant sind:

Gotteslehre: Charakteristisch für die Mystik ist die Rede vom Seelengrund, der als das Zentrum der ganzen Person über Intellekt und Willen steht. In diesem Innersten des Menschen ist auch der Ort der Gotteserkenntnis und der Gemeinschaft mit Gott. Im Seelengrunde „ist eigentlich Gottes Wohnung mehr als in dem Himmel oder in allen Creaturen"[12].

Wenn diese Mystik eine „theologia negativa" vertritt, bedeutet das, daß Gott nicht nur als dem Intellekt, sondern auch als dem inneren, intuitiven Fassungsvermögen unerkennbar dargestellt wird. Die Unbegreiflichkeit und Unzugänglichkeit Gottes wird dadurch noch schärfer betont als in einer Theologie scholastischer Art, wo man mit dem Intellekt als dem Höchsten im Menschen rechnet.

Diese theologia negativa wird in expressiven Bildern ausgedrückt: Gott, der in einem unzugänglichen Licht wohnt, ist Finsternis, d.h. sein Licht ist derart, daß es dem Menschen unfaßbar und als Finsternis erscheint. Gott wird mit der Wüste verglichen, ja sogar als Nichts bezeichnet.

Wenn Luther vom verborgenen Gott redet, steht die paradoxe Einheit von dem verborgenen und dem sich offenbarenden Gott im Vordergrund. Daß Gott verborgen ist, bedeutet, daß er sich in seinem Gegensatz offenbart, sein ewiges Wesen in dem menschlichen, historischen Christus, seine Majestät in der Geringheit Christi. Die Mystiker verweilen gern beim Unergründlichen, bei der Finsternis Gottes. Auch verrät die theologia negativa oft ein intellektualistisches Interesse daran, die Unerforschlichkeit Gottes verstehen und zum Ausdruck bringen zu wollen.

Die Frage ist, ob nicht trotz allem eine Gemeinsamkeit im Gottesgedanken zwischen Luther und der Mystik besteht. Man vergleiche z.B. den scholastischen Gottesbegriff, wo der Gedanke der Verborgenheit Gottes seine Bedeutung verloren hat.

Luther hat sich einmal — in den Dictata super Psalterium — direkt für die dionysische Vorstellung einer theologia negativa ausgesprochen. Später hat er wie bekannt die areopagitische Mystik scharf abgelehnt[13]. Das gilt auch in der Frage der negativen Theologie. Für Luther ist die Verborgenheit Gottes nicht die unqualifizierte Unerkennbarkeit, nicht die bloße Finsternis, sondern die Verborgenheit in dem geschichtlichen — uns menschlich nahestehenden und durch das Wort erkennbaren — Christus[14]. Aber dieser Gedanke verliert seine

---

[12] Die Predigten Taulers, hrsg. von F. Vetter (Deutsche Texte des Mittelalters, Bd. XI), Berlin 1910, S. 331, 8—9.

[13] WA 6; 562, 8; WA 13; 604, 42; WA Tr. 1; 302, 35.

[14] Vgl. Hellmuth Bandt, Luthers Lehre vom verborgenen Gott, Berlin 1958, S. 41 ff.; E. Seeberg, Luthers Theologie I, Göttingen 1929, S. 59 ff. (ausführlicher Vergleich Tauler-Luther).

Tiefendimension, wenn man nicht dahinter die theologia negativa der Mystiker sieht, die übrigens auch bei Tauler vorkommt, wo Luther sie nicht abgelehnt hat.

Anthropologie: Es wird oft gesagt, daß Luthers Anthropologie eine andere sei als die der Mystik. So allgemeine Urteile bedeuten aber sehr wenig. Es gibt natürlich auf diesem Gebiet sowohl Unterschiede als auch Ähnlichkeiten. Es gibt wohl auch keine gemeinsame Größe, die wir als die mystische Anthropologie bezeichnen können. Die Idee vom Seelengrund wird z. B. bei Tauler anders als bei Eckhart verwendet. Eine Hauptfrage ist die folgende: Wie verhält sich der Geist-Begriff bei Luther zum Begriff Seelengrund bei Tauler?

Die Dreiteilung des Menschen in Leib, Seele und Geist finden wir in Luthers Randbemerkungen zu Tauler 1516 in einer Weise angedeutet, die mit dem übereinstimmt, was er später in der Magnificatauslegung 1521 gesagt hat[15]. Luther bezeichnet den Geist als „den höchsten, tiefsten, edelsten Teil des Menschen, damit er geschickt ist unbegreifliche unsichtige ewige Dinge zu fassen. Und ist kurzlich das Haus, da der Glaube und Gottes Wort inne wohnt."[16] Eigentlich wird der Geist nicht als Teil des Menschen oder als besonderes Vermögen aufgefaßt, denn es heißt weiter, daß die Seele eben derselbe Geist ist nach der Natur, aber doch in einem anderen Werk. Die Seele macht den Leib lebendig und bezeichnet den Ort der Vernunfterkenntnis und der Gefühle[17].

Wenn diese „Dreiteilung" mit den paulinischen Begriffen caro — spiritus kombiniert wird, zeigt sich noch deutlicher, daß Luther nicht mehr den Geist als ein höchstes Vermögen der Seele, sondern als den ganzen Menschen versteht, soweit er auf göttliche, ewige Dinge gerichtet ist, d. h. soweit er im Glauben steht und gegen das Fleisch kämpft. Der Mensch als Körper und Seele wird vom Geist oder vom Fleisch in seinen sinnlichen und rationellen Funktionen beherrscht. Nur wenn Gottes Geist ihn durch den Glauben regiert, wird der Mensch als „spiritualis" bezeichnet[18].

Der neue totus-homo-Gedanke, den Luther mit solcher Klarheit entwickelt hat, geht sicher auf seine eigenen Entdeckungen bei seiner Beschäftigung mit der biblischen Anthropologie zurück. In vielen Punkten gibt es aber deutliche Verbindungslinien zur Anthropologie der Mystik, und es würde sich deshalb lohnen, Luthers Gedanken mit dem zu vergleichen, was Tauler über den Seelengrund sagt. Nur ein paar Gesichtspunkte:

Die mystische Vorstellung vom Seelengrund wird oft als eine Vergöttlichung des Menschen im idealistischen Sinn verstanden. Das trifft aber nicht die Ausführungen Taulers zu diesem Thema. Er redet anders vom Seelengrund[19]. Von diesem Innersten des Menschen gilt, daß es die ganze Person zu einer Einheit zusammenfaßt. Es wird nicht als ein Seelenvermögen beschrieben, sondern ist

---

[15] WA 9; 103 f.; WA 7; 550 f.
[16] WA 7; 550.
[17] Vgl. meine Arbeit, De Homine (Studia theologica Lundensia 18), Lund 1959, S. 62.
[18] Ibid., S. 321 ff.; WA 2; 585, 31.
[19] Vgl. W. Preger, Geschichte der deutschen Mystik im Mittelalter III, Leipzig 1893, S. 162 ff.; 215.

das, was hinter allen Seelenvermögen steht als das Zentrum persönlichen Lebens[20].

Der Seelengrund ist der Punkt, an dem der Mensch mit Gott in Berührung steht. Das wird in einem schönen Bild ausgedrückt: Wenn man zur Sommerzeit ein Becken mit Wasser in die Sonne stellt und auf dem Boden des Beckens einen Spiegel legt, so leuchtet die ganze Sonne im Spiegel, obwohl die Sonne unvergleichlich viel größer ist als der Spiegel. So spiegelt sich das Licht Gottes im Grunde der Seele. Aber wenn etwas dazwischen kommt — ein irdisches Interesse, das die Seele vom Grunde abkehrt —, so wird das Licht verdunkelt und spiegelt sich im Seelengrund nicht mehr[21].

Schon vom Gesagten her wird deutlich, daß der Seelengrund hier keine natürliche Göttlichkeit der Seele und auch kein natürliches Vermögen, Gott zu erkennen, bedeutet. Nur wenn der Grund „bereitet wird" und nur wenn nichts Hinderndes im Wege steht, kann das göttliche Licht sich in dem Grunde wiederspiegeln. Der Dualismus Gott — Mensch ist bei Tauler bewahrt. Er betont auch, daß nicht der Mensch, sondern nur Gott selbst den Grund für die wahre Gotteserkenntnis bereiten kann. Wie Luther vom Geiste redet als dem Haus, in dem Gott wohnt, so redet Tauler vom Seelengrund als der Wohnstätte Gottes im Menschen.

Aber der Ausdruck Seelengrund wird bei Tauler auch in einer anderen Bedeutung verwendet. Der Grund der Seele ist Gott selbst; bei der höchsten Vereinigung wird Gott mit dem Menschen im Innersten der Seele identisch. Er nimmt sozusagen selbst den Platz des Seelengrundes ein. „Es kommt so weit, daß der Geist in diesem Menschen so versinkt, daß die Unterscheidung verlorengeht: so wird er eins mit der Süßigkeit der Gottheit, sein Sein von dem göttlichen so durchdrungen, daß er sich verliert, ganz wie ein Tropfen Wasser in einem großen Faß voll Wein. So wird der Geist untergetaucht in Gott in göttlicher Einheit, daß er alle Unterscheidung verliert, und alles, was ihn dorthin gebracht hat, verliert dann seinen Namen, wie Demut und Liebe und er selbst." Eine einzige Stunde, ja einen Augenblick in dieser Einheit zu sein ist tausendmal nützlicher als vierzig Jahre bei deinem eigenen Vorhaben zu verweilen, sagt Tauler weiter[22].

Dieses Einheitserlebnis ist nach Tauler für den nicht-wiedergeborenen Menschen unerreichbar; es setzt den Glauben und die Rechtfertigung voraus. Was er beschreibt, muß mit dem verglichen werden, was bei Luther als die reale Einwohnung des dreieinigen Gottes im gläubigen Menschen beschrieben wird. Es kann sein, daß eine genaue Entsprechung nicht vorliegt. Aber man kann nicht ausschließen, daß Luther von diesen mystischen Gedankengängen etwas gelernt hat, was in seiner eigenen Rechtfertigungslehre nicht aufgehoben, sondern unter neuen Ausdrucksformen aufbewahrt ist.

---

[20] Vgl. K. Grunewald, Studien zu Johannes Taulers Frömmigkeit, Leipzig u. Berlin 1930, S. 7.

[21] Johannes Tauler, Predigten, hrsg. von G. Hofmann, Freiburg 1961, S. 41.

[22] Ibid., S. 51.

Ein anderes Beispiel ist der Gedanke der Überformung. Die Neugestaltung des Menschen durch die Gnade wird als eine göttliche Formung der Seele beschrieben, wodurch die alte Form zerstört und eine neue geschenkt wird. Nach einer Ausdrucksweise ist dabei der natürliche Mensch die materia, mit der Gott arbeitet, um die neue Form zu bilden, nach einem anderen Bild ist die Seele nicht einmal materia. Sie ist ein Nichts, woraus Gott etwas Neues schafft, und nur wenn der Mensch in sich selbst nichts ist, kann die göttliche Neuschöpfung stattfinden.

Luther hat schon in den Randbemerkungen zu Tauler die Vorstellung von einer Formung des Menschen durch Gott ausgeführt. Die Form des alten Menschen wird vernichtet und eine neue Form gebildet, wie wenn ein Künstler einem Stück Materie eine neue Form gibt[23]. Dasselbe Bild kehrt dann in den bekannten Äußerungen über den alten und neuen Menschen wieder, wo Gott als ein Bildhauer beschrieben wird, der, indem er vom alten Menschen abhaut, dem neuen Gestalt verleiht[24].

Die Termini alter und neuer Mensch sind Grundbegriffe in der Theologia Deutsch, und das Bild der Überformung finden wir bei Tauler wie auch sonst in der Mystik.

Heilslehre: Das Verhältnis Luthers zur Mystik wird oft so beurteilt, daß gewisse Ähnlichkeiten zu finden seien, daß Luther zeitweise von dieser Strömung einigermaßen beeinflußt worden sei, während aber im Ganzen — in den „religiösen Grundgedanken" — große Unterschiede oder sogar scharfe Gegensätze beständen.

Vielleicht verhält es sich eher so, daß die äußeren Ähnlichkeiten zwischen Luther und der Mystik sehr gering sind und die Unterschiede groß, während in den tiefen Fragen, in dem Gottesgedanken und in der Heilslehre, starke Verbindungen vorhanden sind. Soweit es Tauler und der Theologia Deutsch gilt, scheint eine solche Beurteilung berechtigt zu sein.

Die Unterschiede sind groß: Die typisch mystischen Ausdrucksweisen hat Luther sich in der Regel nicht angeeignet. Nicht nur die Sprache ist verändert. Das monotone, bewußt einseitige Verweilen bei der inneren Erfahrung, bei der Frage nach Gott und der Seele steht in starkem Kontrast zu der reichen Lebendigkeit in Luthers Verkündigung. Die Wendung zum Konkreten, die schon in der Frömmigkeit des 15. Jahrhunderts bemerkbar ist[25], wird bei Luther nicht nur stärker markiert, sondern auch in den Dienst einer religiösen Neugestaltung des ganzen Denkens gestellt.

Bei Tauler wird die historische Menschlichkeit Christi ins Zentrum der Theologie gestellt, was man vermutlich auch dort voraussetzen kann, wo er sich in allgemeinen mystischen Kategorien ausgedrückt hat. Auf dem Titelblatt zu

---

[23] WA 9; 102,10—36.
[24] WA 18; 518 ff.; WA 1; 208,14.
[25] G. Gieraths, Johannes Tauler und die Frömmigkeitshaltung des 15. Jahrhundert, Tauler-Gedenkschrift 1961, S. 422 ff.

der Auflage seiner Predigten, die Luther benutzt hat, ist ein Bild von dem unter der Bürde des Kreuzes leidenden Christus. Das dürfte für den Inhalt des Buches kennzeichnend sein[26].

Man hat doch den Eindruck, daß die konkrete evangelische Geschichte eine neue und größere Bedeutung in Luthers Verkündigung bekommt. Das zeigt sich vor allem in der Bibeldeutung, die bei Luther eine ganz andere als in der Mystik ist. Sogar Tauler verwendet durchgehend die allegorische Deutung, auch wenn er die Evangelienperikopen auslegt. Wenn Luther diese Deutungsweise verläßt, zeigt sich darin eine neue Wertschätzung der Evangelien als Zeugnisse dessen, was damals mit Jesus und seinen Jüngern geschehen ist. Die evangelischen Berichte sind nicht nur Paradigmen der inneren Erfahrung eines Christenmenschen, sondern in ihrer geschichtlichen Objektivität für das Heil entscheidend.

Es wird oft angenommen, daß der tiefste Unterschied zwischen Luther und der Mystik in der Rechtfertigungslehre zu finden sei. Hier sei das Neue, das Luther entdeckt habe, womit er die Mystik wie auch die Scholastik überwunden habe[27]. — Aber verhält es sich so? Ist es nicht im Gegenteil so, daß Luther sich auf diesem Gebiet trotz aller Unterschiede mit Tauler und der Theologia Deutsch einig gefühlt hat? Hätte er sie sonst ohne Vorbehalt anerkennen können[28]?

In der Tat konnte er in diesen Quellen die Überzeugung von einer Gerechtigkeit finden, die nicht in den Tugenden, überhaupt nicht in den Werken, auch nicht in der Liebe oder in der Demut besteht, sondern nur durch die Gottesgeburt in der Seele zustande kommt.

Nach Tauler ist alles, was zur Erlösung des Menschen gehört, ausschließlich Gottes Werk. Es kann gar nicht von dem Geschaffenen gewirkt werden. Dazu kommt, daß die Sünde den Menschen zum Mitwirken bei der „Überformung" unfähig gemacht hat. Nur durch das Kommen Gottes geschieht die Rechtfertigung des Menschen. Er wird dadurch erlöst, daß Christus durch die Gnade in ihm geboren wird, so daß er den Seelengrund umformt und den Menschen nach seinem eigenen Bilde gestaltet.

In dieser Heilslehre ist der meritum-Gedanke ausgeschlossen. Die Erlösung geschieht erst, wenn alles menschliche Wirken zunichte wird. Gott wird hier nicht als ein Partner angesehen, vor dem der Mensch sich auf Verdienste berufen könnte. Es ist ja Gott selbst, der im Menschen wirkt, indem er der im Seelengrunde Gegenwärtige ist. Sich selbst etwas Gutes zuzuschreiben als etwas, das mein Eigenes oder ein Verdienst sei, wird in der Theologia Deutsch als die Grundsünde betrachtet.

---

[26] WA 56; 299 f., wo Luther von denen redet, „qui secundum mysticam theologiam in tenebras interiores nituntur omissis imaginis passionis Christi". Siehe den Kommentar zur Stelle.

[27] Scheel, a.a.O. (Anm. 6) 1920, S. 318.

[28] Vgl. meinen Aufsatz: Die Voraussetzungen der Rechtfertigungslehre Luthers in der spätmittelalterlichen Theologie, Lutherische Rundschau 11, Jg. 1961, S. 28—55.

Diese Züge deuten an, daß eben in der Rechtfertigungslehre starke Verbindungen zwischen Tauler und Luther bestehen. Wenn es sich so verhält, werden auch die positiven Urteile Luthers über Tauler — trotz aller Unterschiede — verständlich.

In einem bekannten Brief an Staupitz (1518) hat Luther gesagt, daß er der Theologie Taulers und der Theologia Deutsch folge; und was er in ihrer Nachfolge lehrt ist, „daß die Menschen niemand anderem vertrauen sollen als Jesus Christus allein, nicht ihren Gedanken, nicht ihren Gebeten und Verdiensten oder ihren Werken" [29].

Wenn wir die positiven Äußerungen Luthers über Tauler und die Theologia Deutsch ernst nehmen — und warum sollten wir das nicht tun —, bedeutet dies, daß wir nicht nur mit einer gewissen Ähnlichkeit der Gedanken zu rechnen haben, sondern auch damit, daß Luther, auch wo er sich selbst anders ausdrückt oder wo er selbst schweigt, tiefe Eindrücke und Impulse von diesem Schrifttum bekommen hat [30].

In der Theologie Luthers stehen die mystischen Erfahrungen nicht mehr im Zentrum. Man kann aber voraussetzen, daß er etwas von diesen Erfahrungen kennt, wie auch, daß die Weise, wie die Mystiker das normale Glaubensleben schildern, eine wichtige Voraussetzung seiner Theologie gebildet hat.

Diese indirekte Relevanz der spätmittelalterlichen Literatur für die Gedankenwelt Luthers ist nicht definierbar und schwierig in deutlichen Forschungsergebnissen festzustellen. Sie bezieht sich nicht auf übernommene Gedanken, auf Ähnlichkeiten oder Auseinandersetzungen, sondern auf vagere Zusammenhänge. Gleichwohl ist auch diese indirekte Einwirkung von großer Bedeutung, weil die Mystik einen Teil des Bodens bildet, auf dem die Gedanken Luthers emporgewachsen sind.

---

[29] WA Br. 1; 160, 8 ff.

[30] Vgl. z. B. die Äußerung über Tauler in Resolutiones 1518: „... hunc doctorem scio quidem ignotum esse scholis theologorum, ideoque forte contemptibilem, sed ego plus in eo ... reperi theologiae solidae et sincerae, quam in universis omnium universitatum scholasticis doctoribus repertum est, aut reperiri potest in suis sententiis" (WA 1; 557, 25—32), oder die Aussage über Theologia Deutsch in der Vorrede zur zweiten Ausgabe des Buches 1518: „... ist myr nehst der Biblien und S. Augustino nit vorkummen eyn buch, dar auss ich mehr erlernet hab und will, was got, Christus, mensch und alle ding seyn" (WA 1; 378, 21—23).

LUTHERS ANSCHAUUNGEN ÜBER DIE KONTINUITÄT DER KIRCHE[1]

Hauptreferat von WILHELM MAURER

Die theologischen Motive, die Luthers Anschauungen über die Kontinuität der Kirche beeinflussen, bestimmen auch seine Vorstellung vom Gang der Kirchengeschichte[2]. Beides ist von seiner Enderwartung her zu erfassen. Und dabei kommt es nicht nur auf den Ort an, den Luther seiner Person und seinem Werke im Ablauf der Geschichte zuerkannte — hierzu hat Wolfgang Höhne das Entscheidende schon gesagt[3]. Sondern es obliegt uns, seinen Nachfahren, zu überprüfen, ob und in welchem Sinne sein Werk innerhalb der Kontinuität der Kirche seinen Standort behauptet hat. Die Frage nach Ökumenizität und Konfessionalität der Kirche ist uns hiermit gestellt; als Lutherforscher haben wir sie nicht zu lösen, aber von Luther her zu durchleuchten. Das hat zur Folge, daß wir auf die Äußerungen des späteren Luther besonderen Nachdruck zu legen haben, ohne daß wir in ungeschichtlicher Weise den jungen gegen den alten Luther ausspielen dürfen.

I.

Wir fragen zunächst nach den Zeugnissen von Diskontinuität, die sich in seinen Schriften finden.

1. Bekanntlich hatte Luther 1518 in der Resolution zur 22. Ablaßthese behauptet, zur Zeit Gregors des Großen habe die römische Kirche dem christlichen Osten gegenüber noch keine Primatsansprüche geltend gemacht; das päpstliche

---

[1] Dasselbe Thema hat Wolfgang Höhne in einer 1959 im wesentlichen abgeschlossenen Dissertation behandelt (gedruckt: Arbeiten zu Gesch. und Theol. des Luthertums 12, 1963); hier werden aus einem umfassenden Quellenmaterial die entscheidenden Gesichtspunkte herausgearbeitet. Der Ertrag dieser Arbeit wird im Folgenden vorausgesetzt. Die Frage der Kontinuität der Kirche ist nach der Dissertation von W. Höhne so beantwortet, daß das „Daß" als erwiesen gilt und nur noch das „Wie" und die Begründung dafür zur Erörterung stehen.

[2] Die älteren Darstellungen von Ernst Schäfer (Luther als Kirchenhistoriker, 1897) und W. Köhler (Luther und die Kirchengeschichte I, 1900) beschränken sich zu sehr auf das von Luther verwendete historische Quellenmaterial. Die neueren (Hanns Lilje: Luthers Geschichtsanschauung, 1932; Heinz Zahrnt: Luther deutet Geschichte, 1953; Hans W. Krumwiede: Glaube und Geschichte in der Theologie Luthers, 1952 — mit guten Beobachtungen über das Wesen der Kirche S. 32 ff., 97 ff.) gehen auf die Problematik der Kirchengeschichte kaum ein, am meisten H. Zahrnt, a.a.O. 43 ff. Die Lücke ist ausgefüllt durch John M. Headley: Luther's View of Church History, New Haven and London 1963. Vgl. auch Hans Preuß: Die Vorstellungen vom Antichrist im späten Mittelalter, bei Luther und in der konfessionellen Polemik, 1906.

[3] A.a.O. Kap. 12 ff.

Kirchenrecht habe dort also keine Gültigkeit. In einer Gegenthese, die Eck zur Vorbereitung der Leipziger Disputation aufgestellt hatte, entkräftete er jene Behauptung: schon vor Silvester I. habe der päpstliche Primat festgestanden. Damit wollte Eck dessen Entstehung überhaupt der geschichtlichen Erörterung entziehen, ihn vielmehr auf ein überzeitliches göttliches Recht zurückführen. Für Luther dagegen handelte es sich dabei um eine Erscheinung, die nur durch einen Bruch in der geschichtlichen Entwicklung zustande gekommen sein konnte. Später — in der Supputatio annorum mundi — hat er diesen Bruch unmittelbar nach Gregors Tod angesetzt und den im Jahre 607 regierenden Bonifaz III. als den benannt, der sich von dem Kaisermörder Phokas in Konstantinopel den Primat über alle anderen Bischöfe habe zuerkennen lassen[4].

Tatsächlich aber sieht Luther diese Ereignisse nicht als einen Bruch in der Entwicklung der Kirche an, sondern als eine der häufigen häretischen Entartungen in ihr. Freilich hat er z.Z. der Leipziger Disputation dieses Urteil noch nicht klar ausgesprochen. Noch kann er einen Ehrenprimat des Papstes als Ausdruck des in der Geschichte wirksamen Gotteswillens anerkennen, der freilich nur im Widerspruch zu Gottes Wort aus göttlichem Recht begründet werden könne. Und gegen eine solche Begründung argumentiert er nicht nur von biblischen Zeugnissen aus, sondern geradezu von der Kontinuität der Kirche her: Wäre der Papst kraft göttlichen Rechtes Stellvertreter Christi, dann wären nicht nur die Vertreter der griechischen Orthodoxie Ketzer, es würde auch die ganze frühe Christenheit mit so vielen Märtyrern und Heiligen demselben Verdikt verfallen, darunter Kirchenväter wie Cyprian, Athanasius, Hieronymus, Augustin, Gregor der Große. Sie alle haben die Gleichheit aller Bischöfe betont. Die Lehre vom göttlichen Recht des päpstlichen Primates ist vielmehr ein neues Dogma, das die Kontinuität der Kirche aufhebt; Luther hält sie fest, indem er die neue Lehre verwirft. Christi Geist hat die Kirche niemals verlassen; freilich ist damit die Ecclesia universalis und nicht die Kirche des Papstes und der Kardinäle gemeint[5].

2. Ist der Bruch aber nicht mit der Annahme jener falschen Lehre vom göttlichen Rechte des Papsttums vollzogen worden? Im Jahre der Leipziger Disputation tastet sich Luther langsam an diese bittere Erkenntnis heran. In seiner 13. These gegen Eck behauptet er, jene falsche Lehre sei nur durch „sehr anfechtbare Dekrete der Römischen Päpste aus den letzten 400 Jahren" zu begründen, während 1100 Jahre dagegen sprächen; der Bruch fiele dann in den Anfang des 12. Jahrhunderts. Aber während der Leipziger Verhandlungen wurde ihm durch Eck dieser chronologische Ansatz unsicher gemacht[6]. Freilich hatte Luther sich selbst schon bei Abfassung seiner 13. These eingestanden, die

[4] WA 1; 571,13 ff.; WA 53; 142.
[5] WA 2; 186 ff.; 237,16 ff.; WA Br. 1; 225,34 ff.; 235,15 ff., 30 ff. (Luther an Dungersheim, Dez. 1519); WA 2; 434,37 f.; 427,19 f.
[6] E. Schäfer, a.a.O. 56 f.; zum Folgenden vgl. WA Br. 1; 157,13 ff. (Luther an Spalatin, wohl 24. Februar 1519); WA 2; 225 ff., bes. 226,22.

400 Jahre seien nur als Annäherungswert zu verstehen; sie bezögen sich auf die Kodifizierung des Dekretalenrechtes von Gregor IX. bis Clemens V., und damit sei ein mehr als tausendjähriger Anspruch der Päpste rechtskräftig entschieden worden. Jene genaue Jahresangabe bedeutete also nur eine Finte, die Eck während der Disputation auf Abwege verlocken sollte. Nachher hat Luther auch zugestanden, daß er nicht einen genau datierbaren Bruch in der Kirchengeschichte habe bezeichnen wollen, sondern einen Prozeß der Verrechtlichung der Kirche aufgewiesen habe, der in der Römischen Kirche seit länger als einem Jahrtausend bestehe und besonders in den letzten Jahrhunderten die Wirkung des Evangeliums zum Schwinden gebracht habe, so daß „die Verwirrung in der gegenwärtigen Kirche schlimmer ist als in Babylon".

So hat also auch die Dekretierung des göttlichen Rechtes des Papsttums keine zeitlich fixierbare Aufhebung der Kontinuität herbeigeführt[7]. Es ging Luther gar nicht darum, einen Bruch in der Vergangenheit nachzuweisen, sondern die trostlose Lage der gegenwärtigen Kirche aufzuzeigen. Freilich wird sie niemals gelöst von der Vergangenheit betrachtet. Luthers geschichtlicher Sinn aber erschöpft sich nicht in der Beurteilung früherer Wandlungen, sondern richtet sich auf die Kirche seiner Zeit, um sie für das Endgericht vorzubereiten. Diese Bemühungen treten schon in der ersten Psalmenvorlesung hervor[8]. Die Kirche ist in das Endstadium ihrer Geschichte eingetreten. Neue Sitten haben alte abgelöst und die Christenheit ins Verderben geführt. Gottes Zorn ist entbrannt, um so schlimmer, weil er nicht gespürt wird. Der Teufel als Werkzeug dieses Zorns hat die Kirche in Sicherheit gewiegt. Pax und Securitas bilden die letzte und schwerste „Verfolgung", die Satan über die Kirche hereinbrechen läßt. Er hindert dadurch das Walten der göttlichen Barmherzigkeit und verstärkt Gottes Zorn[9]. Luther verzweifelt an der Möglichkeit einer allgemeinen Reformation der Kirche: In den letzten drei Jahrhunderten ist die Lage immer schlimmer geworden. Alle Konzilien haben versagt; je näher sie der Gegenwart gerückt sind, um so mehr waren sie von Gottes Geist verlassen. Was Luther *vor* der Leipziger Disputation Freund Spalatin als eine bange Frage ins Ohr geflüstert hatte, ist ihm *nachher* zur Gewißheit geworden: Der Antichrist ist da. Ende 1519 in der Auslegung von Psalm 10, 12 spricht Luther das öffentlich aus.

---

[7] Luthers Zahlenangaben *schwanken dauernd.* Im Spätherbst 1518 hatte er das Unrecht, das der Papst den Griechen angetan hatte, um mehr als 800 Jahre zurückdatiert (WA 2; 20, 6 ff.); in Leipzig war er während der entscheidenden Verhandlungen des 5. Juli sogar um 1400 Jahre zurückgegangen; ob er dabei an die Osterstreitigkeiten denkt? O. Seitz: Der authentische Text der Leipziger Disputation, 1903, 83.

[8] Ich beschränke mich im Folgenden auf die Scholien zu Ps. 68/69, WA 3; 416 ff.; hier finden sich Gegenwartsdeutungen bes. 420, 14 ff. (unter Berufung auf Bernhard), 423, 21 ff., 428, 27—434, 6.

[9] WA 3; 340, 3 ff. (zu Ps. 59/60, 10) ist vielmehr von dem reinigenden Strafzorn Gottes die Rede, WA 4; 443 (zu Ps. 142/143) soll der Zorn die sehnsüchtige Bitte um das Heil verstärken. In beiden Fällen ist die instrumentale Wirksamkeit des Teufels, der uns zu „Halbchristen" machen möchte, mitgesetzt, Luthers Satanologie darf nicht als Rückfall in den Dualismus mißdeutet werden; vgl. die (noch ungedruckte) Erlanger Dissertation von H. M. Barth: Der Teufel und Jesus Christus in der Theologie Martin Luthers, 1965.

Exurge, domine deus, diese Psalmenbitte, die ein halbes Jahr später die von den Kardinälen am 1. Juni 1520 angenommene Bannbulle zierte, ist Luthers verzweifelter Aufschrei angesichts des drohend bevorstehenden Endgerichtes, das aller Geschichte ein Ende setzen wird[10].

3. Angesichts dieser eschatologisch gerichteten Gegenwartsdeutung, in der seit 1519 die Gleichsetzung von Papst und Antichrist ein bestimmender Faktor ist, kann man nicht erwarten, daß das Auftreten des päpstlichen *Antichristentums* für Luther einen entscheidenden Bruch in der Geschichte der Kirche bedeutete. Später setzte er den Beginn in die Zeit von Papst Bonifaz III. (606, eigentlich 607), dem übernächsten Nachfolger des guten Bischofs Gregor I., und verfolgte die Entwicklung über das Jahr 1000, den Abschluß des 5. Milleniums, da der Satan losgelassen wurde und der antichristliche Papst zum Schwert zu greifen begann, über Gregor VII., das monstrum monstrorum, die Larva Diaboli, bis in die letzten Jahre hinein, da alle geschichtlichen und natürlichen Zeichen die Hoffnung bestätigten, daß das Ende unmittelbar bevorstehe[11]. So liegt aller Nachdruck auf der gegenwärtigen vollen Offenbarung des päpstlichen Antichristen: der Beginn seines Auftretens und seine diabolische Selbstentfaltung finden kein besonderes Interesse.

Das hängt auch mit der *Dreiteilung* der nachchristlichen Geschichte zusammen, die Luther von Bernhard und indirekt von Augustin übernommen hat[12]. In der Frühzeit der Kirche wütete gegen sie das Schwert der Tyrannei; es war die Zeit der Märtyrer. Dann brachen die Häretiker in die Kirche ein und kämpften gegen die evangelische Wahrheit; sie wurden durch die Doktoren der Kirche überwunden. „In dieser letzten bösen Zeit" führt die kirchliche Leitung (imperium ecclesiasticum) selbst das Schwert: unter scheinbarem Frieden „wird das Wort Gottes durch Menschenworte ausgelöscht und werden wir alle miteinander in die Hölle geschleppt".

Von einer Periodisierung der Kirchengeschichte im strengen Sinne kann hier nicht die Rede sein; die jeweils geschilderten Zustände gehen vielmehr ineinander über. Verfolgt zu werden ist ein Dauerzustand der Kirche[13]. Die Häretiker gelten in Luthers Augen nicht als Märtyrer, sondern als Verfolger; die Zeugen der Wahrheit haben, wie aus dem arianischen Streit nachgewiesen wird, immer einen schweren Stand gehabt. Und in der gegenwärtigen Endzeit herrscht

---

[10] WA 5; 345,5 ff.; WA Br. 1; 161,29 ff.; Luther an Spalatin am 13. März 1519.
[11] WA 53; 142, 152, 154, 169. — Solange der Antichrist noch nicht, wie in Luthers Gegenwart, völlig offenbar ist, besteht noch keine äußerste Gefahr. Der Name Bonifacius wird von ‚bona facies' abgeleitet: „quia bona specie pessima fecit Deo et hominibus" (142). Luthers spätere Urteile über Bonifaz III. und Kaiser Phokas bei Headly, a.a.O. 192 f. WA 54; 244,2 ff. ist nicht, wie der Herausgeber annimmt, Bonifaz VIII., sondern III. gemeint. — Hans Preuß gibt a.a.O. S. 136¹ eine tabellarische Übersicht über die verschiedenen Termine, an denen Luther den Antichrist auftreten läßt.
[12] Headley 145 ff.; dort auch Zeugnisse aus Luthers Spätzeit. Meine Quellennachweisungen in „Lutherforschung heute", 1958, 93 ff. werden hier an geeigneter Stelle ergänzt; ausgegangen wird von den Operationes (Sommer 1520, WA 5; 484,27—40). Das Schema ist Luther so geläufig, daß er es 1541 zum Thema eines Trostbriefes an Wenzel Link macht; WA Br. 9; 3665.
[13] WA 5; 551,36.

die Irrlehre unter dem Antichristen; neue Märtyrer wie Hus und Hieronymus von Prag erweisen sich als wahre und heilige Glieder der Kirche[14]. Verfolgung, Märtyrertum, Ketzerei sind also Grundgegebenheiten kirchlicher Existenz, die alle drei Phasen der Geschichte bestimmen; das, wodurch sie immer wieder ausgelöst werden, kann Luther auch schlechthin als ‚Tyrannei' bezeichnen[15].

Gott und der Teufel stehen hier gegeneinander; der Kampf zwischen ihnen bestimmt in wechselnder Form alle drei Perioden. *Gott* erweist sich dabei einerseits als Erzieher, andrerseits als Schützer seiner Kirche. Unter den Verfolgungen der Menschen leidet sie unter seiner väterlichen Rute: In den Verfolgungen schlug er — so schien es — am härtesten zu; demgegenüber schien die Bedrängnis durch die Ketzerei dem Fleisch milder zu sein und die trügerische „pax et securitas" der Gegenwart am mildesten. In Wirklichkeit aber war Gottes Barmherzigkeit dann am größten, wenn die Kirche am meisten unter der Tyrannei ihrer Verfolger zu leiden hatte[16]. Der in Christi Menschheit verborgene Gott ist ihr Retter. Er verbirgt sie ‚in fide divinitatis Christi' und schützt sie in seinem Zelt; er läßt sie so gegen Verfolger und Ketzer triumphieren. Verfolgung und Häresie sind also nicht nur Zeichen der Schwachheit, sondern auch des Sieges der Kirche[17].

Es ist ein Sieg über *Satan* und die Dämonen. Wie zuerst gegen Christus, so sind auch gegen die Kirche zu aller Zeit die höllischen Mächte entbrannt. Es kommt Luther dabei auf den Nachweis an, daß es damit in der Gegenwart nicht anders ist, als es früher war[18]. Die „Halbchristen" aus Luthers Tagen stimmen insofern mit den Verfolgern und Ketzern der Vergangenheit überein, als sie ebenso vom Satan erweckt und getrieben werden. Es ist derselbe Teufel allezeit am Werk: als der schwarze Teufel im Zeitalter der Christenverfolgung, als der „helle, schneeweiße Teufel" in den Lehrstreitigkeiten des konstantinischen und nachkonstantinischen Zeitalters, und als „der göttliche Teufel, der angebetet werden will und sich über Gott, d. h. über Gottes Wort erhebt", der „in diesen letzten Zeiten, ja schon seit einigen 100 Jahren das Äußerste versucht und den Antichristen und das antichristliche Reich befestigt"[19].

---

[14] WA 42; 276,37 ff. WA 44; 774,19—34 werden Hus und Hieronymus von Prag als die geisterfüllten Märtyrer geschildert, durch deren Zeugnis Gott in einer scheinbar erstorbenen Kirche die Christuswahrheit neu erweckte. Ebd. 774, 17—25 wird ihr Martyrium mit dem der altkirchlichen Märtyrer in Beziehung gesetzt: In der Kirchengeschichte wiederholt sich das Alte, passiert nichts Neues.

[15] WA 34,2; 381,25.

[16] WA 5; 484,27 ff. In der Supputatio annorum mundi von 1541 zeigt Luther (WA 53;73 f.) am Beispiel der Kämpfe, die das at.liche Gottesvolk von der Zeit der Richter bis zur Babylon. Gefangenschaft zu führen hatte, wie Gott seine Kirche in den drei Zeiträumen der nachchristlichen Geschichte inmitten ihrer Feinde errettet hat.

[17] WA 3; 171,13—18; 416,9—16.

[18] WA 3; 416,27—417,9; daß Christi (ebd. 417,32—418,1) und der Apostel Kampf gegen die Juden der Periodisierung vorangestellt wird, macht deutlich, daß es Luther dabei auf das Typische, allezeit Bleibende ankommt, nicht auf das, was die drei Perioden unterscheidet und gegeneinander abgrenzt. Headleys Erwägungen S. 151 sind daher gegenstandslos.

[19] WA 45; 36,4 ff.; 37,4 ff. — Die volkstümlichen Vorstellungen entsprechende Unterscheidung zwischen schwarzem und weißem Teufel fand ich in Verbindung mit dem Dreierschema

Wir verstehen jetzt noch besser, warum das geschichtliche Auftreten des römischen Antichristen die Kontinuität der Kirche nicht aufhob. Er ist nur ein Werkzeug des Teufels, der von Anfang an die Kirche in den wechselnden Formen bekämpft. Dieser Kampf zwischen Gott und dem Teufel um die Kirche bestimmt deren geschichtliches Dasein. Daß satanischer Hochmut des römischen Bischofs den Primatsanspruch erhebt, bedeutet also keinen Bruch in der Kirchengeschichte. Der Streit um die Herrschaft hat von Anfang an die Kirche entzweit; Christi Warnung (Mk. 10, 42 ff.) hat nichts gefruchtet[20], es ist im Gegenteil immer schlimmer geworden[21].

---

außer in der hier angeführten Schmalkaldener Predigt vom 18. Februar 1537 (zitiert nach Rörers Notizen) nur noch in der 1533 gedruckten Bearbeitung der Lutherpredigt vom 29. Oktober 1531 über Eph. 6, 10 ff., WA 34, 2; 381, 38. Der Vergleich mit Rörers Nachschrift ebd. 362 f. zeigt, daß der Bearbeiter sehr viel Stoff eingefügt hat; weder das Geschichts- noch das Teufelsschema ist bei Rörer vorhanden. Woher der eingetragene Stoff stammt, kann ich nicht feststellen; vielleicht aus Luthers Predigt vom 11. Nov. 1530 (WA 32; 156, 13 ff.) über denselben Text. Hier findet sich freilich nur die Trias Martyres-doctores-Papistae (Schwermeri), nicht die Anspielung auf den sich wandelnden und doch mit unveränderter List handelnden Teufel.

[20] WA 2; 235, 3—9. Im Sommer 1519, ungefähr gleichzeitig mit dieser der Resolution zur 13. These entnommenen Stelle, klagt Luther in den Operationes zu Ps. 7, 6 (WA 5; 226, 28 ff.) über die Streitsucht in der Christenheit, besonders (ebd. 227, 16 ff.) im Primatstreit zwischen griechischer und lateinischer Kirche und über die Rechthaberei in Theologie und Kirchenpolitik (ebd. 227, 28 f.). Er fragt dann abschließend voller Trauer: „Quid est Ecclesia hodie nisi quaedam schismatum confusio?" (ebd. 227, 37 f.). — Am Schluß der Genesisvorlesung (WA 44; 676, 4—11) läßt Luther die Zeit der Märtyrer aus; die Ketzer folgen direkt auf die Apostel und leben in unwissenden Bischöfen und Mönchen und den Greueln des Papsttums weiter fort. Die ganze Kirchengeschichte scheint damit unter der dauernden Einwirkung des Teufels zu stehen. Er veranlaßt einerseits die Hinzufügung von Riten und Kulten, andererseits eine Steigerung der subjektiven und kirchlichen Frömmigkeit, die Gott nicht geboten hat: Serviamus Deo aliquanto ardentius et maiore pietate.

[21] Mit dem Primatstreit und der Selbstoffenbarung des Papst-Antichristen hängt auch die Polemik gegen Privatmesse und bischöfliche Weihegewalt zusammen. Für beide Mißbräuche ist das Papsttum verantwortlich. Winkelmesse und Winkelpfaffen (-bischöfe) gehören zusammen (WA 38; 222, 20 ff.); die päpstliche Priesterweihe erstreckte sich nur auf den Opferdienst, zum Prediger bedurfte es einer neuen Ordination (ebd. 187, 3 ff.). Eine chronologisch genaue Vorstellung von der Entstehung dieser Mißbräuche besitzt Luther nicht. Einmal datiert er auf Gregor I. (ebd. 186, 200 f.; W 39I, 141, 5 f.), kann aber — gegen Melanchthon! — Spuren eines satisfaktorischen Meßverständnisses schon bei Hieronymus und Augustin finden (WA 39, 1; 153, 23 ff.); andrerseits setzt er, historisch nicht ganz richtig, das Verbot des Abendmahls in beiderlei Gestalt auf das Jahr 1400 (WA 54; 213, 21 ff.). Auch in diesem Zusammenhang geht es ihm also niemals um einen historisch feststellbaren Bruch der Kontinuität, sondern um eine hier und da hervorbrechende antichristliche Haltung.
Obwohl Luther die Winkelmesse als ‚Blasphemie' bezeichnen kann (WA 39, 2; 157, 11) und im Meßpfaffen ein Werkzeug des schrecklichen Zorns Gottes erblickt (WA 38; 207, 31), glaubt er trotz dieser Mißbräuche, daß Gott seine Kirche auf zweierlei Weise bewahrt habe: durch das Wort und den Glauben, der das dadurch verbürgte Sakrament begehrte, und durch die Vergebung der Sünden (ebd. 186, 5—9; Sündenvergebung allein auch in der Disputation über die Privatmesse vom 29. Jan. 1536, WA 39, 1; 145, 13—146, 3); der Raub der einen Gestalt hebt das Altarsakrament nicht auf (WA 38; 221, 23 ff.), auch seine unter dem Papste empfangene Priesterweihe betrachtet Luther als gültig, „quia, quamquam fui membrum antichristi, tamen bin ich yhn ecclesia bliben, sicut papa manet in ecclesia" (ebd. 188, 8 f., vgl. 187, 25—188, 18). Auch in bezug auf den Mißbrauch kirchlicher Handlungen gilt die These, „die Christliche kirche sey heilig nicht jnn sich selbs, sonderlich jnn diesem leben, Sondern jnn Christo"

Diese Verderbnis ist ein Zeichen des drohend bevorstehenden Endgerichtes. Wie durch diese Erwartung der geschichtliche Durchbruch des päpstlichen Antichristentums nivelliert wurde, so wurde durch sie das Schema von Verfall und Wiederherstellung überwunden, das von der Antike übernommen und auf dem Wege über den Joachimitismus in der Renaissance herrschend geworden war. Freilich konnte Luther an entsprechende Vorstellungen anknüpfen. In seiner Frühzeit wendete er das Schema der *vier Jahreszeiten* auf die Kirchengeschichte an. Aber für ihn ist der Frühling der Kirche längst vorbei; der Herbst ist eingebrochen, die sommerliche Liebe ist wieder erkaltet und die Ernte des Jüngsten Tages steht bevor[22]. Und gegen Ende seines Lebens kann er sogar an den Mythos vom Goldenen Zeitalter anknüpfen und, indem er die Weltgeschichte in *drei Welten* einteilt (die ursprüngliche Welt vor der Sintflut — die unter dem mosaischen Gesetz — die nachchristliche), den Urvätern eine Fülle ursprünglicher Gaben zuerkennen. Aber alle drei Welten stehen unter Gottes Gericht. In der Sintflut ist die erste, mit der Zerstörung Jerusalems die zweite zugrunde gegangen; und die dritte, unsere Welt, in der die Gnade erschienen ist, wird bald vom Feuer des ewigen Gerichtes verzehrt werden[23].

Wenn man hier von einem *Abfall* reden will, dann von einem ständigen, immer schlimmer werdenden, der in der Katastrophe des Endgerichtes seinen endgültigen Abschluß findet. Wenn man unter den Menschen, die die drei Welten bevölkern, Unterschiede machen will, so fallen sie immer nur zu ungunsten der späteren aus. Die erste Welt war die beste, die letzte ist die schlechteste. Christus, der in sie eintrat, war „Abfall (putamen) und Kot der Welt"; je mehr sie ihn verachtet, desto schlimmer wird ihr Gericht. So hat die Weltgeschichte zwar ein unentrinnbares Gefälle, bietet aber keine Aufstiegsmöglichkeit. Esaus Schicksal verwirklicht sich an der Römischen Kirche: Nachdem sie

(409, 6—8); „haec ipsa vera Ecclesia habet doctrinam alias magis alias minus perspicuam et puram et multa infirma membra ut Apostolicam" (WA 39, 1; 145, 6—8).

Die Anerkennung von beiderlei Gestalt des Altarsakraments war 1530 bei den Augsburger Ausgleichsverhandlungen die Hauptforderung der Lutheraner und die Anerkennung der bischöflichen Ordinationsgewalt ihre Hauptkonzession an die Altgläubigen gewesen; während des Augsburger Reichstags hat Luther in seinem „Sendbrief vom Dolmetschen" Wort und Taufe als Wahrzeichen für die Kontinuität der Kirche bekräftigt (WA 30, 2; 644, 37—646, 9); vgl. W. Maurer: „Die Entstehung und erste Auswirkung von Artikel 28 der Confessio Augustana", in: R. Bäumer u. H. Dolch (Hrsg.), Volk Gottes. Zum Kirchenverständnis der katholischen, evangelischen und anglikanischen Theologie, Freiburg 1967, S. 361—394. In der Abendmahlsfrage verhärtete sich der Gegensatz bald, zuerst in den hallischen Auseinandersetzungen mit Kardinal Albrecht über das Abendmahl unter einerlei Gestalt (WA 30, 3; 402 ff.) und in den beiden 1531 herausgekommenen Vorreden zu Krosners Sermonen (ebd. 407 ff., bes. 408, 8 ff., 410, 29 ff.), dann besonders ausführlich in der Anfang Dezember 1533 abgeschlossenen Schrift „Von der Winkelmesse und Pfaffenweihe" (WA 38; 195 ff.); vgl. die Anknüpfung an die Augsburger Verhandlungen (ebd. 195, 17 ff.). Hierher gehört auch die Absage an die erasmischen Konkordienbestrebungen in der Antonius Corvinus zur Verfügung gestellten Vorrede vom Anfang 1534 (ebd. 276 ff.). In etwa dieselbe Zeit fällt — Anfang März 1534 — Luthers öffentlicher Angriff auf Erasmus in der Form eines Briefes an Amsdorf (WA Br. 7; 2093), der an das Buch über die Winkelmesse anknüpft.

[22] WA 3; 25, 23—31.
[23] Vom Goldenen Zeitalter WA 42; 263, 24; vgl. 263, 22—42.

einmal das Wort verworfen hat, ist ihr der Weg zu ihren *Ursprüngen* verschlossen; es gibt keine Umkehrung im Laufe der Geschichte[24]. Aber es steht über ihr die Verheißung der Auferstehung. Henoch in der ersten Welt, Elias in der zweiten sind ihre Repräsentanten; Christus als unser Befreier hat sie unserer Welt vermittelt. Nicht nur das Endgericht, auch „die Hoffnung eines besseren Lebens nach diesem" steht ständig über der Kirchengeschichte; ihre Einheit beruht auf der ständigen Spannung zwischen Gericht und Gnade[25].

Die Lehre von den drei Welten hat die Einheit der Geschichte ebenso zur Voraussetzung wie das Bild vom Ablauf der Jahreszeiten. Schließt diese Einheit jeden Bruch der Kontinuität der Kirche aus? Beim Übergang von der ersten zur zweiten Welt ist das tatsächlich der Fall: wenn nach der Sintflut das Gesetz der Vergeltung für vergossenes Blut der Obrigkeit zugesprochen, wenn dem Menschen nun mit der Macht über Leben und Tod auch der Genuß tierischen Fleisches gestattet wird, so ist das ein Zeichen der Leben erhaltenden Güte Gottes[26]. Über dem Wechsel der urgeschichtlichen Zeiten steht die unveränderliche Barmherzigkeit Gottes. Sie verbindet aber auch Alten und Neuen Bund und schließt die Geschichte des neutestamentlichen Gottesvolkes mit der des alttestamentlichen zusammen.

Es gibt für Luther nur *eine* Kirche Alten *und* Neuen Testaments[27]. Die Einheit der beiden Testamente liegt für ihn in der Einheit *Gottes* und seiner Offenbarung begründet. Er ist der dreieinige Gott, der sich in beiden bezeugt; schon im Alten Testament findet Luther die Elemente des Trinitätsglaubens vor. Und dieser Gott hat sich in *Christus* offenbart. Die Christusverheißung durchzieht das ganze Alte Testament. Sie konkretisiert sich von Stufe zu Stufe in der Weise, daß ihre Erfüllung, im Weibessamen von Gen. 3, 15 zunächst aus der gesamten Menschheit hervorgehend, immer mehr eingeengt wird über die Nachkommenschaft der Erzväter und Davids hinaus, bis sie in Jesus von Nazareth Wirklichkeit wird. Wir sollten diesen Vorgang nicht als eine in sich geschlossene organische Entwicklung verstehen. Sie beruht vielmehr auf der Treue Gottes, die jeweils aufs neue dieselbe Verheißung einem neuen Geschlechte zusagt. Die Einheit der Testamente und damit die Kontinuität der Kirche gründet sich auf die Treue Gottes in Christus[28].

---

[24] WA 42; 260,34—261,15; WA 43; 535,36—536,16.
[25] WA 42, 257,32—258,10. — Die Ausdrucksform des zitierten Passus mag melanchthonisch sein; der Zusammenhang erweist den Gedanken als lutherisch.
[26] WA 42; 360,11—361,14; 361,28—32.
[27] So auch die Überschrift des in unserm Zusammenhang entscheidenden Kapitels von H. Bornkamm: Luther und das Alte Testament, 1948, 176—184; die folgenden Angaben im Text sind in dem Buch ausführlich begründet.
[28] H. Bornkamm entwickelt a.a.O. S. 126 ff. an Hand von Luthers Schrift „Von den letzten Worten Davids" die Unterordnung des mosaischen Gesetzes unter das Evangelium und S. 155 ff. die für AT und NT einheitliche Vorstellung von den — ihrer Art nach jeweils verschiedenen — gottgesetzten Zeichen, die die Wahrheit der Wortverheißung äußerlich bekräftigen. Damit ist das Thema des folgenden Abschnittes vorgegeben, der von der theologischen Begründung der Kontinuität der Kirche handelt.

II.

Wir stehen damit bei der *theologischen Begründung* für die Kontinuität der Kirche beider Testamente. Wir sahen, sie beruht auf der *einen* Verheißung Gottes und auf den zu ihrer Bekräftigung gesetzten Zeichen. Sie fordert aber auch — so müssen wir hinzufügen — den *Glauben* an diese Verheißung: die fides promissionis Christi *vor* Christus ist dieselbe wie die fides *impletae* promissionis *nach* Christus[29]. Die Kontinuität der Kirche hängt ab von der im *Wort* bezeugten Treue Gottes, sie wird gefährdet durch den schwankenden Glauben der Menschen.

Glaube, Wort und *Kirche* gehören zusammen und bedingen einander: Wo das Wort gehört und geglaubt wird, da ist Kirche; durch den Glauben wird sie erhalten; und wir, die wir glauben, sind die Kirche[30]. Das Wort ist der Grund ihrer Gewißheit. Darauf muß sie fest stehen bleiben und es ihren Nachkommen übermitteln; sie darf nicht wanken, sondern muß es beständig lehren, damit sie weiter wachsen kann[31]. Denn die Kirche handelt, indem sie das Wort verkündigt. Gott benutzt sie als Werkzeug, durch das er spricht und sein Wort wirksam werden läßt. Ohne beständigen Gebrauch des Wortes kann die Kirche nicht existieren[32]. Im Paradies hat das Wort Gottes die Kirche gegründet und nach der Austreibung aus dem Paradies Adam und Eva und das ganze Menschengeschlecht nach ihnen als Glieder der Kirche bestätigt; auch wenn nur einer ihm anhing wie Noah oder Abraham, auch wenn die Menschen es mißbrauchten: Gott redete und wirkte immerfort und hat dadurch seine Kirche erhalten; in ihr besteht die apostolische Sukzession nicht im Amt, sondern im Wort[33].

Immerhin kann der ältere Luther auch das *Amt* der Wortverkündigung zu den von Gott eingesetzten Zeichen rechnen, von denen der Bestand der Kirche abhängt und an denen sie für den Glauben zu erkennen ist. Anfänglich rechnet er für die Kirche des Neuen Testamentes neben dem Evangelium nur mit zwei solcher „Wahrzeichen" (tesserae et caracteres) und behält diese Zählung, bei

---

[29] Luthers These 8 und 9 für die am 7. Juli 1542 gehaltene Promotionsdisputation von Heinrich Schnedenstede, WA 39,2; 187,16 ff.

[30] WA 2; 208,25—27 (1519); WA 42; 565,12 ff. (1537); WA 43; 386,35 (1540); 556,23,35 (1542).

[31] WA 7; 315,32 ff. (1520); WA 43; 118,38 ff. (1538); WA 51; 510,29 ff. (1541); WA 44; 227,10 f. (1544): „Maneamus igitur illo in caetu, qui habet verbum, licet sit contemptus et abiectus"; vgl. 778,37 ff. (1545). Die Strafe für die Verachtung des Wortes liegt darin, daß unsere Nachkommen monstra et portenta opinionum fingent, 677, 3 f. (1544).

[32] WA 44; 778,7 f. (1545); WA 42; 401,23 f. (1536); WA 43, 160,12 ff. (1539), 266,11 ff. (1539); 573,7 f. (1542): „Ubi autem est ministerium verbi, ibi est Ecclesia. Et contra, Ubi est vera Ecclesia: ibi est verbum." Ebenso: „Ubi est Ecclesia, necesse est ibi Euangelium esse, ubi non est Euangelium, ibi non est Ecclesia" (Poliander-Predigten 1520, WA 9; 505,27 f.). „Wo das Euangelium recht und rein gepredigt wird, da mus eine heilige Christliche Kirche sein" (WA 38; 252,27 f. [1538]). „Gottes wort kan nicht on Gottes Volck sein, widerumb Gottes Volck kan nicht on Gottes wort sein" (WA 50; 629,34 f. [1539]).

[33] WA 42; 110,18—23 (1535); 162,39 f., 166,18, 171,14 f., 180,10, 211,5, 335,12 ff. (1535); 430,4 (1536); WA 39,2; 167,16 ff., 176,5 ff. (1542).

der über das Amt nicht unmittelbar reflektiert wird, lange bei[34]. Aber schon 1533 zählt er zehn „Sakramente" auf, darunter auch das „Ministerium". 1539, in der Schrift „Von den Konziliis und Kirchen", nennt er es unter den mindestens sieben Kennzeichen mit der vielsagenden Begründung: „Denn die Kirche sol nicht auffhören bis an der welt ende; darumb müssen Apostel, Evangelisten, Propheten bleiben, sie heißen auch wie sie wollen oder können." Und 1541, in der Schrift „Wider Hans Worst", bindet er das Predigtamt eng an das verkündigte wirksame Wort und beweist damit den Zusammenhang mit der alten, ursprünglichen Kirche[35].

In der *Genesisvorlesung* seiner Altersjahre hat Luther der dauernden Wirksamkeit des Predigtamtes in der Kirche besondere Aufmerksamkeit gewidmet[36]. Mit der Stiftung der Kirche im Paradies ist auch Adam als Prediger eingesetzt und die Reihe über die Patriarchen hin bis zu Joseph und den anderen Söhnen Jakobs fortgeführt worden[37]. Luther ist überzeugt, daß sie alle in göttlicher Vollmacht gelehrt und einen öffentlichen Auftrag ausgeführt haben, und zwar so, daß sie das von ihren Vätern empfangene Wort mündlich weitergaben und mit ihrer Predigt auf die gegenwärtigen Verhältnisse anwandten[38]. Es ist für Luther dasselbe Amt, das hier im Alten so gut wie im Neuen Testament wirksam ist. Zwar wird es bei den Patriarchen durch eine „carnalis successio" übertragen, die im israelitischen Priestertum bis zur Zerstörung Jerusalems nachwirkte und mit dem Erstgeburtsrecht zusammenhängt[39]. Aber an der Durchbrechung dieses Rechtes etwa durch die Bevorzugung Seths und Jakobs wird deutlich, daß hier nichts auf den menschlichen Zusammenhang, alles auf den Wortwillen Gottes ankommt; Kain und Esau haben ihre Berufung zum Amt verloren und sind Feinde der Kirche Gottes geworden. Deren Aufspaltung, die wir schon angedeutet haben und im folgenden noch näher betrachten werden,

---

[34] WA 7; 720,32 ff. (1521); WA 42; 184,14 ff., 185,4 ff., 32 ff., 242,31 ff., 295,10 ff., 313, 23 f. (1535); WA 43; 266,11 ff. (1539); WA 39,2; 167,16 ff. (1542, mit besonderer Hervorhebung der Taufe).

[35] WA 38; 185,11 ff. (in der endgültigen Darstellung ebd. 221,25 ff. wird die Ordinationsvollmacht der Kirche im Gegensatz gegen die Ansprüche der altgläubigen Bischöfe hervorgehoben); WA 50; 634,13 ff.; WA 51; 481,24 ff.

[36] In den von Poliander u. a. überlieferten Genesispredigten der Jahre 1519 bis 1521 ist nur andeutungsweise u. z. T. unter Allegorien versteckt von dem Predigtdienst der Patriarchen die Rede: WA 9; 423,18—20; 343 f.; 353,23 ff.; 374,4 ff.

[37] Adam (WA 42; 159,30 ff.; WA 43; 70, 4); — Seth (WA 42; 179,30); Noah (ebd. 279,22 ff., 280,4, 293,15, 302,26, 309,3 ff., 342,40 ff., 378,1 ff.); — Sem (WA 43; 611,34 ff.); — Abraham (WA 42; 462,7 ff.; 465,7 ff.; WA 43; 102,15 ff., 129,4 ff., 412,16); — Loth (WA 43; 67,27 ff.); — Isaak (ebd. 484,18 ff.); — Jakob (WA 44; 139,13 ff., 169,8 ff., 176,10 ff., 197, 19 ff., 332,16 ff., 646,10 ff.); — Joseph (ebd. 303,21 ff., 343,3 ff., 359,4 ff., 419,31 ff., 430,11 ff., 622,31 ff., 647,15 ff., 674,22 ff.).

[38] WA 42; 277,23 ff., 320,3 ff.; WA 43; 46,32, 74,37 ff., 76,24 ff., 172,15 ff.; WA 44; 757, 1 ff.; zum Öffentlichkeitscharakter bes. WA 42; 301,24 ff. Der Gegenwartsbezug bes. deutlich WA 43; 187,3 f.: „Sic in Ecclesia Constituti sunt Pastores, hos cum audis, Deum audis." Der Widerstand gegen die Verkündigung bes. bei Noah (WA 42; 279,22 ff., 293,14 ff.; WA 44; 236, 3 ff., 267,19 ff.), die schreckliche Drohung, daß Gott sein Wort zurückzieht, WA 42; 274,10 ff.

[39] WA 42; 424,3 ff.; WA 44; 730,23 ff.

berührt auch das Amt der Kirche, ist auch im Neuen Testament im Gegensatz zwischen Aposteln und Pseudoaposteln mächtig. Auch die Kirche des Alten Testaments ist „creatura Evangelii", steht unter der Verheißung des Heils und hat insofern „catholici praedicantes"[40]. Und es gilt von ihren auf Christus hinweisenden Predigern dasselbe, was von den Nachfolgern der Apostel im Predigtamt gesagt wird[41]: Gott bewahrt uns beständig in der Kirche, um Menschen dadurch auf seinen Weg zu führen.

Gott erhält die Kirche durch die Verkündigung seines Wortes. Von der 1. Psalmenvorlesung an ist es Luthers feststehende Überzeugung: Die Kirche ist Wohnstätte, Zelt, Haus Gottes, das er sich erbaut hat und in dem er auf verborgene Weise bleibt[42]. Wie er in ihr beständig heilswirksam ist, so sorgt er auch, daß die Kirche allezeit auf Erden ein hospitium, locum und nidum findet und Mächtige der Erde, die sie da beschützen[43]. Trotz ihrer äußeren Ohnmacht steht sie dank der göttlichen Gnade im Mittelpunkt der Schöpfung. Die Majestät des dreieinigen Gottes neigt sich ihr zu, Christus und die Engel freuen sich mit ihr, alle Kreaturen jubeln ihr zu und warten auf ihre Erlösung[44].

Christus ist in der unlösbaren Verbindung mit seinem Leibe, der Kirche, der Garant ihrer Kontinuität. Der Zusammenhang von Christologie und Ekklesiologie bildet einen durchgehenden Zug in Luthers Theologie. Noch in der Genesisvorlesung hat er in Anlehnung an Eph. 5, 32 das bräutliche Verhältnis zwischen Christus und der Kirche und in Übernahme augustinischer Gedanken den fröhlichen Wechsel zwischen Haupt und Gliedern beschrieben[45]. Das geschah in Weiterführung der in der 1. Psalmenvorlesung vorgetragenen Gedanken, die in der 2. Psalmenvorlesung von 1518—1521 besonders anschaulich ausgestaltet worden waren[46]. Abschließend hat Luther diese Erkenntnisse

---

[40] WA 2; 430, 6, 30 (1519).

[41] WA 5; 528, 39 ff. (1520).

[42] WA 3; 124, 29 ff. (1513/14) stellt insofern die Kirche mit dem Leib der Maria, der Menschheit Christi und dem Altarsakrament in Parallele: sie sind alle Gottes verborgene Wohnung. Vgl. ebd. 532, 17; WA 5; 267, 20 ff., 506, 19, 548, 7 f.; WA 9; 409, 5 f. Dazu zu Gen. 28, 17 (1542) WA 43; 601, 17—19: „Et est essentialis definitio: Ecclesia est locus vel populus, ubi Deus habitat, ideo ut nos faciat intrare in regnum coelorum: quia est porta coeli."

[43] WA 43; 465, 9 ff. Ebd. 287, 18 ff. preist L. den Kurfürsten Johann Friedrich deswegen. Die Notwendigkeit, daß die Kirche daher gastfreundlich Liebe zu üben hat, ebd. 2, 30, 4, 5, 10, 20.

[44] Ebd. 563, 41 ff.; vgl. 600, 28 ff.

[45] WA 42; 174, 6 ff. (1535); das mysterium incarnationis Christi ist im AT schon vorgebildet, WA 43; 307, 18 ff., 483, 17 f. — Zum Verhältnis von Christologie und Ekklesiologie in der 1. Psalmenvorlesung vgl. meine Ausführungen in „Lutherforschung heute" 1958, 86 ff., 96 ff. — Aus dem dort genannten Quellenmaterial hebe ich noch einmal (vgl. ebd. 93) die wichtige Stelle WA 3; 371, 37 (zu Ps. 64/65, 1514) hervor, die Christus als den Mittel- und Wendepunkt der Geschichte zeigt: „Incarnatio et passio Christi inter vetus et novum testamentum est medium." Damit ist zugleich der Zusammenhang zwischen der Kirche des AT und NT bezeichnet. Ähnlich ebd. 368, 22 ff.: „Christus finis omnium et centrum, in quem omnia respiciunt et monstrant."

[46] WA 5; 548—553 (1520) die Auslegung von Ps. 19, 6 f., einer Hauptstelle für die Lehre von Christus als dem Bräutigam seiner Kirche; beachte dabei die Hervorhebung des Glau-

zusammengefaßt, als er sich 1525 Erasmus gegenüber gegen den Vorwurf der Neuerung verteidigte und dabei bekannte: *Christus* cum Ecclesia sua manet usque ad consummationem mundi[47].

In seinen Altersschriften hat Luther diese Überzeugung im Gegensatz gegen Rom und alle kurzschlüssigen Unionsversuche vertreten und dabei den Christusglauben als den Hauptartikel herausgehoben[48]. Angesichts des Todes bekennt er sich 1534 bei der Wiedereröffnung der Disputationen in Wittenberg zu der Kirche, die, fest in Christus gegründet, als Christi Braut erhalten werden wird[49]. Es mag sein, daß in diesen letzten Jahren die christologischen Parallelen und Spekulationen gegenüber früher stärker zurücktreten; die Grundposition bleibt sich gleich: Die Kontinuität der Kirche ruht letztlich auf Gott in Christus: Soll die Kirche untergehen, so muß Gott zuvor untergehen[50].

III.

Wenn auch die Kontinuität auf dem *einen* göttlichen Grunde ruht, so tritt die Kirche doch immer im Widerspruch mit sich selbst in Erscheinung[51]. Beim jungen Luther ist dieser Widerspruch christologisch begründet. Die Kirche als Leib Christi repräsentiert seine humanitas, bildet in sich die Schwachheit und das Leiden seines geschichtlichen Leibes ab und steht unter der Verheißung der Erhöhung, die Christus durch seine Himmelfahrt erfahren hat. Was von Christus gilt, trifft ebenso auch bei den Gliedern seines Leibes zu: vita sub morte, salus sub cruce, gloria sub ignominia latet; multa patitur et victor in omnibus[52].

Aus dieser Christusbezogenheit der Kirche ist ihre Leidensgestalt erklärlich, die Verfolgung, der sie von innen und von außen ständig ausgesetzt ist, wobei

---

benspaktes, den sie schließen muß, damit die Menschwerdung vollendet werde (550, 11 ff.). Ebd. 285, 26 ff.: Christus der Anfänger einer „spiritualis generatio" von Menschen, die durch die Taufe wiedergeboren sind, und der Kirche als der „nova creatura Evangelii". Aus der Zeit der Operationes gehören in diesen Zusammenhang der Sermon von der Bereitung zum Sterben 1519 (die christologische Begründung der communio sanctorum, in die der Sterbende hineingenommen wird, WA 2; 689, 6 ff., 692, 26 ff., 694, 22 ff., 695, 16 ff.), der ganze Freiheitstraktat und die Aussagen über das bräutliche Verhältnis der Christenheit zu Christus in der Auslegung des Magnifikat (1521) WA 7; 597, 13 ff.

[47] WA 18; 649, 31 f.; vgl. 649, 20—653, 12. — In der Festschrift für Heinrich Bornkamm (Erneuerung der Einen Kirche. Arbeiten aus Kirchengeschichte und Konfessionskunde. Hrsg. von Joachim Lell, Göttingen 1966, S. 32—45) habe ich die „Ecclesia perpetuo mansura im Verständnis Luthers" dargestellt.

[48] „Alle die jenigen, so den heubtartickel von Jhesu Christo recht gehabt und gehalten haben, sind fein und sicher inn rechtem Christlichen glauben blieben" (WA 50; 266, 33—35). Luthers Lehre von den „testes veritatis" bedarf nach der Studie von Joach. Maßner: Kirchliche Überlieferung und Autorität im Flaciuskreis (1964) einer neuen Untersuchung. — Christus als der Schatz der Kirche: WA 38; 567, 38 ff. (1536 zum Gleichnis Mt. 13, 44).

[49] WA 39, 1; 3, 24—29. Vgl. WA 50; 625, 21—29 (1539), 628, 16—18 und aus der Disputation vom 29. Jan. 1536, WA 39, 1; 166, 4: „Christus Ecclesiam suam non dereliquit nec deseruit unquam."

[50] WA 50; 513, 8—11.

[51] Vgl. Lutherforschung heute, 1958, 91 ff. und oben S. 99 f.

[52] WA 5; 285, 35 f.; 286, 23 (zu Ps. 9, 1, etwa Nov. 1519). Ähnlich 610, 4—17; 639, 33 ff.; 642, 12—15.

„die vorfolger und neider gemeinicklich unrecht und die vorfolgeten recht gehabt haben"[53]. Verfolger und Verfolgte verstehen dabei genau das Entgegengesetzte unter dem, was sie Kirche nennen; wer sie von außen betrachtet, beurteilt sie falsch. In Christi Augen sieht sie anders aus, als die Menschen meinen. Ihr proprium ist der Welt nicht erkennbar; aber gerade dieses ist der Grund ihrer Permanenz[54]. Das heißt freilich nicht, daß es im Innern der Kirche eitel Harmonie gäbe; hier herrscht der ständige Kampf zwischen Fleisch und Geist. Und auch ihre Glieder werden durch Mangel an Liebe in Spaltungen auseinandergerissen[55]. Ja, Gott selbst läßt die Kirche ständig unter seinen Zorngerichten leiden, so daß sie als die Verdammte erscheint und nicht als die Begnadigte. Aber hinter diesem falschen Schein, den sie mit ihrem verdammten und gekreuzigten Herrn teilt, führt sie ihr wahres Leben verborgen mit Christus in Gott. Der Stand ihrer Verborgenheit ist der Stand der göttlichen Bewahrung: Homo abscondit sua, ut neget; Deus abscondit sua, ut revelet[56]. Die Verborgenheit des in Christus offenbaren Gottes teilt sich auch seiner Kirche mit.

Bei dem älteren Luther finden sich von diesem Kirchenverständnis kaum noch Spuren[57]. Daß die Kirche ihr wahres Wesen immer hinter dem entgegengesetzten Augenschein verbirgt, wird nicht mehr mit der verborgenen Herrlichkeit des Gekreuzigten, mit seiner unter der menschlichen Natur verdeckten Gottheit in Beziehung gesetzt, sondern aus dem beständigen *Widerstreit zwischen Gott und dem Teufel,* Abels und Kains Kindern abgeleitet. Dieser in der göttlichen und menschlichen Sphäre durchgeführte Kampf, wie Augustin ihn zuerst beschrieben hatte, bestimmt Luthers Anschauung von der Kirche schon in der 1. Psalmenvorlesung[58] und nimmt in seinen Augen seit den dreißiger Jahren immer heftigere Formen an. Nach dem ergebnislosen Ausgang der Augs-

---

[53] WA 7; 317,12 f. (Grund und Ursach, 1520). 1525 wird gegen Erasmus die organisierte Kirche mit ihrer Inquisition für solche Verfolgung verantwortlich gemacht (WA 18; 651,1 ff.).

[54] WA 5; 57,37 ff. (zu Ps. 2,6, 1518); 456,28—36 (zu Ps. 16,6, Frühsommer 1520).

[55] Ebd. 58, 7 ff.; 155, 24—37 (zu Ps. 5, 11, Frühjahr 1519).

[56] WA 1; 138,13 f. (Predigt vom Matthiastage, 24. 2. 1517). Zum göttlichen Strafzorn WA 5; 519,33 f., 520,7 ff. (zu Ps.18,25, Okt.1520). Zur Rettung der verborgenen Heiligen (gegen Erasmus), WA 18; 651,22 ff. In den Operationes wird wie in der 1. Psalmenvorlesung die Verborgenheit der Kirche besonders hervorgehoben in den Psalmstellen, die wie in Ps. 9 und Ps. 19 von dem Volk Gottes als der Almoth, der im Verborgenen heranwachsenden Jugend, sprechen.

[57] Vgl. oben zu Anm. 45. — In der Genesisvorlesung habe ich noch Spuren gefunden in der Erzählung von Jakobs Himmelsleiter (Gen. 28,12 ff.). Diese wird auf die Verbindung des Hauptes mit den Gliedern und damit auf die coniunctio Ecclesiae et Christi (WA 43; 582,29) gedeutet; aber auch hier überwiegt die Erkenntnis der beiden Naturen die Lebensgemeinschaft mit Christus. Das kognitive Moment tritt einseitig auch hervor WA 44; 292,27 f., wo die Verurteilung Christi durch Pilatus gedeutet wird als imago Ecclesiae omnium temporum, quam proposuit Deus in filio et sanctis suis.

[58] Aus meinen „Lutherforschung heute" 91 ff. gebotenen Nachweisungen greife ich bes. WA 3; 120, 12 ff. (wo 120, 32 das regnum Antichristi als Erscheinungsform des regnum Diaboli betrachtet wird) und ebd. 273, 31 ff. (wo der Kampf Kains gegen Abel als Wesensmerkmal der Kirche aller Zeiten dargestellt wird) heraus. Beide Anschauungskreise, der theologisch-satanologische und der anthropologische Aspekt der Kirche, widersprechen sich nur scheinbar, insofern der Dualismus zwischen Gott und Teufel radikaler erscheint als der zwischen Abel

burger Einigungsverhandlungen gewinnt die Behauptung, der Antichrist sei im römischen Papsttum offenbar geworden und die Kirchengeschichte damit in ihre Endphase eingetreten, für Luthers Theologie eine konstitutive Bedeutung. Das heißt für ihn: Der Antichrist als Repräsentant des Teufels hat seinen Sitz im Tempel Gottes eingenommen und „die heilige Kirche ist nu die heilige stete des grewels"; und dennoch hat ihr Gott die Wahrzeichen der Kirche erhalten[59].

Seitdem Luther im Sommer 1535 mit der Genesisvorlesung begann, hat er chronologische Studien treiben müssen, die zunächst in seiner Supputatio annorum mundi einen literarischen Niederschlag gefunden haben[60]. Sie bestärkten ihn in der auch von Melanchthon vertretenen Anschauung, der Welt sei eine Dauer von 6000 Jahren gesetzt; und von dem gegenwärtigen letzten Jahrtausend, da der Satan in der Person des Antichristen losgebunden sei, sei die Hälfte schon vergangen, es werde aber aus Gottes Gnade die vor dem End-

---

und Kain (dieser ist zwar ein abgefallenes, aber doch noch nicht unrettbar verlorenes Glied der Kirche). In Wirklichkeit aber bleibt Satan immer Gottes dienstbarer Geist, sitzt im Tempel Gottes und verführt auch die Gläubigen. — Daß Luther über ein Antichristschema verfügte (vgl. Hans Preuß a.a.O. 99 ff.), ehe er Papst und Antichrist gleichsetzte, ist für das Verständnis des Folgenden von Bedeutung.

[59] WA 38; 220, 28 f., 221, 18 ff.; vgl. 188, 1 ff., 222, 20 ff. (Von der Winkelmesse und Pfaffenweihe, 1533). — In den Annotationes in aliquot capita Matthaei (hdschr. 1536 vollendet) hat Luther die Gleichnisse vom Senfkorn, Sauerteig und Schatz im Acker so gedeutet, daß er die durch Menschen hervorgebrachten scandala und Erschütterungen besonders heraushob, um das doppeldeutige Ineinander und Miteinander von Nichtkirche und Kirche als dauerndes Merkmal zu erweisen: „Ita stat illud argumentum a principio mundi: Ecclesia non est Ecclesia, et non Ecclesia est Ecclesia" (ebd. 568, 2 f.). Über den unaufhörlichen Kampf zwischen Christus und Belial vgl. in der Schrift „Die drei Symbole oder Bekenntnis des Glaubens Christi" (1538), WA 50; 270, 31—34. Freilich lassen sich die Parteien in diesem Kampf nicht empirisch, sondern nur mit den Augen des Glaubens erkennen: „In solchem rumor muß es freilich geschehen, daß sichs ansehen läßt, als künte niemand wissen, wer hie koch odder kelner, wer Gottes oder des Teufels sei, wo Kirche oder Endchrist sei" (Vorrede zu Justus Menius: Wie ein jeglicher Christ gegen allerlei Lehre sich gebührlich halten soll, 1538, ebd. 347, 2—4).

[60] Auch wenn ich den von Peter Meinhold (die Genesisvorlesung Luthers und ihre Herausgeber, 1936) geführten Nachweis (S. 306 ff.) im ganzen für unwiderlegbar halte, daß der Herausgeber Veit Dietrich den zuerst 1541 erschienenen Druck der Supputatio benutzt hat, kann ich ihm nicht in allen Einzelheiten zustimmen. Gewiß hat Dietrich die erste Erwähnung der Supputatio zu Gen. 5, 1 (WA 42; 245, 16 ff.) nach der Vorrede Luthers zur Supp. (WA 53; 22) stilisiert. Aber das heißt nicht, daß er ihren Inhalt erfunden habe; der Kontext (Christus- und Kains-Linie) machte eine chronologische Überlegung nötig, und Luther wird sie im Zusammenhang der Vorlesung angestellt und sich auf seine privaten Bemühungen berufen haben, wie er das ja auch nachher in der Vorrede tat. Nur so ist die Einfügung der Umarbeitung Dietrichs an dieser Stelle erklärlich. Auch da, wo auf Grund chronologischer Berechnungen Abweichungen von der exegetischen Tradition begründet werden, haben wir Luther an Werke zu sehen, vgl. WA 43; 352, 11, 497, 12 ff. Die Meinung von Ferdinand Cohrs, daß die Entstehung der Supputatio der Kollegvorbereitung von Gen. 5 (Januar 1536) an parallelgehe, erscheint mir durch Meinhold nicht widerlegt; der Abschluß des Manuskripts ist mit ihm auf Oktober 1540 anzusetzen (vgl. WA 53; 7 f.). Die uns hier besonders interessierende „Weissagung des Elias" von der 6000jährigen Dauer der Welt und ihrer in der Gegenwart stattfindenden Verkürzung findet sich schon in der Tischredenüberlieferung von 1532, WA Tr. 2; Nr. 1335, 2439, 2756 b.

gericht noch bestehende Spanne verkürzt werden[61]. Luther lebt also in der Erwartung, der Jüngste Tag stehe unmittelbar bevor. Er selbst möchte ihn nicht mehr miterleben; aber er nimmt schon die Zeichen wahr, die den Einbruch des Endes sicher ankündigen[62].

Unter diesen Aspekten haben wir nunmehr die Kontinuität der Kirche in dreifacher Weise zu verfolgen. Wir fragen: Wie vollzieht sich der Fortgang der Geschichte

1. bei der duplex Ecclesia,
2. bei der falsa Ecclesia,
3. bei der vera Ecclesia[63]?

ad 1. Die *Duplizität* der Kirche wird in Luthers Genesisvorlesung so durch das Alte Testament hindurch verfolgt, daß dabei ein ständiger Wesenszug der Kirche aller Zeiten erkennbar wird: Die Kirche existiert in einer Spannung, die unlösbar ist, obwohl die entgegengesetzten Seiten einander aufheben. Der alte Luther führt diese Spannung nicht nur in der seit Augustin üblichen Weise auf die Feindschaft zwischen Kain und Abel zurück, sondern überträgt sie auf das Verhältnis der Noahsöhne Ham und Sem, der Abrahamssöhne Ismael und Isaak, der Isaaksöhne Esau und Jakob, der Jakobssöhne zu ihrem Bruder Joseph und verfolgt sie schließlich durch die Geschichte des alttestamentlichen und neutestamentlichen Gottesvolkes hindurch bis in die Gegenwart hinein[64].

---

[61] Vgl. oben S. 108 zu Anm. 60. WA 53; 170 f. In seiner Vorlage, dem von Melanchthon herausgegebenen Chronicon Carionis von 1532, fand Luther dieselbe Bemerkung. Über Luthers relative Selbständigkeit in der Ausgestaltung der Elias-Weissagung vgl. Cohrs WA 53; 13 f.

[62] Man sollte mit dem Ausdruck „Naherwartung" hier vorsichtig sein. Luther hat den Jüngsten Tag nicht mehr erleben wollen. An der einzigen mir bekannten Stelle, wo er Zahlenangaben macht (20 Jahre!), betet er angesichts der Schrecken des Endgerichts darum, quam citissime sterben zu dürfen, WA 42; 247, 15 ff., vgl. 5 ff. (WA Tr. 5; 5326 bezieht er Frau und Kinder in solches Gebet mit ein). Aber er rechnet doch mit Nachkommen, die der Nachwelt das prophetische Zeugnis ausrichten werden (WA 43; 404, 37 ff.), sosehr er andrerseits das Ende herbeiwünscht (WA 42; 306, 36 ff.). Grund für seine Erwartung ist die geschichtliche Tatsache, daß die Menschen immer schlechter, ihr Trotz gegenüber Gott immer schlimmer, Gottes Strafen immer härter werden (WA 42; 155, 30; 161, 19 f.; 32 ff.; 266, 38 ff.; 322, 8 ff.; 346, 19 ff.). Und es ist Christi Barmherzigkeit, daß er die Tage verkürzt, damit Satan nicht alles verderbe und die Kirche nicht untergehe; ebd. 423, 32 ff. Andrerseits, was bedeutet es für die Existenz der Kirche, daß der Sturz der Tyrannen schon jetzt sich vollzieht, der des Papstes unmittelbar bevorsteht und somit der processus divini iuris sich als unaufhaltsam erweist (ebd. 386, 30 ff.)!

[63] Dieser dreifache Gebrauch von ‚ecclesia' erschwert die Deutung des Kirchenbegriffes, der der Genesisvorlesung zugrunde liegt. Im Einzelfalle war im Folgenden die Unterscheidung nicht immer leicht zu treffen.

[64] Diese typologisch-heilsgeschichtliche Deutung der Geschichte unterscheidet sich von der tropologisch-christologischen Deutung, die der junge Luther handhabte; der Unterschied kann hier nicht herausgearbeitet werden. — Die Art, wie der Luther der Genesisvorlesung die Doppelheit charakterisiert, ist offenbar durch die Gegenwart bestimmt: Die von Kain repräsentierte Kirche ist hypocrita et sanguinaria, die Abels sterilis, desolata, passionibus et cruci obnoxia (WA 42; 187, 13 ff.). Augustin, auf den Luther sich hier beruft, benutzt die Gegensatzpaare animalis—spiritualis (Luther unterscheidet so nicht die beiden generationes, sondern die beiden Arten des göttlichen Segens: benedictio corporalis—spiritualis WA 42; 229, 7 ff., 9 f. in direkter Anspielung auf die Augustinstelle; vgl. unten Anm. 67), „civis huius saeculi — pere-

Die Genesisvorlesung[65] nimmt den Gegensatz schon für die Paradieseszeit an: schon vor dem Fall habe Satan in der durch Adam und Eva repräsentierten Kirche den Widerspruch gegen Gottes Befehlswort geweckt, und dieser Haß habe sich allezeit fortgesetzt und die Verfolgung der Lehrer des Worts veranlaßt. Auf jeden Fall haben wir also in der geschichtlichen Erscheinung immer eine gespaltene Kirche vor uns, eine Kirche, die beständig im Widerspruch zu sich selbst steht. Und die Frage, die unser Hauptthema in unserem Zusammenhang aufwirft, lautet: Hat dieser innere Widerspruch jemals aufgehört, ist die Spaltung, die ja immer noch einen Rest von Gemeinsamkeit voraussetzt, zur totalen Aufspaltung geworden, bei der jedes Band zerschnitten ist? Wäre das so, dann wäre freilich im Kirchenbegriff des alten Luther die Kontinuität der Kirche abgerissen, wäre die ecclesia universalis durch die partikulare Konfessionskirche ersetzt.

Wie beschreibt und wie begründet Luther die Zwiespältigkeit der Kirche? Kain beruft sich auf sein *Recht* der Erstgeburt, Abel glaubt an die *rettende* Kraft des zukünftigen Schlangentöters: In derselben Kirche bestehen Glaube und Unglaube nebeneinander. Und zwar so, daß Kains Kirche die wahre unterdrückt. Die Zwiespältigkeit wird innerhalb der Gesamtkirche zur lebenbedrohenden Feindschaft. Immer bleiben die Kainiten siegreich; und immer aufs neue wird Abels Blut vergossen, und die Zahl seiner Nachkommen schrumpft bedrohlich zusammen. Immer wird der Stärkere den Schwächeren besiegen und Gott dem Schwächeren zu seinem Rechte verhelfen, ad omnem posteritatem in infinitum[66].

Die Kontinuität dieser duae generationes beruht also weder auf einem biologischen noch auf einem sakramentalen Zusammenhang[67]. Sie gründet sich vielmehr, wie schon gesagt[68], auf Faktoren außerhalb ihrer selbst, nicht auf eine ihnen immanente Entwicklung. Da ist vor allem *Gottes* Urteil maßgebend:

grinus in saeculo et pertinens ad civitatem Dei, terrestris-coelestis" (De civ. dei XV, c. 1 f.). Noch stärker gegenwartsbezogen ist die Beschreibung der duplex ecclesia WA 43; 159, 10 ff.

[65] Ich wage nicht unbedingt, die im folgenden Text behandelten Stellen WA 43; 3, 19 ff. und 7, 35 ff. Luther zuzusprechen, und halte die Möglichkeit offen, daß sie der Feder Michael Rotings entstammen, obwohl der Grundgedanke — Gottes Wort fordert immer Widerstand heraus — gut lutherisch ist. Unlutherisch ist sicher WA 42; 187, 13; hier heißt es in bezug auf die Feindschaft zwischen Kain und Abel: „Atque hic incipit Ecclesia dividi"; Luther würde sich selbst widersprochen haben, wenn er die Scheidung schon in die Urgeschichte zurückverlegt hätte.

[66] WA 42; 182, 36 ff.; 215, 5 ff.; 380, 15 ff.; 412, 40 ff.; 416, 19 f.; 446, 29 ff.; 229, 4 ff., 38 ff.; WA 43; 399, 18 ff.

[67] So ist es bei Augustin der Fall, wenn er im Blick auf die Erzvätergeschichten die Ehe als quoddam seminarium civitatis bezeichnet (a.a.O. cap. 16): „Sed terrena civitas generatione tantummodo, caelestis autem etiam regeneratione opus habet, ut noxam generationis euadat." Augustin, der den Gegensatz zwischen Kain und Abel auf den vorzeitlichen Erwählungsratschluß Gottes zurückführt, hat in seiner Darstellung der beiden civitates einen neuplatonisch-asketischen Dualismus von Fleisch und Geist nie überwunden, während bei Luther der im Worte wirkende Geist Gottes immer wieder neu die Scheidung der duae generationes herbeiführt.

[68] Abschnitt II oben S. 103 ff.

Das Blut seiner Heiligen ist wert geachtet vor ihm; er erkennt die kleine Herde unter dem Kreuz als seine Kirche an und verwirft und vertilgt die Tyrannen. Seine Gerechtigkeit und seine Treue walten allezeit über der in sich zwiespältigen Kirche[69].

Auf dieses Handeln Gottes gründet sich nun auch das Urteil der *Menschen* über die Kontinuität der Kirche. Die Gläubigen nehmen die Gespaltenheit der Kirche als eine trostreiche Gegebenheit aus Gottes Hand. Und sie lassen sie sich als tägliche Mahnung immer vor Augen stehen; zu aller Zeit haben sie zu entscheiden, ob sie „Esauiten oder Jakobiten" sein wollen. Und dabei ist die Kehrseite der Sache die, daß hier die richtige Entscheidung dem natürlichen Empfinden widerspricht: Schon das erste Elternpaar hatte sich von den scheinbaren Vorzügen Kains blenden lassen und Abel verachtet. Immer ist das Urteil der Menschen über die beiden Seiten der ecclesia duplex dem Urteil Gottes diametral entgegengesetzt. Das heißt aber: mit Sicherheit ist die empirische Kirche in ihrer Gespaltenheit überhaupt nicht zu erkennen. Daß es sie gibt, gerade in ihrer dauernden Zwiespältigkeit gibt, ist ausschließlich ein Urteil des Glaubens[70].

ad 2. Die *falsa Ecclesia* ist, augustinisch geredet, die Kirche derer, die nur numero, specie, nomine, nicht merito, veritate, re zur Kirche gehören[71]. Ehe wir diese Zugehörigkeit näher bestimmen, heben wir noch einmal die besonderen Merkmale heraus, die die Verkehrung an dieser Kirche bezeichnen: Am Beispiel Kains, „des Vaters aller Mörder, die die Heiligen töten", wird deutlich: Sie verfolgt und unterdrückt die wahre Kirche[72]. Sie tut das, weil sie für sich selbst den Anspruch erhebt, Kirche zu sein[73], und sich gegen Gottes Urteil wehrt, auf Grund dessen sie von der wahren Kirche ausgeschlossen ist[74]. Die Kennzeichen der falschen Kirche sind also die Merkmale, die sie von der wahren unterscheiden. Sie besäße sie nicht, wenn sie nicht mit dieser unter Gottes Wort stünde und an ihr gemessen werden müßte. Beide Kirchen sind aus demselben Stamm, demselben heilsamen Evangelium, erwachsen. Aber die falsche Kirche hat wie die ungeratenen Söhne Jakobs aus Rosen Gift gesogen[75].

Beide Kirchen gehören also untrennbar zusammen. Sosehr sie im Glauben und Tun einander entgegengesetzt sind, sowenig kann man äußerlich eine Grenze zwischen ihnen ziehen. Leute wie Kain und Esau behalten den Zugang

---

[69] WA 42; 188,1—190,27. — Die christologische Begründung der Kontinuität der Kirche (vgl. oben S. 106 f.) tritt in der Genesisvorlesung völlig zurück.

[70] Trost: WA 42; 187,21 ff., 189,10 ff. — Mahnung: WA 43; 418,6 ff.; WA 44; 38,12 f. — Erkenntnis: WA 42; 208,33 ff., 183,2 ff., 627,24 f.

[71] WA 43; 428,32 f. Aber sie gehören doch dazu! Das ist bei Augustin neuplatonisch zu verstehen (auch der Schein birgt noch einen Rest von Wirklichkeit), bei Luther aber, wie wir sehen werden, von der neuschöpferischen Kraft des Wortes Gottes aus.

[72] WA 42; 200,29 ff.; 205,27 ff.; 207,29 ff.; 232,1 ff., 29 ff.; 233,7 ff., 234,1 ff.; 412,40 ff.

[73] WA 43; 213,24: „Falsa Ecclesia arrogat sibi titulum Ecclesiae Dei." Ähnlich WA 42; 215,36 ff., 401,29 ff., 588,14 f.; WA 43; 409,24 f., 430,2 ff.

[74] WA 42; 266,12 ff., 192,21 ff., 222,8, 236,14 ff.

[75] WA 43; 418,20 f.; WA 44; 268,15.

zur Kirche und damit die Möglichkeit der Errettung[76]. Voraussetzung dafür ist, daß sie Raum zur Buße finden; sollte das auch bei Kain persönlich nicht der Fall gewesen sein, so bestand doch in der kainitischen und ismaelitischen Kirche immerdar die Möglichkeit der Reue und Umkehr[77]. Den Anspruch, daß ihnen und ihren Nachkommen durch Erbgang die Erfüllung der Verheißung geschenkt werde, haben sie verwirkt; die Verheißung selbst bleibt für sie und die Völker, die aus ihnen erwachsen sind, bestehen[78]. Sie alle werden gerettet auf Glauben hin wie die Bettler durch die freigeschenkte, „zufallende Barmherzigkeit"[79]. So erstreckt sich die Verkündigung des Evangeliums allezeit auch auf die falsche Kirche: Kain findet eine fromme Frau, die die Botschaft ihren Nachkommen vermittelt; Noah wird Heidenprediger, der das Werk des Apostels Paulus vorwegnimmt; Hagar, von Gottes Geist zur Umkehr gebracht, wird eine „mater Ecclesiae"; ihr Sohn Ismael bekehrt seine angeheiratete Sippe, Kinder und Kindeskinder. Esau hält sich — wenn auch aus Heuchelei — gelegentlich zum Gottesdienst und verrichtet als Stellvertreter seines Vaters kultische Handlungen[80]. Diese Einzelheiten deuten darauf hin, daß zu allen Zeiten Unbeschnittene zur wahren Kirche gehört haben; Hiob ist davon die bedeutendste Gestalt, Ruth gehört in Jesu Stammbaum. Wichtige Ereignisse der alttestamentlichen Geschichte wie die Verpflanzung nach Ägypten, die assyrische und babylonische Gefangenschaft dienten dazu, die Gläubigen aus den Fremdvölkern in die wahre Kirche zu führen und bildeten Christi Werk der Erlösung von Juden *und* Heiden vor[81].

Die falsche Kirche ist also ständig zur wahren hin geöffnet. Ihre Kontinuität beruht nicht auf der natürlichen Generationenfolge; das wird ganz deutlich an der Tatsache, daß die Nachkommenschaft Kains in der Sintflut restlos zugrunde geht und dennoch die kainitische Kirche fortbesteht bis zum gegenwärtigen Tage. Diese Kontinuität gründet sich auf das Wort, das ihr ständig bezeugt wird und dem sie ihrem größten Teil nach allezeit widersteht.

ad 3. Die *vera Ecclesia* ist ebensowenig wie die falsa eine in sich genau abgegrenzte Größe. Darum sind ihre Sondermerkmale auf die der Kainskirche abgestimmt und bezogen. Satan bekämpft sie, Christus schützt sie, Gott er-

---

[76] WA 42; 217,18 ff.; WA 4; 211,31 ff.

[77] WA 42; 222,14; WA 43; 400,20 ff.

[78] WA 42; 215,23 ff.; 225,9 ff.; 388,15 ff.; 616,40 ff. Seit Abraham gilt die Verheißung auch für die Unbeschnittenen, WA 43; 118,15 f.; 125,11 ff.; 165,34 ff.

[79] WA 42; 233,8 ff.; 239,20 ff.; 251,37 f.; 627,21 ff.; WA 44; 209,12 ff.; 211,13 ff.

[80] WA 42; 230,41 ff.; 392,11 f., 22 ff.; WA 43; 177,11 ff., 22 ff.; 181,13 f.; 185,5 f.; 372, 7 ff.; 413,16 ff.; 416,25 f.; 494,30 ff.; 499,21 ff.

[81] WA 42; 222,21 ff., 606,26 f., WA 44; 211,1 ff.; 312,41 ff.; 638,33 ff.; 677,15 ff. Zu Hiob ebd. 228,10, 30. Ebd. 678,22 ff. polemisiert Luther gegen Zwinglis These von der Seligkeit auch der Heiden (aus dem Commentarius de vera et falsa religione). Ich halte es für wahrscheinlich, daß Luther diesen Kommentar eher gekannt hat als Besold 1554 und schreibe die Polemik deshalb Luther zu. Die Begründung ruht auf seiner Worttheologie. Nur das mündlich verkündigte Wort und der Glaube führen zur Kirche. Die von Meinhold (s. A. 60) S. 426 Anm. 222 aus WA 44 beigebrachten Belege lassen ein ganz anderes Verhältnis Besolds zu den Heiden erkennen.

hält sie in seiner Barmherzigkeit und wendet ihre Plagen, so daß ihr Licht nicht ganz erlischt[82]. Damit ist sie ständig dem *Martyrium* ausgesetzt, und zwar nicht nur durch die Mächtigen der Erde: falsche Brüder vergießen ihr Blut, Kreuz und Verfolgung bedrohen sie von Anfang an, mit Schmähnamen wird sie bedacht, Böses wird ihr fälschlich zugerechnet[83]. Aber trotz allem steht sie beständig unter Gottes Verheißung. Von Generation zu Generation wird diese weitergegeben, selbst über die Grenzen der ursprünglichen Gottesgemeinde hinaus; auf wunderbare Weise wird der Welt die Wahrheit der Verheißung nahegebracht[84]. Und diese ständig vom Martyrium angefochtene ist eine *verborgene* Kirche. Daß sie überhaupt Kirche ist, ist nur an den drei Wahrzeichen Wort, Taufe, Abendmahl, und auch hier nur dem Glauben faßbar. Sie ist verborgen, wie das Leben der Gläubigen verborgen ist in Christus[85]. Die verborgene Kirche ist aber nicht nur eine geglaubte, sondern auch eine *glaubende* Kirche. Die Dauer ihrer Existenz beruht auf ihrer Berufung durch das Wort; sie hängt an Wort und Glauben und lehrt den Glauben an die kommende Erfüllung der Verheißung[86].

Aus diesen Merkmalen der wahren Kirche ergibt sich, daß sie nicht in sicherer Abgeschlossenheit für sich existiert. Ihre Glieder können von Wort und Glauben *abfallen* und zur Teufelskirche überlaufen. Die Herkunft aus guter Tradition bewahrt nicht vor dem Gift der Verführung; der Schein des Lichtes verlockt in abergläubische Finsternis[87].

Gottes Wort kann hochmütig gewordenen Gotteskindern auch strafweise *entzogen* werden; sie verlieren damit den Geist Gottes, der im Worte wirksam ist. Solche Gottesgerichte sollen die Kirche erschrecken und beim Glauben erhalten; auch die Anfechtungen, die ihr auferlegt werden, dienen demselben Zweck. Andererseits läßt Gott nicht zu, daß Satan ihr das Licht des Wortes gänzlich raube; die wahre Kirche bleibt ein heiliger Rest[88].

Dieser läßt sich empirisch nicht aufzeigen: Auch die vera Ecclesia ist ein *corpus mixtum;* Heilige und Unheilige, Gute und Böse leben hier miteinander. Von Anfang an herrschte in der Christenheit „solch wüst wesen von Secten,

---

[82] WA 42; 141, 22 ff.; 423, 13 ff.; 436, 12 f.; 444, 26 ff.; 451, 18 ff.; WA 43; 131, 18 ff.; WA 44; 14, 16 ff., 27, 39; 208, 2 f.

[83] WA 42; 237, 36 f.; 238, 6 ff.; 399, 6 ff.; 420, 17 ff.; 425, 1 ff.; 491, 11 ff.; 644, 19 ff.; WA 43; 568, 8 ff.; WA 44; 37, 37 ff.; WA 43; 42, 41 ff.

[84] WA 44; 174, 32 ff., 228, 27 ff.—271, 27 ff. — Auf dem Verheißungsglauben und nicht auf falscher Sicherheit beruht Luthers am Ende der Genesisvorlesung überliefertes Wort (WA 44; 713, 1): „Ecclesia soll mein burg, mein schloß, mein kamer sein."

[85] WA 51; 507, 31—33 (Wider Hans Worst, 1541); WA 42; 187, 36 ff.; WA 43, 123, 1 ff.; WA 44; 109, 25 ff.; 111, 25 ff. — Wenn auch WA 42; 187, 36 die conformitas der Kirche mit Christus ausgesprochen ist, wird die Verborgenheit dennoch nicht christologisch begründet.

[86] WA 43; 388, 7 ff.; 567, 36 ff.

[87] WA 42; 270, 22 ff., 29 ff.; 432, 28 ff.; 437, 20 ff.

[88] WA 42; 277, 3 ff.; WA 43; 173, 11 ff.; WA 44; 211, 36 ff.; 676, 12 ff.; WA 42; 423, 13 ff. Über die Verachtung der Predigt in der Kirche des Wortes WA 42; 280, 17 ff., 36 ff.: 281, 3 f., 283, 4 ff. Es ist für Luther immer wieder eine erschreckliche Tatsache, daß in der Sintflut nur acht Glieder der wahren Kirche gerettet wurden und daß in ihr nach der Rettung der alte Gegensatz wieder aufbrach; WA 42; 229, 27 ff., 34 ff., 245, 22 ff.; 264, 6 ff.; WA 53; 47.

jrrthumb und aller ergernis", niemals konnte sie „in stiller Ruhe leben"[89]. Wie schon zur Zeit Diokletians, so sind auch später die Heiden durch die in der Kirche vorkommenden Skandale gereizt worden. Niemals war die Kirche ganz rein, stets waren die Bösen in der Überzahl und selbst die Heiligen von der Sünde befleckt. Selbst ihre Lehre war zu verschiedenen Zeiten mehr oder weniger rein[90].

Was unterscheidet dann noch die wahre Kirche von der Welt[91]? Sie steht in der Welt, äußerlich von der falschen Kirche nicht zu trennen, und darf immer wieder die Erfahrung teilen, die Jakob in Bethel machte, daß sie nämlich da einen Platz findet, wo man zunächst die Wohnstätte unzähliger Teufel vermutete[92]. Sie darf sich vom Satan nicht aus der Welt verdrängen lassen; Gott erhält sie, daß sie die ganze Masse wie ein Sauerteig durchdringt. Um der Kirche willen bleibt die Welt bestehen; sonst vergingen im Nu Himmel und Erde. Indem sie Wort und Sakrament verwaltet, ist sie die Erhalterin aller Dinge — Ecclesia vero sola est conservatrix omnium rerum; durch ihr Gebet erhält sie sie. Äußerlich gesehen ist die Welt mächtiger als sie; nach Gottes Urteil ist die Lage umgekehrt: Ecclesia est regina in orbe terrarum. Alle Weltreiche, die sie je bedrohten, sind gefallen; der ganzen Welt wird sie, wie Abraham durch Melchisedek, proklamiert als die Stätte des Heils, der Sündenvergebung, des göttlichen Segens[93].

Gott erhebt so die erniedrigte, verborgene Märtyrerkirche; nicht in klerikaler Anmaßung oder apokalyptischer Selbstüberhebung macht *sie* sich zur Königin der Welt. Aber sie ist nicht zu trennen von der Kainskirche; die wahre Kirche existiert um der falschen willen. Sie verkündet ihr Gottes Wort; sie vertritt sie vor Gott durch ihr Gebet. Sie ist betrübt, daß die Untaten der Kainskirche Gottes Zorn über die Welt heraufbeschworen haben. Die Welt kann sich nicht bessern noch beten um ihre Errettung. Es ist der wahren Kirche

---

[89] WA 50; 346,15; 272,34 ff. (1538).

[90] WA 53; 134; WA 43; 36,25 ff.; 104,12 ff.; WA 44; 675,1 ff., 735,37 ff. Über das Unkraut unter dem Weizen WA 38; 558 ff., bes. 560,19 ff.; 560,39 (Si nulla vellemus pati zizania, nullam etiam fore Ecclesiam); WA 44; 24,36 ff. Über die nur relative Reinheit der Lehre WA 42; 423,30 f.

[91] Luther identifiziert wie Augustin falsa ecclesia und mundus. Beide können das, weil ihnen an Hand der biblischen Urgeschichte das Heidentum als Abfall vom ursprünglichen Gottes- und Heilsglauben und darum als Häresie erschien. Daß Heidentum Häresie, also „Kirche" sei, hat Luther mit dem Mittelalter gemein; diese Tatsachen, die für seine Stellung zur Mission bedeutsam erscheinen, sind bisher weder W. Holsten (er ist in seiner Schilderung von Luthers Bild des Heidentums [Christentum und nichtchristliche Religion nach der Auffassung Luthers, 1932, 70 ff., 86 ff.] diesen Tatsachen nahegekommen, ohne das Verhältnis klar auszudrücken; vgl. auch seinen Aufsatz „Reformation und Mission", ARG 44, 1953, 1 ff.) noch mir (unter demselben Titel Luth. Missionsjahrbuch 1963, 20 ff.) aufgefallen. Die Ecclesia duplex stellt also für Luther weder zeitlich noch räumlich einen Ausschnitt aus der Welt dar.

[92] „Ibi enim debet esse Ecclesia Dei, ubi nos putamus esse infinitos diabolos" (WA 43; 594,22 f.).

[93] WA 38; 564,24 f.; WA 44; 161,22 ff.; 610,5 ff.; WA 43; 665,17 ff.; 404,27 ff.; WA 42; 446,35 f.; 543,3 ff.

„perpetua facies", daß sie mit ihr leidet und für sie betet. „Wie eine Mauer" stellt sie sich gegen den Gotteszorn; durch ihre Tränen und Seufzer werden in der Kainskirche die Bußfertigen gerettet. All ihr Beten, Lehren, Tun geschieht im Blick auf den Jüngsten Tag, der noch nicht da ist, aber drohend bevorsteht[94].

Wir fassen die Anschauung des alten Luther von der Kontinuität der Kirche vorläufig zusammen. Die Kirche existiert beständig als duplex ecclesia so, daß ihre beiden Bestandteile, die ecclesia falsa und die ecclesia vera, stets aufeinander bezogen sind. Jede der beiden existiert nur um der anderen willen, gegen die andere, für die andere. Beide stehen sie damit unter Gottes Wort, unter seinem Gericht und seiner Gnade. Auch die falsa ecclesia ist Gottes Wort ausgesetzt, ihre Glieder werden durch dies Wort zum Heile gerufen. Zwischen den beiden Kirchen gibt es keine festen Grenzen, man kann sie deshalb mit menschlichen Augen nicht unterscheiden, man kann sie deshalb auch nicht voneinander trennen. Erst der Jüngste Tag wird die Scheidung vollziehen.

IV.

In der unmittelbaren Erwartung des Jüngsten Tages hat Luther dies Schema von der duplex ecclesia auf die Kirche seiner Zeit angewandt; er sah dabei im Offenbarwerden des Antichristen in Rom den Anbruch der Endzeit schon vorweggenommen. Hat sich dabei jenes Schema so verändert, daß die Einheit der duplex ecclesia zerbrach und die wahre Kirche sich endgültig von der falschen schied? Dann wäre Luther in der Tat der Vater einer bestimmten Konfession und damit für den Bruch der Kontinuität in der abendländischen Christenheit verantwortlich.

Die Frage, die wir hier aufwerfen, enthält drei Teilmomente, die wir — hauptsächlich an Hand der Genesisvorlesung — herausstellen:

1. Wie beurteilt Luther die falsche Kirche des Antichristen?
2. Wie urteilt er über die wahre Kirche seiner Zeit?
3. Hat er beide noch als duplex ecclesia zusammengesehen?

ad 1. Die *Papstkirche* ist Synagoge Satans, antichristlicher Greuel, mit Purpur bekleidete Satanshure[95]. Ihr satanischer, mörderischer Haß will unter der

---

[94] WA 53; 49; WA 42; 297, 26—298, 11.

[95] Diese Bezeichnungen sind den Thesen 14—22 (WA 39, 1; 16 f.) der ersten Zirkulardisputation entnommen, die Luther 1535 nach Wiederbeginn der Disputationspraxis in Wittenberg über das Konstanzer Konzil gehalten hat. Sie zeigen, wie stark die Frage nach dem Abendmahl in beiderlei Gestalt seit dem Scheitern der Augsburger Ausgleichsverhandlungen die antirömische Polemik bestimmte: die antichristliche Kirche hatte gegen den ausdrücklich anerkannten letzten Willen Christi entschieden. — Aus den mannigfaltigen Zeugnissen der Genesisvorlesung führe ich außerdem WA 42; 189, 3 ff. an, wo der Gegensatz der beiden Kirchen besonders scharf formuliert ist. Einen Höhepunkt erreicht die Antichristpolemik in Luthers Schrift von 1545: Wider das Papsttum zu Rom, vom Teufel gestiftet, WA 54; 206—299; der bezeichnende, testamentarisch gefaßte Schlußsatz lautet (ebd. 299, 5—8): „Sterbe ich

Maske der Frömmigkeit die Kirche Gottes aus dem Lande der Lebendigen vertilgen; in ihrer teuflischen Grausamkeit gipfelt die zunehmende Schlechtigkeit der gefallenen Adamskinder, zum Zeichen, daß das Ende der Welt näher gekommen ist[96]. Nicht die Sünden von Heiden, Türken, Juden zwingen den Jüngsten Tag herbei, sondern die Irrtümer des Papstes und der fanatischen Schwärmer; Gottes Zorn ist unfaßbar, die Schwere seiner Gerichte unausdenkbar, die verächtliche Sicherheit, mit der die Welt ihnen entgegengeht, unbegreiflich[97].

So ist „der römische Ischarioth", „der römische Götze" der Inbegriff aller Tyrannei, der schlimmste Feind der Kirche, in deren Mitte er doch seinen Stuhl aufgerichtet hat, ein noch grausamerer Gegner als der Türke[98]. Er ist deshalb besonders widergöttlich, weil er sein Zerstörungswerk im Namen Gottes und der Religion und unter dem Schein von Heiligkeit und Gerechtigkeit betreibt. Die Satanskirche will, auch mit blutiger Gewalt, ihre Anerkennung als Kirche erzwingen. Ihre Diener messen sich deren Leitung an, damit sie das Evangelium besser verfolgen können. Diese Heuchler usurpieren Wort und Sakrament und verachten gleichzeitig diese Wahrzeichen der Kirche; zum Beweis solcher Verachtung führen sie neue Gottesdienste ein, die Gott nicht geboten hat[99].

Mit solchen Leuten über die Einheit der Kirche zu verhandeln ist sinnlos. Sie schreien: „Kirche, Kirche" und wollen ihre eigene Macht befestigen. Papst und Bischöfe beraten de pace et concordia Ecclesiae; in Wahrheit wollen sie uns täuschen und haben Mordgedanken im Sinn. Solange die Teufelsmacht andauert, dürfen wir nicht auf Lehreinheit hoffen. Man darf den Gegensatz nicht verharmlosen und wie zur Zeit des Augsburger Reichstages jeden bei seinem Glauben bleiben lassen wollen; man kann nicht aus Feinden Christi *eine* Kirche machen[100].

Damit ist die Kluft zwischen falscher und wahrer Kirche unüberbrückbar aufgerissen. Der Kampf zwischen Christus und Belial wird bald ausgefochten sein. „Einer muß zuletzt untergehen und der ander bleiben; da wird nicht

---

indes, So gebe Gott, das ein ander tausent mal erger mache, Denn die teufelische Bepsterey ist das letzt unglück auff Erden, und das neheste, so alle teufel thun können mit alle jrer macht. Gott helffe uns, Amen." Echte Kainsnachfolger sind Päpste wie Julius II. und Clemens VII., WA 42; 238, 1 ff.

[96] WA 42; 201, 17 ff.; 207, 21 ff.; 161, 30 ff.

[97] WA 42; 270, 18 ff.; 299, 9 ff.; 307, 2 ff.; 247, 2 ff.

[98] WA 50; 104, 4—6 (Nachwort zu Nanni: De monarchia papae disputatio, 1537); WA 42; 398, 34 f.; 412, 1 ff.; WA 44; 716, 12 ff.; WA 54; 215, 13—15; 218, 5 ff. (Wider das Papsttum zu Rom, 1545).

[99] WA 42; 304, 10 ff., 28 ff.; 557, 35 ff.; 586, 32 f.; 635, 27 ff.; WA 43; 157, 9 f.; 213, 18 ff.; 428, 16 ff.

[100] WA 38; 277, 24 ff. (Luther Anfang 1534 gegen Erasmus an Antonius Corvinus); ebd. 279, 3; WA 42; 200, 37 ff.; WA 44; 678, 36 ff.; ich kann die Zeitangabe „ante quindecim annos" von 1545 (zu Gen. 47, 26) nur auf die Augsburger Ausgleichsverhandlungen deuten. Dahinter steckt dann ein harter Vorwurf gegen Melanchthon.

anders aus."[101] Es bleibt die Hoffnung auf den endgültigen Sturz des antichristlichen Papsttums, also auf ein endzeitliches Ereignis. Der Anfang ist schon gemacht; Christi Wort hat dem Papst seine geistliche Autorität genommen; nur seine politische ist noch vorhanden, wird aber auch bald schwinden. In einer Lage, die bedrohlicher ist als je, muß die Kirche beten, daß, wenn alles stürzt, Gottes Reich komme, und auf die Zusage trauen, die sich gegen die Feinde wendet: „Sie sollen herunter." Diese Zusage schließt die Wahrheit des 3. Artikels in sich ein, daß zu allen Zeiten, von Anfang bis zum Ende der Welt, eine heilige allgemeine Kirche sein und bleiben wird[102].

ad 2. Die *wahre Kirche* bleibt, die falsche Satanskirche wird untergehen: bedeutet das nicht — besonders wenn man weiß, daß dies Endgeschehen mit der Offenbarung des Antichristen und dem Sieg des Wortes schon im Gange ist —, daß die ecclesia duplex ihr widerspruchsvolles Dasein aufgegeben hat und ecclesia falsa und vera ein und für allemal geschieden sind? Schon 1533 hatte Luther erklärt: „wir lassen das bapsttum nicht sein die heilige Kirche noch etwa ein stücke da von."[103] Mußte nicht diese Exkommunikation eines Teils der bisherigen Kirche die Verselbständigung des anderen bedeuten und schließlich zur Bildung zweier gegeneinander bekennender Konfessionskirchen führen?

Wenn es um die Kirche geht — so hatte Luther 1538 erklärt[104] —, darf man „nicht achten, was menschen leiden oder thun, nicht ansehen, ob jr viel odder wenig, ob es Türck oder Bapst sey, sondern wo und bey welchen das Wort Gottes sey". Und das ist nun seine feste Überzeugung: *„Wir* haben die wahre Lehre und wahre Gottesdienste; darum können wir uns rühmen, daß wir die wahre Kirche sind", auch wenn wir nicht als solche anerkannt werden. Uns fehlt nichts als der Jüngste Tag und unsere Erlösung. Der uns zusammengebracht hat in seine Kirche, der wird uns auch bis zu jenem Tage bewahren. Wir sind keine neue, sondern die rechte alte Kirche[105].

Ohne Frage steht ein hohes Selbstgefühl, ein starker Anspruch hinter diesem „Wir" Luthers. *Gott* hat die Papstkirche exkommuniziert und weggeworfen und sich „eine andere Kirche erwählt, die sein Wort annimmt und den Götzendienst flieht"[106]. Wir sind die andere, neue, gottgewollte Kirche. Darum gilt es, wie Loth aus Sodom zu fliehen, einerlei, wer dahintenbleibt. Wir müssen uns

---

[101] WA 50; 270,33 f.
[102] WA 42; 386,31 ff.; WA 43; 397,26 ff.; WA 42; 423,19 ff.; 575,17 ff.; 657,26 ff.
[103] WA 38; 251,22 f.; Von der Winkelmesse und Pfaffenweihe.
[104] Vorrede zu Justus Menius, WA 50; 346,13 ff.
[105] WA 42; 386,20 ff.; 575,35 ff.; WA 43; 362,20 ff.; 387,21 ff.; 425,6 ff.; 477,8 ff.; WA 51; 478,34 ff.; 487,18 ff. (Wider Hans Worst, 1541).
[106] Daß *Gott* die andere Kirche erwählt hat (WA 42; 332,30 ff.), bewahrt jenes Selbstgefühl vor Selbstüberheblichkeit. Daß Gott eine „andere" Kirche schafft, illustriert Luther nicht nur an der Kirche Noahs nach der Sintflut, sondern auch an dem „anderen" Tempel in dem „anderen" Jerusalem nach der Rückkehr aus der Babylonischen Gefangenschaft (ebd. 333, 2 ff.). Nur denen, die die Zerstörung miterlebt hatten, erschien das Wiederhergestellte „anders"; in Wirklichkeit entsprach es der immerwährenden Verheißung: „Tam enim apud Deum futura quam praeterita sunt praesentia" (ebd. 575, 41).

vom Papsttum als „sancti Apostate" scheiden, „geistlich und mit rechtem Verstand"[107]. Diese Flucht ist ein endzeitliches Geschehen, der Welt ein Zeichen des nahenden Gerichtes wie der Bau der Arche Noahs. Schon 1531 hatte Luther die Seinen aufgefordert, wie der ermordete Prophet in dem belagerten Jerusalem, von dem Josephus berichtet, Wehe zu schreien „uber unser verstockten Gottes feinde und Christmörder, die Papisten", „bis das der Richter kome"[108]. Und wie der *eine* Noah angesichts des kommenden Unheils sich der ganzen Welt entgegengestellt hatte, so hat Luther die Möglichkeit ernst genommen, daß er als einzelner die Kirche repräsentieren und der ganzen Welt bezeugen müsse, daß sie nicht Kirche sei. Solcher Mahndienst muß allezeit in der Kirche geschehen, bis der Erntetag hereinbricht[109]. In diesem Sinne ist sie *„Bekenntnis"-Kirche,* die gegenüber der ganzen Welt der Lästerung des Wortes Gottes wehrt. Um solchen Bekenntnisses willen setzen die Gläubigen Weib, Kind und Leben ein. Aus ihm wächst sie; und Luther ist dankbar dafür, daß „hodie plurimi ad nostram Ecclesiolam aggregantur"[110].

So ist also der endzeitliche Wächterdienst der vera Ecclesia ganz auf die duplex Ecclesia ausgerichtet; sie läßt die Ungläubigen nicht fahren. Sie bestreitet ihnen, Kirche zu sein. Sie tut, was sie kann, gegen sie im Schelten und Bannen; denn es geht ja um ewige Verdammnis und ewiges Heil, da kann man nicht erbittert genug kämpfen. Aber man muß Geduld haben und das Unkraut wachsen lassen bis zur Ernte[111]. Darum fängt die wahre Kirche alle Gewalt und Wut Satans mit ihren Gebeten auf; ihr Glaube siegt in einer zugrunde gehenden Welt. Und weil sie von Papisten umgeben ist, die alles kritisch beobachten und ins Schlimme verkehren, muß sie in dieser drängenden Situation auch aus Rücksicht auf ihre Gegner alles Anstößige vermeiden[112].

Denn auch in der wahren Kirche geschehen scandala: das gibt Luther nicht nur theoretisch zu, sondern praktisch im Hinblick auf „seine" Kirche. Während sie von außen her von Tyrannen bedrängt wird, gibt es in ihrer Mitte Leute, die völlig in die Welthändel verstrickt sind. Selbst wenn es gelingen würde, die Papstkirche völlig zu besiegen, würden aus den eigenen Reihen neue Papisten aufstehen, ebenso wie schon Wiedertäufer und Sakramentierer daraus hervorgegangen sind. Schon jetzt wird da, wo die Papstherrschaft beseitigt ist, weithin die gesunde Lehre verachtet, und die Zahl der evangelischen Prediger mindert sich. Es gibt unter ihnen solche, die der wahren Kirche innerlich

---

[107] WA 38; 209, 17 ff.; 251, 33 (Von der Winkelmesse, 1533); WA 42; 412, 19; WA 43; 79, 30 ff.; 86, 1 ff.

[108] WA 30, 3; 410, 17 ff.; Vorrede zu Alexius Krosners Sermonen.

[109] WA 42; 300, 21 ff.; 324, 2 ff.; 334, 30 ff.; 273, 17 ff.; 278, 39 ff.

[110] „Vera autem Ecclesia retinet confessionem" (WA 43; 159, 13 ff.); vgl. 209, 24 ff. In diesem Zusammenhang sieht Luther auch das Bekenntnis Kurfürst Johanns des Beständigen 1530 in Augsburg ebd. 120, 17 ff.; 372, 9 f.

[111] „Si nulla vellemus pati zizania, nullam etiam fore Ecclesiam" (WA 38; 560, 39; vgl. 561, 35—37 [Annotationes in aliquot capita Matthaei, verfaßt 1536]); WA 43; 386, 8 ff., 21 ff.; 388, 12 ff.

[112] WA 43; 152, 34; 519, 32 ff.; WA 44; 237, 17 ff.

nicht zugehören[113], wenn auch aufs Ganze gesehen das Predigtamt seinen Auftrag erfüllt[114].

Wenn es darum auch ein großer Vorzug ist, der wahren Kirche anzugehören, darf man darauf dennoch nicht pochen. Man muß anerkennen, daß auch sie ein corpus mixtum ist, ein Sonderfall also der duplex ecclesia; jeder muß daraus für sich die Konsequenzen ziehen. Keiner darf verzweifeln, wenn sich seine Kirche nicht als ganz „rein" herausstellt. Von Anfang an waren die Puristen, die eine heilige Kirche ohne Sünde wollten, Vorgänger der Häresie. Immer muß die Kirche — auch im Hinblick auf sich selbst — die 5. Bitte beten; sie bleibt für Papisten und Sektierer, die in ihrer Mitte leben, verantwortlich[115]. Sie bedarf darum stetiger innerer Reinigung; die wird ihr zuteil durch die stetig erneute Vergebung der Sünden[116].

ad 3. So hat Luther, auch wenn er die Kirche, die das reformatorische Evangelium angenommen hatte, als die wahre betrachtete, keineswegs deswegen die *duplex ecclesia* abgelehnt, mit der falsa ecclesia jede Verbindung gelöst und sie ohne weiteres in eine gottfeindliche, gottfremde Welt entlassen. Es gibt für ihn keine Welt ohne Gott; überall hin dringt der Schall des göttlichen Wortes. Auch die Nichtkirche ist insofern Kirche, als sie diesem Wort ausgeliefert ist. Und die wahre Kirche, die dies Wort im Glauben angenommen hat, trägt es — einfach durch ihr Dasein — durch die ganze Welt hindurch[117].

Luther hat, wie wir sahen, den universalen Anspruch der antichristlichen Kirche Roms und jeden Versuch einer Einigung mit ihr abgelehnt. Aber er hat damit die Universalität der Kirche nicht aufgegeben, weder im räumlichen noch im zeitlichen Sinne. Er hat den *Anspruch* durch einen universalen *Auftrag* ersetzt und die wahre Kirche mit ihm behaftet. Der Auftrag ist kurz bemessen; der Antichrist ist im Sturze begriffen, und der Jüngste Tag steht bevor. Diese eschatologische Situation läßt die Möglichkeit einer Konfessionskirche nicht aufkommen; das Bekenntnis der wahren Kirche ist endzeitliches Zeugnis[118].

---

[113] „In nostra Ecclesia multi ministri sunt tantum numero, sine merito" (WA 43; 428, 42).

[114] WA 42; 236, 29 ff.; WA 43; 418, 14 ff.; WA 42; 247, 5 ff.; 201, 17 ff.

[115] WA 42; 270, 29 ff.; WA 38; 559, 12 ff.; 560, 19 ff. (Annotationes in aliquot capita Matthaei, 1536); WA 30, 3; 408, 33 ff. (Vorrede zu Alexius Krosner, 1531); WA 44; 23, 22 ff.; 24, 36; 738, 18 ff.

[116] Diese Notwendigkeit und Möglichkeit wird besonders in den Disputationen hervorgehoben, WA 39, 1; 145, 5 ff. (hier erstreckt sich die mangelnde Reinheit auch auf die vera doctrina Evangelii), 145, 13 ff.; 146, 12 ff.; 490, 24 ff.; 491, 16 f.; WA 39, 2; 149, 21 ff.; 161, 16 ff.

[117] Die Frage des Verhältnisses von Kirche und nichtchristlicher Welt existiert also für Luther in unserer Weise nicht; nicht weil er die Kainskinder als Träger einer natürlichen Offenbarung und damit als präsumptive Christen ansah, sondern weil er sie durch das Evangelium in Anspruch genommen sah und den Glauben von ihnen forderte. Vgl. was oben S. 114, Anm. 91 über die Identität von falsa ecclesia und Welt gesagt ist.

[118] Wie nahe freilich Luther schon der Konfessionskirche gekommen ist, zeigt die von ihm aus der Promotionsdisputation des Joh. Macchabaeus Scotus (1542) überlieferte Äußerung (WA 39, 2; 161, 20): „[Ecclesia] est visibilis, scilicet ex confessione." Es ist mir freilich die Frage, ob Luther den Begriff der ecclesia visibilis, den Melanchthon als Thesensteller verwendet hatte, selbst gebrauchte oder ob ihn nicht die protokollierenden Melanchthonschüler ihm in den Mund gelegt haben.

Die wahre Kirche sondert sich in dieser Lage nicht ab von der untergehenden Welt, von der falschen Kirche, die dem Gericht verfallen ist; ihr Wächterruf trifft sie und soll sie noch in letzter Stunde zur Buße rufen. Gewiß hat die End-erwartung den Gegensatz gegen die Kirche des Antichristen in äußerster Schärfe hervortreten lassen; auf der anderen Seite hat gerade diese Erwartung den Versuch verhindert, der wahren Kirche ein eigenes Haus zu bauen.

Luther hat die dauernde Spannung zwischen Papstkirche und „unserer" Kirche klar erkannt, zugleich aber ihre dauernde Zusammengehörigkeit fest-gehalten[119]. Wie die Nachkommen Kains und Abels sind beide Kirchen „eines Blutes", auch wenn sie sich unterscheiden in Annahme bzw. Ablehnung des göttlichen Verheißungswortes. Auch die römische Kirche kommt „von der alten Kirchen her, so wol als wir", beruft sich auf dieselben Apostel, dieselbe Urkirche. Ihr eignen dieselben Wahrzeichen von Wort und Sakrament, die die Kirche zur Kirche machen. Aus ihrer Mitte werden allezeit Menschen gerettet wie Loth und seine Töchter aus Sodom, wäre es auch nur durch das bloße gläubige Hören der Passionsgeschichte (nuda recitatio passionis Christi appre-hensa fide)[120]. Ihrem Ausschließlichkeitsanspruch, *allein* die wahre Kirche zu sein, muß freilich aufs schärfste widersprochen werden. Um der Mißbräuche von Wort und Sakrament, um der Zusätze willen, die die römische Kirche macht und deren Anerkennung sie als heilsnotwendig fordert, kann sie jenen Ausschließlichkeitsanspruch nicht erheben. Tut sie es doch, so erweist sie sich als falsche Kirche. Gebraucht sie recht, was Gott ihr als Mittel zum Heil immer noch gelassen hat, so ist sie Kirche. Es gibt für Luther allezeit eine duplex ecclesia, über der das Wort Gottes steht. Solange das der Fall ist, dürfen wahre und falsche Kirche nicht auseinandergerissen werden. Solange darf es auch keine partikularen Kirchen geben, die einen universalen Anspruch geltend machen. Vom Kirchenverständnis des alten Luther aus ist die Existenz von Konfessionskirchen nicht gewollt und nicht möglich. Luther gehört nicht in das konfessionelle Zeitalter; daß seine Stimme heute im Zeitalter der ökumenischen Bewegung nicht ungehört verhalle, ist der gegenwärtige Sinn der Luther-forschung.

Aus seiner Vorstellung von der duplex ecclesia heraus hat Luther eine prak-tische Konsequenz gezogen, die den kirchenrechtlichen Auswirkungen des Augs-burger Religionsfriedens im konfessionell einheitlichen Territorium ebenso widerstreitet wie dem landesherrlichen Kirchenregiment. Er hat für unmög-lich erklärt, „das wir odder die heilige Kirche sich leiblich scheide odder ab-sondere von dem grewel, Bapstum odder Endechrist bis an den Jüngsten tag"; man müsse vielmehr solange den teuflischen Endchrist auf seinem Stuhle in Gottes Tempel sitzen lassen. Man darf ihn nicht anerkennen, man kann ihn

---

[119] Zum Folgenden bes. WA 43; 387,39 ff. Dazu WA 51; 501,20 ff. (Wider Hans Worst, 1541); WA 43; 597,38 ff.; 598,22 ff.; WA 44; 228,35 ff.; WA 42; 134,25.
[120] WA 54; 233,25 ff. (Wider das Papsttum zu Rom, 1545); WA 42; 134,25 ff.

aber nicht meiden. „Im bürgerlichen Leben (civiliter) können wir das Zusammensein (consortium) mit offenbar Gottlosen nicht vermeiden." [121]

Das bedeutet den Verzicht auf das donatistische Ideal einer reinen Kirche, sei sie nun Kirche der reinen Lehre oder der exemplarisch Frommen, auch den Verzicht auf das religiös einheitliche, konfessionell geschlossene Territorium. Das heißt aber auch, bis auf den Jüngsten Tag auf eine Anerkennung der universalen Ansprüche des römischen Stuhles zu verzichten und die Einheit der Christenheit zu suchen nicht in der Organisation, nicht in der gemeinsamen Abwehr der glaubensfeindlichen Welt, sondern in der reinen Lehre des göttlichen Wortes und im rechten Gebrauch der Sakramente.

---

[121] WA 38; 251, 27 ff. (Von der Winkelmesse, 1533); WA 43; 572, 35 ff., zu Gen. 28, 10 f., 1542.

KONTINUITÄT VON KIRCHE UND MÖNCHTUM BEI LUTHER

Korreferat von RENÉ H. ESNAULT

Das Verhältnis Luthers zu seiner mönchischen Vergangenheit dachte sich K. Holl bekanntlich in gewisser Beziehung positiv:

„Man möchte sagen", so schrieb er, „der Gedanke des großen Basilius ist durch Luther wieder aufgenommen und zu Ende geführt worden. Wie Basilius seine Mönchsgemeinde stiftete als eine Erneuerung der Urgemeinde, als einen Bruderbund zu gegenseitiger geistlicher Förderung und Unterstützung, so dachte sich Luther die wahre Kirche. Aber wenn Basilius daran verzweifelte, dieses Hochziel innerhalb einer Weltkirche ... zu verwirklichen, so schöpft Luther aus seinem kraftvollen Gottesglauben den Antrieb, es gerade dort durchzusetzen."

Holl meinte also, damit eine Kontinuität zwischen Luthers Mönchtum und seiner reformatorischen Gedankenwelt feststellen zu können, und zwar so, daß der Ansatz zu

„letzterer vom ersten käme, indem aber das Mönchtum selbst ihn über das Mönchtum hinaustreibt"[1].

Die Beziehung zwischen Luthers Kirchenbegriff und Mönchtum erscheint, genauer gesagt, als eine gebrochene Kontinuität, wobei aber mehr Gewicht auf die Kontinuität als auf den Bruch gelegt wird.

Man weiß aber andererseits, wie Luthers Urteil über das Mönchtum im *De votis monasticis Iudicium* die Frage dieser Kontinuität in ein weit strengeres Licht stellt. Kann man auf Grund dieses Urteils über das geschichtliche und theologische Faktum des Mönchtums von einer, wenn auch gebrochenen, Kontinuität zwischen Mönchtum und Kirche sprechen, so wie Luther beide definiert? Anders gesagt: Kann man wirklich in der Betrachtung des Mönchtums, so wie es Luther sah, einen brauchbaren, fruchtbaren und positiven Zugang zum gestellten Thema von der Kontinuität der Kirche finden?

Eine bejahende Antwort ist wohl von einer dreifachen Bedingung abhängig:

1. Eine innere Diskontinuität müßte in diesem Falle in der geschichtlichen Entwicklung des Mönchtums wahrnehmbar sein und deren theologische Wertung bestimmen.

2. Eine solche Diskontinuität müßte eine wesentlich ekklesiologische Bedeutung haben.

---

[1] K. Holl, Gesammelte Aufsätze zur Kirchengeschichte, Bd. I, Luther, Tübingen 1932, S. 301 und 300.

3. Sie müßte aber, bei aller Bedenklichkeit des somit theologisch gewerteten Bruchs, doch eine Kontinuität zulassen, die im besonderen in einer durchgehenden kritischen Selbstbesinnung des Mönchtums bestände, als deren evangelische Radikalisierung Luthers Urteil betrachtet werden könnte.

Die vorliegende Studie möchte ein Beitrag zur Klärung dieser dreifachen Bedingung sein.

I.

Die Geschichte des Mönchtums nimmt nach Luthers theologischem Urteil einen „diskontinuierlichen" oder gebrochenen Verlauf. Die monastische Größe birgt in sich einen geschichtlich gewordenen, inneren Widerspruch von theologischer Tragweite.

Die Urzeit des Mönchtums wird von Luther zweifach angedeutet:

a) Er erwähnt einerseits große, bahnbrechende Gestalten wie Antonius[2] und Franziskus[3], die er mit der mönchischen Urform, wie jeder sie auf seine Weise darstellt, von seinem Urteil ausschließt: diese Ehelosigkeit, diese Armut, dies besondere, im frohen und freien Gehorsam gegen die Heilige Schrift geführte Leben haben ihren rechtmäßigen Platz in der Kirche, innerhalb der freien Entfaltung der *gratia multiformis*[4]. Die positive Einschätzung der besonders bedeutenden Anfänge[5] findet sich auch, nur in etwas verdeckter Form, in anderen Anspielungen wie an den Stellen, wo Luther den Unterschied hervorhebt zwischen den *prisci illi monachi* und deren späteren Nachfolgern, die von jenen Vorgängern *longe lateque discrepant*[5].

Zwischen diesem Urmoment der Geschichte des Mönchtums und den folgenden Perioden findet aber eine wesentliche Umbildung statt. Sie stellt die „zeitliche" Grenze des Urteils dar; hier tritt Luthers *Iudicium* in Kraft:

„Posteri eius (scil. Antonii) necessitatem et servitutem ex illius instituto fecerunt, nihil nisi speciem et fallacem aemulationem Antonianae regulae, quae Christi regula est, secuti, humana tantum sapientes."[6]

Es muß hervorgehoben werden, daß die nun neu eintretende Form des mönchischen Lebens insofern mit der ersten in Widerspruch steht, als *necessitas* und *servitus* gegen die *libertas* streiten, was auch als Widerspruch von *forma Evangelii* und *exemplum sanctorum* definiert werden kann. Dieser Gegensatz ist geradezu ein Leitmotiv von Luthers Iudicium[7]. Selbstverständlich ist nicht das *exemplum,* das Beispiel als solches, verurteilt[8]. Aber zwischen der Bedeu-

---

[2] WA 8; 578,16—20.
[3] WA 8; 579,26—34; cf. 587,32—39.   [4] WA 8; 656, 1—3.
[5] WA 8; 646, 11; cf. 617, 5 sq.: „... cum monachi antea sponte coelibes essent, egerent et obedirent, tandem in vitam necessariam posteri verterunt eorum liberum et Evangelicum exemplum."
[6] WA 8; 578, 20—23.
[7] WA 8; 589, 27—28: „... fiduciam in Deum ... cui omnium fortissime resistit exemplum operum in sanctis ..."
[8] Siehe oben Anm. 5.

tung eines *exemplum,* das über sich hinausweist nach der Quelle des Handelns, und derjenigen eines *exemplum,* das die Aufmerksamkeit für sich beansprucht und sie auf die äußere Tat beschränkt, indem diese Tat zur Norm wird, hat das Schicksal des Mönchtums dieser zweiten Möglichkeit eine breite geschichtliche Laufbahn bereitet[9].

Der somit eingetretenen Umbildung muß aber, da sie in einem universal-kirchlichen Umfang die christliche Freiheit berührt, eine fundamentale theologische Bedeutung zugerechnet werden. „Ea enim libertas est iuris divini." [10]

Eine Diskontinuität oder ein Bruch lassen sich also hier auf theologischem Boden wahrnehmen, trotz des Kontinuitätswillens, der sich hier psychologisch behauptet und nach einem geschichtlich gesicherten Zusammenhang strebt. Die theologische Bedeutung der erwähnten Diskontinuität erhellt aber erst wirklich mit einem weiteren Schritt der mönchischen Geschichte: nämlich dem Eintritt — ohne weitere chronologische Angaben — der hierarchisch-rechtlichen und -lehrhaften Bestimmungen, die allein den bis dahin individuellen oder kollektiven Nachfolgeerscheinungen Allgemeingültigkeit in der Kirche verleihen. Es ist selbstverständlich, daß mit der Bezeichnung der *Evangelischen Räte* einerseits und eines definierten *Vollkommenheitsstandes*[11] andererseits als der beiden Eckpfeiler des geschichtlichen Mönchtums nur das höchste Lehramt der Kirche mit ihren Organen als verantwortliche Stelle gemeint ist. Die Definition der herkömmlichen theologischen Grundlage des Mönchtums gehört zum Magisterium der Kirche, worin Luther, einem charakteristischen polemischen Schema gemäß, die Universitäten, die Kanonisten und vor allem die höchste kirchliche Leitung unterscheidet[12]. Gerade in diesen Grundbestimmungen verwirklicht sich die charakteristische Diskontinuität des Mönchtums in seinem tiefsten Sinne, insofern als nach dem von Luther durchaus evangelisch gedeuteten Ursprung eine zuerst faktisch begonnene Umwertung nun mit dem lehrhaften und kanonischen Einsatz der bestimmenden kirchlichen Instanzen eine universale Bedeutung in der Kirche behauptet.

b) Der gleiche, mit theologischer Diskontinuität behaftete geschichtliche Gang des Mönchtums wird von Luther noch mit Hilfe einer anderen historischen Skizze geschildert, die sich wiederholt in seinen Schriften findet: nämlich die Erwähnung von *Schulen,* die ursprünglich der Erziehung der Jugend in *fide et disciplina* gewidmet waren[13]. Eine bekannte Tatsache ist, daß diese Schulen — mit deren Aufbau und Gestaltung, wie sie Luther vorschwebten, man sich m. E. hier nicht weiter zu befassen braucht — ebenso wie die erwähnten großen Gründer des Mönchtums von Luther positiv gewertet wurden:

---

[9] WA 8; 616, 34: „ex exemplo regulam ..."
[10] WA 8; 613, 9: Das Gelübde selbst eines Sankt Bernhard, der doch nach Luther „ex libertate spiritus vixit", lehrte eine „necessitatem libertati spiritus contrariam" (WA 8; 612, 128).
[11] WA 8; 612, 34—35; cf. 617, 4 sq.
[12] WA 8; 579, 38—580, 1; 607, 30—34; 592, 30 sq.
[13] WA 6; 439, 33—440, 7; WA 8; 327, 12—15; 614, 40—615, 7; 615, 13—15; 641, 7—9.

„Ecclesiae primitivae institutum fuisse et morem saluberrimum."[14] Aber Luther beobachtet hier auch ein zweites „Moment", das, wie es mit dem vorigen „historischen Schema" der Fall war, eine wichtige Umbildung bedeutet und in den Bereich von Luthers Urteil fällt. Wie vorhin wird auch diesmal das Gelübde als störendes Element betrachtet, mit dem Zwang, der sich an die Stelle der ehemaligen Freiheit setzt[15].

Der äußerst einfache Aufbau dieser „historischen Schemen" ist um so mehr dazu geeignet, die tiefgreifende Diskontinuität erscheinen zu lassen, wie sie Luther in der Entwicklung des monastischen Instituts erblickt. Man sieht sich hier so weit wie möglich entfernt von der gewöhnlichen Darstellung der *initia monachorum,* wo man darauf achtet, nur nicht das geringste von der großen Vielfalt dieser Anfänge auszulassen.

Dennoch heben in ihrer Knappheit — als ob sie ihre Einfachheit und geschichtliche Unbestimmtheit in den Dienst eines scharfen theologischen Urteils zu stellen gedächten — diese zwei Skizzen zusammen die beiden für Luther verantwortlichen Faktoren der monastischen Diskontinuität hervor. Der erste ist die schon gelübdehaltige religiöse Nachahmung — imitatio — der exempla sanctorum. Wenn Luther von der *„fiducia in deum"* spricht, *„cui omnium fortissime resistit exemplum operum in sanctis"*[16], zeigt er, daß er nichts von der großen Anziehungskraft vergessen kann, die solchen Beispielen eigen ist. Dies Element spielt also eine große Rolle, sowohl in der äußeren formalen Kontinuität *als auch* in der inneren theologischen Diskontinuität des Mönchtums:

„sectatores eorum (scil. sanctorum) irruentes apprehenderunt externam eorum conversationem"[17].

Aber wie groß diese Rolle auch sein mag, so gehört sie doch in den Bereich der *facta,* und

„incomparabiliter aliud est aliquid fieri neque doctum neque exactum et idem doceri et exigi faciendum"[18].

---

[14] WA 8; 614, 40—615, 1; cf. 327, 12; „Ferenda, imo utilia erant"; cf. 333, 31—33.

[15] Die Art und Weise, wie sich Luther diese Schulen vorstellt, kann hier nicht zu ausführlich untersucht werden. Da, wo er dieser Skizze verhältnismäßig mehr Einzelheiten einverleibt als an anderen Stellen, scheint Luther die folgenden Etappen zu unterscheiden: 1. die Schulen, die dazu bestimmt waren, die Jugend in *fide et disciplina* zu bilden; 2. eine Vermehrung von *collegia* und *monasteria,* die aus diesen Schulen entsprossen waren, *propter eos qui perpetuo et libere in istis scholis manere volebant;* 3. eine durch reich und nachlässig gewordene Erzieher eingeführte gelübdemäßige Zucht, die dazu geeignet sei, eine je weiter je mehr unbändige Jugend in Schranken zu halten. Es ist vielleicht doch bedeutsam, zu bemerken, daß der Ursprung der Gelübde hier nicht in der bewundernden *imitatio* der Nachfolge oder als eine Entwicklung dieser bereits gelübdehaltigen Nachahmung erscheint, sondern als eine von den Leitern jener Anstalten getroffene Maßnahme. Während Luther im vorigen Schema (von den großen mönchischen Bahnbrechern und ihren Nachfolgern) das Gelübde im Rahmen einer inneren Forderung der Bewegung selbst betrachtet, sieht er es hier wahrscheinlich mehr im Rahmen der „äußeren, hierarchischen und kanonischen Entscheidungen".

[16] WA 8; 589, 27—28; cf. 668, 26—29: „Illaqueatis ... multitudine et magnitudine hominum."

[17] WA 8; 588, 1—2. [18] WA 8; 616, 31—33.

Der zweite Faktor der Diskontinuität ist, wie schon gesagt, die offizielle und in der Kirche allgemeingültige Definition eines besonderen *status perfectionis (acquirendae)* mit seiner theologischen Begründung in den Evangelischen Räten. Hier wird ein geschichtlicher Bruch an höchster Stelle theologisch verantwortet.

Es muß aber auf das Wesen und die Bedeutung dieser Diskontinuität näher eingegangen werden.

II.

Luther bekennt offen, daß während Sankt Franziskus und andere Väter[19] „spiritus sancti impetu et plena fide huc ferrentur, ut Evangelio plenissime et dignissime responderent, non hoc cogitabant quorum esset et ad quos pertineret Evangelium, sed tantum ut impleretur. Non enim in sermone sed in virtute regnum dei habebant."[20]

Die Fülle ihrer besonderen Antwort auf das Evangelium — die plenitudo responsionis — bedeutete nicht für diese Menschen, daß das Maß ihres Anteils — participatio — am Evangelium etwa ein bevorzugtes und ausschließliches sei. Die Ganzheit der Antwort geht noch die ganze Kirche an.

„Derwegen", sagt auch Luther 1539, „ist hier ... zu merken die Beschreibung der christlichen Kirche, so uns Christus giebet, nemlich ein Hauffe, der nicht allein sein Wort habe, sondern auch liebe und halte und umb der Liebe willen alles verlasse ... denn solche Beschreibung ist ein starcker Donnerschlag ... wider den leidigen Pabst und sein Decret; ..."[21]

Nicht der heilige Franziskus, sondern die päpstlichen Dekrete werden von Luther beschuldigt, wenn er sagt, daß aus dem Evangelium, welches aller Gläubigen Gemeingut ist, eine Regel geworden sei, die nur für eine kleine Anzahl von Menschen bestimmt ist, und

„quod catholicum Christus esse voluit, (tractum est) ... in schismaticum"[22].

Diese Erwähnung eines Schismas steht nicht einzig da[23]: sie bestimmt ihrerseits die Diskontinuität, die Luther in der Entwicklung des Mönchtums erblickt, d.h. eine Diskontinuität auf dem Boden der Kirche, und die somit die Ekklesiologie betrifft. Diese ekklesiologische Tragweite kann auf verschiedene Weise weiter erhellt werden.

A. Es wurde schon an die beiden Eckpfeiler des traditionellen Mönchtums erinnert, so wie Luther sie sieht, deren einer die Teilung in der Kirche in einen *status perfectionis* — einen Stand der Vollkommenheit — und einen *status imperfectionis* ist[24]. Zwei Stände also, und zwar im Hinblick auf die *vita christiana*[25], d.h. auf das christliche Leben. In dieser Hinsicht aber darf es keine

[19] WA 8; 587, 32.
[20] WA 8; 587, 36—39.
[21] WA 47; 778, 17—20; 35—38.
[22] WA 8; 579, 40—580, 1.
[23] WA 8; 586, 15—16: „at votum obedientiae eorum eximit eos prorsus a catholica illa humilitate Evangelio tradita."
[24] WA 8; 584, 22—24.
[25] WA 8; 584, 23: „Vitam christianam partiuntur ..."

Teilung geben, und, da sie doch eintritt, kann sie, obwohl sie als Unterscheidung von Ständen gedacht wird, nichts anderes als ein Schisma in der Kirche bedeuten: dieser Begriff von öffentlichen Ständen ist nichts anderes als eine unpassende Redeweise, die einen kirchlichen *status discontinuitatis* ungenau umschreibt. Dieser status discontinuitatis ist aber direkt von der beschriebenen gebrochenen Entwicklung des Mönchtums abhängig, und diese erscheint damit in ihrer ekklesiologischen Tragweite.

B. Wenn aber bisher Luthers Urteil sich darin ausdrückt, daß von einem *Schisma* die Rede ist, so ist doch weit bekannt, daß er auch von Apostasie spricht. Eine gründliche terminologische Untersuchung müßte hier stattfinden, soweit die jeweils unterschiedlichen Eigenschaften der verschiedenen Begriffe wirklich und sicher feststellbar sind. Es soll aber doch bemerkt werden, daß, wenn Luther hier, indem er sich über Franziskus äußert, von einem schismatischen Prozeß spricht, er so wenig an einen Abfall vom Glauben denkt, daß er im Gegenteil die denkbar würdigste Antwort meint, die ein Mensch auf das Evangelium geben kann[26]. Das Schisma nämlich besteht darin, daß Franziskus und andere Väter den Irrtum begangen hätten, das Evangelium für sich in Anspruch zu nehmen, wobei aber stark hervorgehoben wird, daß die Verantwortung dieses Irrtums nicht auf ihm[27], sondern auf der Leitung der Kirche lastet, welche die zwei Stände der *vita christiana* unterschieden hat und damit, so oder anders, aber immerhin öffentlich, die volle Ausübung dieser vita christiana selbst mit einem besonderen kirchlichen Stand in bevorzugte Verbindung gebracht hat.

Aber wenn die kirchliche Unterscheidung von zwei Ständen der *vita christiana* mit dem verhältnismäßig milden Begriff des *Schisma* gewürdigt wird, erhält hingegen Luthers Urteil eine schärfere Prägung von der Betrachtung der *consilia evangelica* her. Der Begriff des *consilium evangelicum* soll dazu geeignet sein, das Vorhandensein von verschiedenen Stufen der vita christiana in der Kirche zu rechtfertigen, indem diese Sachlage von der evangelischen Botschaft selbst hergeleitet wird. Es soll damit die schon erwähnte ekklesiologische Diskontinuität ihre höchstmögliche „Einweihung" oder, besser gesagt, ihre biblische Urkunde, ihre letzte theologische Begründung erhalten.

Luthers Stellung zu dieser Theologie des *status religiosus* sollte von vornherein bekannt sein. Eine Unterscheidung von *consilia* und *praecepta* ist für ihn, zur Zeit des *Urteils*, längst überwunden. Bernhard Lohse, unter anderen, stellt fest, daß es für Luther

„bei der Befolgung der Evangelischen Räte ... schon in der ersten Psalmenvorlesung nicht mehr darum geht, eine höhere Vollkommenheit zu erlangen, sondern um den Vollzug des Gerichtes, um die Annihilatio sui in der confessio, die demütige Unterwerfung unter Gottes richtendes Wort, das dann, wenn es

---

[26] WA 8; 587, 32 sq.

[27] „Non hoc cogitabant quorum esset et ad quos pertineret Evangelium" (WA 8; 587, 37—38).

in dieser Weise geglaubt und hingenommen wird, zum Gnadenwort wird. Die Differenzierung zwischen Geboten und Räten wird also durch Luthers neue Auffassung über die Bedeutung der Taufe und der in der Taufe den Menschen gegebenen Zusage von Gericht und Evangelium überwunden."[28]

In Luthers Urteil über die Mönchsgelübde drückt sich also eine feste Erkenntnis aus: die Unterscheidung, im Evangelium, von Gebot und Rat verkennt

„quid sit proprie Evangelium (dum praecepta et consilia ex ipso faciunt), quod est merae promissiones dei, exhibita beneficia hominibus annunciantes, inter quae sunt et declarationes illae mandatorum dei et exhortationes ad eadem servanda, Matth. V, VI et VII a Christo factae"[29].

Consilia als *declarationes mandatorum* und, in diesem unlösbaren Zusammenhang, als *promissiones dei annunciantes beneficia;* also als Überwindung der *lex* im zusammenfassenden, verklärenden, personhaften, christischen Begriff des *Evangeliums:* demgegenüber erscheint also die bestrittene Unterscheidung als brechende Störung des kirchengründenden Verhältnisses, das mit dem Evangelium gegeben ist. An Stelle der errettenden Kontinuität, die Gottes Wort darstellt, tritt eine Diskontinuität, welche die eigentliche theologische Diskontinuität ist, der Luther mit dem Urteil der Apostasie begegnet.

Zum rechten Verständnis dieses schweren Urteils muß klar bestimmt werden, an welchem Ort Luther die Apostasie feststellt, nämlich an der verantwortlichen Stelle, wo die Kirche den *status religiosus* definiert. Der Reformator hat hier die Tragweite der *consilia* für das ganze Lebens- und Wirkungsgebiet der Kirche im Auge.

Wenn man das Urteil der Apostasie nicht in dieser Perspektive erfaßt, wird es falsch verstanden. Es bezieht sich, genau genommen, auf den Entscheid des Magisteriums, der, in hermeneutischem Mißbrauch der evangelischen Botschaft, das ursprünglich kirchlich offene Mönchtum in schismatische Absonderung versetzt. Ganz anders würde sich das Urteil offensichtlich ausdrücken, wenn es diejenige Deutung der consilia evangelica meinte, die im monastischen Denken und Leben ihre selbstkritische, aber auch weithin verzweigte Laufbahn fortsetzt.

C. Daß diese Laufbahn aber keine einfach geradlinige sei, hebt Luther in einer tiefgreifenden Kritik hervor:

„ex multis illis praedictis consiliis a se confictis tantum tria elegerunt, obedientiam, paupertatem et castitatem"[30].

Man möchte sagen, daß eine konsequente Anwendung der Lehre darin bestanden hätte, nicht alle Räte in jedem Fall zur unumgänglichen Richtschnur der mönchischen Zucht zu machen[31], doch jeweils eine freiere Wahl offen zu

---

[28] Mönchtum und Reformation, 1963, S. 266.
[29] WA 8; 580, 25—29. [30] WA 8; 586, 6—12.
[31] Nach katholischer Voraussetzung, da hier von Räten die Rede ist.

lassen. Viel wichtiger aber als eine solche Erwägung ist die Tatsache, daß im Grunde die drei klassischen Räte nicht als das Ergebnis einer weisen Auslegung der Evangelientexte betrachtet werden können, sondern vielmehr als die jahrhundertelang geführte Analyse der *exempla sanctorum,* oder genauer: der Lebensführung der „Väter" des Mönchtums. Das meint Luther, wenn er in skizzenhafter Verkürzung von den Nachfolgern der „Ordensgründer" bemerkt, daß sie

„patrum opera etiam optima sectantur potius quam fidem et spiritum" [32].

Daß ein solcher Prozeß die Trias der sogenannten drei großen Consilia zur Folge gehabt hat, ist bekanntlich dahin gedeutet, daß diese drei Hauptelemente der mönchischen Zucht ihren Ursprung in der asketischen Spekulation haben [33]. Obwohl man von ihnen als von Evangelischen Räten spricht, muß immer daran erinnert werden, daß sie im besten Fall eine asketische Umwertung der eigentlich mit diesem Begriff bezeichneten evangelischen Anforderungen darstellen.

Diese Trias ist es aber, die die Kirche als Weg der Vollkommenheit bezeichnet und die mit der kanonischen und theologischen Definition des status perfectionis verbunden ist. Luthers Kritik ist doppelt: Einmal stellt er die katholische oder universale Promovierung einer besonderen Lebensführung in Frage, d. h. die Erhebung letzterer zu einer Norm der christlichen Vollkommenheit. Hier soll nur an die schon erwähnten Aussagen Luthers erinnert werden über die „exempla sanctorum" und die „fiducia in deum cui omnium fortissime resistit exemplum operum in sanctis" [34].

Die zweite Kritik ist wohl das zentrale Motiv des *Urteils,* aber es ist nicht leicht für den Leser, sie klar zu definieren. Das beste ist wohl, sich zuerst einmal bewußt zu werden, daß die Anerkennung einer universellen Gültigkeit für eine besondere Lebensführung eine in vollem Maße theologische und ekklesiologische „Beförderung" bedeutet. Dies ist nun eine Vollkommenheitslehre, mit der die Kirche ihre Verantwortlichkeit aufs Spiel setzt. Die drei *Consilia,* also die Gelübde, werden damit in der Kirche zum Gegenstand einer Darlegung, die für Luther mit der Predigt auf gleicher Stufe steht. Es soll hier genügen, daran zu erinnern, wie Luther immer wieder alle möglichen Arten der Einschärfung erwähnt, deren sich die Kirche bedient, um den kanonischen Weg der Vollkommenheit zu empfehlen.

„Posita sunt in capite omnis viae scandala et pericula laudatae virginitatis, iactati voti continentiae, exempla Sanctorum in quae proclive est ruere simplicem turbam et dum Evangelium et fides silent apprehendere id quod laudatur et proponitur." [35]

---

[32] WA 8; 578, 20—27; 588, 25—27; 589, 31—33; 36 sq.

[33] L. Hertling, SJ, Die Professio der Kleriker und die Entstehung der drei Gelübde, in: Zeitschrift für Kath. Theol. 56, 1932, S. 170.

[34] WA 8; 589, 27—28.

[35] WA 8; 652, 19—22. Siehe dazu 583, 39 sq.; 600, 20; 600, 38; 602, 20; 602, 35—36; 603, 4—12; 604, 30—32; 610, 37—611, 6; 612, 23—30; 616, 28—38; 617, 14—15; 618, 5; 618, 23—25; 620, 29—32; 652, 19—23; 668, 27—31.

Es muß m.E. klar gesehen werden, daß eben das Gewicht dieser Verkündigung es ist, dessen langsam reifendes Bewußtsein bei Luther die letzten Hindernisse beseitigte, die dem schon lange geplanten Iudicium noch immer im Wege standen[36].

Die radikale reformatorische Kritik am Mönchtum besteht in der Verurteilung dieser theologisch positiven Darstellung des mönchischen Weges als einer gebundenen Verkündigung der christlichen Vollkommenheit[37]. Hier nämlich begegnet man wieder der radikalen kirchlichen Diskontinuität: sie ist hier mit einer solchen Verkündigung gegeben. Einheit und Kontinuität der Kirche bestehen quellenmäßig in der alleinigen und allgenügenden Predigt Jesu Christi in seinem Wort:

„cum per solum verbum (Ecclesia) concipiatur, formetur, aletur, generetur, servetur; breviter, tota vita et substantia Ecclesiae est in verbo dei"[38].

Die definierte universale Tragweite und die ekklesiologische Hervorhebung der „Antwort der Mönche" sind, von sich aus, eine Diskontinuität[39]. Nicht eine solche, die ins Gebiet der Mißbräuche gehörte und deren Beseitigung ohne theologische Neubesinnung möglich wäre. Zu den klassischen, schon erwähnten kanonischen und didaktischen Entscheidungen, die den status perfectionis bestimmen, kommt nämlich eine fortwährend erneuerte, aber gleichgesinnte monastische Überlegung hinzu:

---

[36] Luther erwähnt — WA 8; 598, 12—16 — die Gründe, die ihn noch kurz zuvor davon zurückgehalten hatten, definitiv gegen die Mönchsgelübde Stellung zu nehmen und dabei von 1.Tim. 4, 1—3 Gebrauch zu machen. Er dachte wohl vorher, daß, während die Ehelosigkeit den Priestern auferlegt worden ist, ohne daß sie vom Wesen des Sacerdotium her gefordert werde, das Mönchsgelübde hingegen als solches, d. h. als eine freiwillige Gabe abgelegt werde. Diese Freiwilligkeit schien ihm genügend bewiesen, so daß das Mönchtum — von den Mißbräuchen abgesehen — in den großen Wandlungen der Zeit eine noch einigermaßen geschützte Stelle behaupten konnte. Im Brief an den Adel (WA 6; 441,3 sq.) ging 1.Tim. 4, 1—3 die Priester an. Im Praeludium de Captivitate denkt Luther schon, diese neutestamentliche Stelle habe auch für das Mönchtum Bedeutung. Aber einige Monate später ist er noch schwankend (WA 2; 370, 8 sq. und 371, 29 sq.: 1. August 1521), und im Iudicium erinnert er noch an diese letzte Zögerung. Er hat sie aber nun überwunden (8; 579, 4—9; 598, 15—16).

[37] Also nicht die Kritik an der mönchischen Werkerei, die nur soviel im *Urteil* betont wird, weil sie das wirksamste werbende Motiv in der Empfehlung des Mönchsstandes war, also als Rechtfertigung dieser Verkündigung: „Quid ... sunt magnificae illae bullae, quibus virginitas, coelibatus, votum iactatur, deinde praerogativae, aureolae ... quae praedicantur quo alliciantur ad virginitatem christiani? Omnium enim unus sensus est, malle nupsisse, si non contingeret impares apud deum censeri in meritis" (WA 8; 610, 37—611, 4). — Das Vorhandensein einer monastischen Lebensweise an und für sich (cf. WA 8; 616, 26—35) wird auch nicht in Frage gestellt: diese Feststellung ist das unumgängliche Ergebnis jeder gründlichen Analyse des *Iudicium de votis monasticis*.

[38] WA 7; 721, 9 sq.

[39] „Stat enim fixa apud deum sententia, omnes sanctos eodem spiritu et eadem fide vivere, agi et regi, sed diversa opera foris operari. Ut enim non eodem tempore, ita nec eodem loco, nec idem opus, nec coram eisdem personis operatur per illos, sed transit per tempora, loca, opera, personas varias semper eodem spiritu et fide eos regens, ut fiant viae eius absconditae et vestigia eius incognita, dum unumquemque alio opere, alio loco, alio tempore, aliis personis exercet, quam in aliis sanctis vidit et audivit, cogiturque opere, loco, tempore, personis, casibus sibi prius incognitis regentem ac ducentem deum sequi" (WA 8; 588, 15—23).

„Die Ordensgründer", sagt R. P. Martelet, „sind vorzugsweise Menschen des Geistes. Das Verständnis des christlichen Lebens, das sie empfangen haben, und ihre Erfahrungen besitzen von Haus aus etwas universalisierbares für die ganze Kirche[40] ... Und zwar betrifft dies das Ordensleben, das institutionsmäßig die vollkommenste Liebesantwort an Christus darstellt."[41]

Einer solchen Entwicklung, die in gewisser Hinsicht zu einer theologischen, ekklesiologischen An-und-für-sich-Wertung des Ordensstandes im Rahmen der Kirche führt, tritt Luther mit unabweisbarem Urteil entgegen:

„esse religiosum, hoc aiunt esse in statu bono absolute, quo non utendum sit, sed qui utatur potius omnium aliorum, ipse caput, primum et novissimum, Alpha et O"[42].

Hier erreicht Luthers Iudicium seine schärfste Prägung: es gilt für ihn, Stellung zu nehmen gegen einen *status religiosus*, der sich nach ihm als *substantia* versteht oder als *status bonus absolute* oder gar als *caput*, als Alpha et O... Es gilt also, somit Stellung zu nehmen gegen einen religiösen Stand, dessen ekklesiologische Ansprüche — wie Luther sie versteht — mit den genannten Bezeichnungen hier ins hellste Licht treten; folglich gilt es, Stellung zu nehmen gegen die kirchliche Diskontinuität, die damit gegeben ist:

„nusquam minus de Ecclesia quam ... in monachis ... qui se ... (Ecclesiam aut) cor Ecclesiae arbitrantur"[43].

III.

Eine Stelle des *Iudicium de votis monasticis*[44] läßt vielleicht einen Einwand wahrnehmen, d. h. eine entschuldigende Erklärung, die in Luthers Geist selbst oder in seiner Umgebung für eine zu hochtreibende ekklesiologische Selbstbesinnung laut wurde[45].

„Effingent more suo distinctiones, quarum sunt fecundi valde, dicentque sese nunquam docuisse aliter quia Christus et gratia dei sint principalia in ordinibus et optima, sicut sancta sanctorum. Caeterum ordines esse sanctos minus principaliter ceu sanctum participative."[46]

Der vermutliche Vertreter des Mönchtums behauptet hier, daß die Heiligkeit der Orden oder des Standes der Vollkommenheit in christologischem Sinne verstanden werden muß. Die Orden haben Anteil an der Heiligkeit Christi, und zwar, das muß betont werden, in einem Maße, das ihnen eigen ist, d. h. in einem ausgezeichneten Maße. Die Antwort Luthers ist folgende: Wenn seine

---

[40] Sainteté de l'Eglise et vie religieuse, Toulouse 1964, S. 98.
[41] Op. cit. S. 108.
[42] WA 8; 608, 37—39. Cf. 602, 19—20: „Genus vitae et substantiam eius bonam esse docent, per quod boni fiant et salvi."
[43] WA 6; 541, 11—14.   [44] WA 8; 620, 18—22.
[45] Ist diese Stelle irgendwo einer gründlichen Untersuchung unterzogen worden?
[46] WA 8; 620, 18—22.

Gesprächspartner ihre Lehre ernst nehmen wollten, so müßten sie dem Volke zurufen, daß es

„multo melius est, esse simpliciter christianum quam religiosum"[47],

denn das einzig wahre und allgültige Teilhaben an Christus ist der Glaube:

„Anathema sit, qui aliud docuerit, quam in sola fide esse iustitiam et salutem."[48]

Derjenige, der so und nicht anders denken will

„habet hoc genus vitae (scil. votivae) pro uso et exercitio, non pro ipsa res et substantia"[49].

Derjenige, der sich rühmt, an Christus teilzuhaben, und sei es auch in hervorragendem Maße, der kann sich nur auf den Glauben berufen:

„nam fidem habet pro re et substantia[50]. Cum autem haec promissa dei sint verba sancta, vera, iusta, libera, pacata et universa bonitate plena fit, ut anima, quia firma fide illis adheret, sic eis uniatur, immo penitus absorbeatur, ut non modo participet, sed saturetur et inebrietur omni virtute eorum. Si enim tactus Christi sanabat, quanto magis hic tenerrimus in spiritu, immo absorptio verbi omnia quae verbi sunt animae communicat."[51]

Die *participatio* an Christus kann folglich nicht diejenige der kirchlichen Anstalten sein:

„Quamquam Ecclesia vivat, tamen non secundum carnem vivit, Paulus dicit Gal.I et ICor.X. Ita in loco, rebus, operibusque mundi versatur, sed non secundum haec aestimatur, Christus enim omnem locum tollit dum dicit: ‚Regnum dei non venit cum observatione', neque dicent: ‚hic aut hic est'. Et ‚ecce Regnum dei intra vos est' (Luc 17, 10)."[52]

Aber wenn diese Aussage Luthers den Anspruch eines *religiösen Standes* auf ein besonderes Teilhaben an Christus und seiner Heiligkeit verurteilt, so betrifft sie doch Antonius, Franziskus, Bernhardus und viele andere nicht im mindesten:

„non enim in sermone sed in virtute regnum dei habebant[53]" ... „nullus enim sanctorum per eam (scil. vitam monasticam) bonus factus est ... omnes autem in solo Christo per fidem et boni et salvi sunt ..."[54]

Sei es, daß sie der ersten Zeit des Mönchtums angehörten, da dieses die offiziellen Gelübde noch nicht kannte[55], sei es, daß ihre ursprüngliche Absicht vom

---

[47] WA 8; 620, 28—29. [48] WA 8; 602, 33—34.
[49] WA 8; 604, 33—34. [50] WA 8; 604, 34.
[51] WA 7; 53, 15—20.
[52] WA 7; 719, 34 sq. Cf. WA 6; 293, 10—12: „eyn geystliche einickeit ... wilche alleine genug ist zu machen eine Christenheit, on wilche kein einickeit, es sey der Statt, zeit, person, werck, oder was es sein mag, eine Christenheit machet."
[53] WA 8; 587, 39. [54] WA 8; 602, 23—26.
[55] WA 8; 578, 18 sq.

kirchlichen Magisterium verkannt worden ist[56], sei es noch, daß sie wunderbar behütet worden sind[57]: Luther schließt sie immer wieder ausdrücklich von seinem Urteil aus.

Diese andauernd wiederholte Ausnahme der „Heiligen" ist ein bedeutendes Merkmal des *Urteils:*

„Iterum hic sanctos excusatos semel volo, ne semper sit necesse eorum exempla excusare"[58],
sagt einmal Luther.

„Non disputo ut sancti vixerunt sub instituto isto, sed de ipso instituto."[59]

Er fährt nichtsdestoweniger immer wieder fort, diese Ausnahme einzuschärfen. *In diesem Maße* kann aber diese eindringliche Wiederholung nichts anderes bedeuten, als daß neben der kirchlichen Diskontinuität, welche sich in einem von der Kirche theologisch empfohlenen *status perfectionis* bestätigt, sich auch eine Kontinuität behauptet, die nicht vergessen werden darf: Sie ist eine Kontinuität des Glaubens, d. h. eine Kirchenkontinuität.

Diesem Merkmal wäre eine noch größere Bedeutung beizumessen, wenn es sich herausstellte, daß damit nicht etwas Allgemeines ausgesprochen wird — warum dann die auffallende Dringlichkeit? —, sondern auf irgendeine Weise ein mit dem tieferen Wesen des Mönchtums in Beziehung stehender Tatbestand. Nachdem er mit der erwähnten Strenge die Diskontinuität scharf definiert hat, scheint Luther nun einschärfen zu wollen, daß doch nach seinem Urteil ein unbehelligter „Rest" übrigbleibt.

Wenn dem so ist, so empfiehlt es sich, einen Schritt weiter zu tun, nicht etwa, um zu bestimmen, was m. E. unbestimmt geblieben ist, sondern um einige Punkte in der Umgebung dieses Problems zu erhellen. Drei Richtungen bieten sich hier der wünschenswerten Überlegung. Da wäre zuerst die nähere Betrachtung einiger „Themen", die bei Luther vorkommen und die dazu geeignet sind, gelegentliche, für die Kontinuität der Kirche nicht belanglose Übereinstimmungen zwischen lutherischem und monastischem Denken erscheinen zu lassen. Es sollte zweitens nicht unwichtig sein, solche kritischen Entwicklungen zu beachten, die die theologische Selbstbesinnung des Mönchtums aufweist, insofern diese kritische Überlegung eine Aufgeschlossenheit zeigt gegenüber den theologischen Forderungen, die Luthers Urteil bestimmen. Es muß drittens gefragt werden, inwiefern bei Luther Ansätze monastischer Neuentwicklungen

---

[56] WA 8; 779, 38: „Falsus tamen est vir sanctus vel multitudine contemnentium Evangelium in mundo, vel operatione erronea Papisticae confirmationis."

[57] WA 8; 602, 2 sq.: „Qualis autem Bernhardus fuit, tales fuisse necesse est omnes religiosos, sanctos et pios, ut videas clare, omnes miraculose fuisse servatos et eo tandem necessario rediisse, ut vota nihil et perdita esse assererent, quo sola fide iustificarentur et servarentur." Cf. 586, 30—32; 596, 24—27; 600, 26—29; 612, 23—25; 639, 3—5; 651, 36—39; 654, 35—655, 2.

[58] WA 8; 578; 579; 586; 587; 590; 596; 600; 601; 602; 610; 612; 614; 615; 616; 617; 620; 622; 628; 639; 640; 641; 646; 647; 648; 649; 655; 656; 658; 660; 661.

[59] WA 8; 617, 26—28.

zu bemerken und wie dieselben zu werten sind; eine solche Aufgabe wäre ein unumgängliches Moment nicht nur für das richtige Verständnis der reformatorischen Kritik des Mönchtums, sondern auch der Kontinuität der Kirche bei Luther.

A. Die zwei Themen, die hier vorzugsweise die Aufmerksamkeit beanspruchen sollten, sind das der *Buße* (poenitentia) und das der *Vorwegnahme* (anticipatio). Die Wichtigkeit dieser Themen kommt daher, daß das eine wie das andere als eine inhaltliche, wesentliche Definition des Mönchtums gilt. Stand der *Buße*, so heißt auch gelegentlich der Mönchsstand[60]; er wird aber auch als ein durch die *anticipatio* bezeichneter Stand geschildert[61]: „Darin — das heißt in Darstellung und Vorwegnahme des künftigen Äons in der Zeit — erblicken die alten Mönche die eigentliche Aufgabe ihres Standes."[62] Daher sollte auf diese Themen näher eingegangen werden, um so mehr, als mit ihnen sowohl kirchliche Diskontinuität als auch kirchliche Kontinuität veranschaulicht werden können. Für die Buße kann von Diskontinuität die Rede sein in dem Maße, als der Inhalt dieses Begriffes im Mönchtum von der Entwicklung her bestimmt wird, die er in der Geschichte des kirchlichen Bußinstituts durchgemacht hat und die Luther dazu führen sollte, den evangelischen Sinn der Buße als der willigen Annahme des göttlichen Gerichtes dem traditionellen als der Flucht vor Gottes Gericht entgegenzusetzen. Das Thema der Buße deutet aber ebenso auf die ekklesiale Kontinuität im Mönchtum hin, dergestalt, daß das Mönchtum als Wille zu ernstester *vita christiana* sich wesentlich auch als irgendwie das ganze Leben bestimmende Buße verstehen mußte. Damit wird auch in gewisser Hinsicht auf die erste der 95 Thesen hingewiesen: „Dominus et magister noster Jesus-Christus dicendo: ‚poenitentiam agite‘ etc., omnem vitam fidelium poenitentiam esse voluit."[63] Das Gewicht fällt hier beiderseits auf die Fortdauer der Buße, d.h. auf das *semper* des *semper peccator, semper penitens, semper iustus*[64]. Daß das Christenleben irgendwie ein Leben in der Buße ist, ist beiderseits eine gegebene Erkenntnis. Es wäre übereilt, von nur formaler

---

[60] „... poenitentiae instituta monasterialis disciplina", sagt s. Bernhardus, De praecep. et dispensat. XVII, 54, MPL 182, 889. Cf. P. M.-G. Petitcolin: „Für ihn [Abbé de Rancé] ist der Mönch hauptsächlich ein Büßer. Er ist es wesentlich, von standeswegen" (Archives de la France monastique, vol. L, Théologie de la vie monastique, Ligugé 1961, S. 68).

[61] Dieses Thema kommt in der monastischen Literatur in mannigfaltiger Form vor, z. B. als Thema des *Bios aggelikos* (cf. P. dom J. Leclercq, osb.: „Das engelgleiche Leben der Mönche hebt sie über das gewöhnliche Menschenleben empor" [La Vie Parfaite, Considérations sur l'essence de l'état religieux, Turnhout 1948, S. 35]). Cf. Dom Garcia M. Colombas, Paradis et vie angélique, le sens eschatologique de la vocation chrétienne (Trad.), Paris 1961; P. Suso Frank, OFM, ΑΓΓΕΛΙΚΟΣ ΒΙΟΣ, Münster 1964.

[62] P. Dominikus Thalhammer SJ, in: Jenseitige Menschen, Freiburg 1953, S. 72; cf. P. dom J. Leclercq, op. cit. S. 161: „Der *Status religiosus* verleiht Anteil an den letzten Wirklichkeiten, die man eschatologische Realitäten nennt und die sich offenbaren werden, wenn dereinst die Gestalt dieser Welt vergehen wird."

[63] Cf. Resolut. Disput. de Indulg. Virtute, WA 1; 531, 14—15: „per totam vitam oramus et orandum est ‚Dimitte nobis debita nostra‘: ergo tota vita penitenciam agimus ..." Cf. 56; 442, 15—21; 39, 1; 350, 16 etc.

[64] WA 56; 442, 17.

Übereinstimmung zu sprechen: es muß vielmehr nach Kontinuität gefragt werden, nur daß diese Angabe, die hier mit dem Selbstbewußtsein des Mönchtums als *status poenitentiae* gegeben ist, zusammen mit den anderen Themen zu einer späteren Untersuchung Anlaß geben muß.

Mit dem Thema der *anticipatio* steht es nicht anders. Es veranschaulicht die ekklesiale Diskontinuität im Mönchtum insofern, als diese *Vorwegnahme* nicht als im Glauben gegeben betrachtet wird und sie nicht im Glauben erlebt wird als dessen eschatologische Bedeutung, sondern als eine besondere, standesgemäße Verwirklichung in der Kirche. Kontinuität hingegen wird angedeutet insofern, als das Mönchtum in seiner Urbedeutung als im Glauben vollbewußte *vocatio* zur *vita christiana* auch der Bestimmung der *Vorwegnahme* nicht entbehren kann. Es muß hier an die Äußerungen W. Maurers erinnert werden: „Die Kirche als Humanitas Christi ist der Raum in der Zeit, da dieses eschatologische Heil sich vollzieht; insofern strebt sie nicht in einer unendlichen Entwicklung nach Vollendung, sondern nimmt das endzeitliche Ziel hier schon vorweg. Aber sie ist mehr als ein Raum. Humanitas ist menschlich kreatürliche Verbundenheit. Humanitas Christi ist die eschatologische Bruderschaft der von dem Christusheil Getroffenen, das neue Geschlecht, die generatio rectorum. Sie bedeutet die Vorwegnahme der neuen Menschheit, die nach Christi Wiederkunft in Erscheinung treten wird. Denkmal dieses eschatologischen Seins der Menschheit ist die Kirche, Stätte seiner gegenwärtigen Verwirklichung in der Zeit, in gliedhafter Verbundenheit Vorwegnahme eines endzeitlichen Zustandes."[65]

Ein anderes Thema dürfte das des *Gehorsams* sein. Karl Holls Äußerung ist bekannt, nach welcher

„der Gehorsam gegen Gott — das Grundgefühl gegen Gott, das das Mönchtum pflegte — für Luther in der Rechtfertigungslehre seine letzte Vertiefung erhielt, indem dieser Gehorsam auch zum Verzicht wird auf die Selbstbehauptung gegenüber Gott, die sich als Selbstgerechtigkeit offenbart, und zum willigen Annehmen der von Gott geschenkten neuen Lebensverheißung".

Damit will Holl wieder einmal feststellen, daß Luthers Mönchtum für ihn nicht ein Hindernis, sondern eine Förderung auf seinem Wege gewesen ist[66]. Daß gerade in diesem zentralen Punkt reformatorischer Theologie eine solche Beziehung behauptet wird[67] zwischen einem wesentlichen Element des mönchischen Lebens und Denkens und dem Gang der Reformation, ist eine für das

---

[65] Lutherforschung heute, Erster Intern. Kongreß für Lutherforschung, 1958, W. Maurer: Kirche und Geschichte nach Luthers Dictata super Psalterium, S. 99.

[66] Ges. Aufs. I, S. 203. Man kann K. Holls Wertung des Gehorsams als zentralen Wert des mönchischen Lebens nicht bestreiten, wenn man u. a. an die Vorrede der benediktinischen Regel denkt: „Ad te ergo mihi sermo dirigitur, quisquis abrenuntians propriis voluntatibus, Domini Christo vero regi militaturus, oboedientiae fortissima atque praeclara arma sumis." Es ist auch Luthers Meinung, daß der Gehorsam im Mönchtum diese von der Tradition hervorgehobene Stelle behauptet: WA 8; 647, 12 sq.

[67] Holl spricht hier von der *Stetigkeit,* die sich in Luthers innerer Entwicklung offenbart, a.a.O.

Verständnis der Kontinuität der Kirche wichtige Tatsache. Es wäre leicht, zu erwidern, daß Luther den mönchischen Gehorsam streng tadelt, so wie dieser sich in der Überlieferung gestaltet hat, und daß sogar St. Bernhard, der sonst im Urteil nur sehr lobend erwähnt wird, in der Reihe der Ausnahmen gerade hier keine Ausnahme zu bilden scheint[68]. Aber eine tiefere Kenntnis dieses Themas des monastischen Gehorsams, wie er im Leben sowohl wie in der Überlieferung der Orden Ausdruck findet, begegnet oft einer Aufgeschlossenheit eben gegenüber den evangelischen Forderungen, die Luthers Kritik bestimmen. Man weiß, wie die Benediktinerregel den Gehorsam so hoch wertet, daß es nicht genügt, ihn nur dem Vorgesetzten gegenüber auszuüben: die Brüder sollen sich alle gegenseitig gehorchen in der Überzeugung, daß dieser Weg sie zu Gott führt[69]. Die Regel Petrus Comestors mit ihren drei Gelübden der *dilectio fraterna*, der *communis substantia* und der *communis oboedientia*[70], und die Regel (II) des hl. Franziskus, wo der gegenseitige Gehorsam als die *vera et sancta obedientia* Domini nostri Jesus Christi bezeichnet wird[71], zeigen auch ihrerseits die große Verschiedenheit und die inneren evangelischen Spannungen in der geschichtlichen Entwicklung der mönchischen Zucht. Man weiß andererseits, wie Luther in seinem *Urteil* den dem Evangelium gemäßen Gehorsam beschreibt:

„Evangelium omnibus semper et in omnibus cedere, subdi, obedire iubet... At votum obedientiae eorum eximit eos prorsus a catholica illa humilitate Evangelio tradita et subdit solum suis maioribus."[72]

Eine breiter angelegte vergleichende Analyse wäre aufschlußreich für ein mehr kontinuierliches Verständnis von Luthers Urteil in dem Rahmen des in den Orden kontrastreichen Lebens der monastischen Grundhaltungen. Es wäre da festzustellen, wie in der von K. Holl angedeuteten Vertiefung des Gehorsamsbegriffes bei Luther der schon ohnehin gemeinschaftsfördernde Gehorsam seine theologische Begründung wahrnimmt und somit eine lebendige Kontinuität darstellt. Solche Kontinuität ist allenfalls nur in der Richtung der erwähnten kritischen Selbstbesinnung im Mönchtum feststellbar, die die Entartungen in Frage stellt. Es soll aber immer gefragt werden, ob jene kritische Selbstbesinnung nicht eben urwesentliche Anlage des Mönchtums ist.

Ein anderes, übrigens vielseitiges Thema, das Luther und der monastischen Überlegung gemein ist, ist das des Wortes Gottes als eine in Glauben und Anfechtung erfahrene personhafte und persönliche Anrede an den Menschen:

„Puto ego hanc esse primam gratiam et mirificam dei dignationem, cui datum est sic verba scripture legere et audire tanquam existimet se a deo ipso audire."[73]

---

[68] WA 8; 646, 9—11; 586, 15—21.   [69] Regula, cap. LXXI.

[70] Ludwig Hertling SJ, Die Professio der Kleriker und die Entstehung der drei Gelübde, in Zeitschrift für Kath. Theol., 56, 1932, S. 171.

[71] S. P. L. Casutt, o. s. M. cap. „Die Regeln des franziskanischen ersten Ordens ...", in: H. U. v. Balthasar, Die großen Ordensregeln, 1948, S. 217—233.

[72] WA 8; 586, 15—19; 21—22.   [73] WA 3; 342, 26 sq.

Nun ist es selbstverständlich möglich, in der großen Verschiedenheit der „Typen" von Frömmigkeit der Ordensfamilien solche Angaben zu finden, die von einer Gleichartigkeit mit dem gegebenen Thema zeugen. Es sollten hier beachtet werden: die Vita Antonii, insbesondere wie sie das Urerlebnis des maßgebenden monastischen Rufs (vocatio) beschreibt, d.h. die in der Kirche vorgelesene und als persönlich geltend vernommene Stelle von Mt. 19, 21:

„Veluti propter se haec esset scriptura recitata ad se traxit dominicum imperium"[74];

die gleichartigen Züge in der Frömmigkeit der Schüler — oder Mönche — des Pachomius:

„Der Grund ihres fortwährenden Glaubens an die Schrift war die lebendige Gewißheit, daß die Worte der Bibel nicht nur *in abstracto* das Wort Gottes seien, sondern daß sie als eine an jeden Menschen eigenst gerichtete Botschaft empfangen werden sollen . . ."[75]

Diese direkte personhafte Wendung im Umgang mit dem Wort Gottes in der Heiligen Schrift wird sonst auch in der mönchischen Überlieferung bezeugt[76]. Es ist aber sinnvoll, daß dies gerade in charakteristischen, „schöpferischen" Momenten der Fall ist und daß in der breit angelegten Besinnung der *vita religiosa* das Merkmal der lebendigen Begegnung mit dem Wort Gottes weithin als das des Urgrunds der *vocatio religiosa* bezeichnet wird[77].

Im Zusammenhang mit dieser direkten Form des Verhältnisses zur Schrift müßte man noch auf die Bedeutung des *sensus litteralis*[78] bei Luther hinweisen, der zugleich mit dem des evangelischen Litteralismus erwähnt werden muß, der öfters in der mönchischen Selbstbesinnung als ein ein wesentliches Merkmal bezeichnender Ausdruck vorkommt[79]. Dazu ein anderes Motiv: das des *sine additamento* oder *sine addito,* das bei Luther ebenso wie in der monastischen Überlegung vorhanden ist. Hier müßte die Überlegung aber etwas komplizierter werden, da eine erste Feststellung die einer wenn nicht entgegengesetzten, so doch verschiedenartigen Bedeutung des Begriffs beim Reformator und im

---

[74] MPL 73.

[75] P. H. Bacht, SJ, Pakhôme et ses disciples, in: Théologie de la Vie monastique, S. 44.

[76] Siehe z. B., was Theodoret v. Cyrus von Markian sagt, dessen Lesen der Schrift „eine wirkliche Unterredung mit Gott war: er hörte da die Stimme Gottes . . ." Nach P. P. Canivet SJ, Théodoret et le monachisme syrien avant Chalcédoine, in: Théol. de la Vie monastique, S. 269.

[77] Siehe, was Kan J. Leclercq dazu sagt: „Auf jeden Fall findet sich am Ursprung des ‚Ordenslebens' als erste Tatsache die Selbstoffenbarung Gottes als des Lebendigen und der Anfang eines Dialogs im tief in der Seele gehörten Wort . . ." (La Vie religieuse, 1. Aufl., S. 16—17). „Eines Tages wird Gott zu einer Person . . . Jemand spricht" (op cit. S. 15).

[78] Cf. WA 7; 710, 38 sq.: „. . . Non tibi permitto ut scripturae plures quam unum sensum tribuas . . ."; 711, 5: „Sed sic dicito: ‚hoc sic et non aliter intelligi debet' ut afferas unum constantem simplicemque sensum scripturae . . . Scis enim, quod solo literali sensu pugnandum est, qui est unicus et per totam scripturam . . ."

[79] Siehe dazu, was Dom Ol. Rousseau sagt: „Bei Antonius wie auch später bei Franz v. Assisi und anderen kommt es im Hören des Evangeliums zu einem neuen Litteralismus" (Maison-Dieu, 16, S. 51).

mönchischen Gebrauch ist[80]. *Sine additamento* bedeutet nämlich bei Luther soviel wie die *particula exclusiva* des *sola scriptura* oder *sola fide*[81]. Wenn man aber heute von einer Sehnsucht nach einem monastischen Leben *sine addito* hört, so ist offenbar damit etwas ganz anderes gemeint. Es wäre aber ein schwerer Fehler, die gegebene verbale Analogie ohne weiteres unter dem Vorwand auszuschalten, daß sie eine irreführende, billige Zusammenstellung sei. Das mönchische *sine addito* läßt sich inmitten der widerspruchsvollen katholischen Besinnung über das Ordensleben vernehmen als eine Warnung vor einer heute sehr beliebten Rechtfertigung des Christentums — und der Orden —, nämlich eine Rechtfertigung durch wirksame äußere Tätigkeit. Die radikale Exklusivität steht auch hier — besonders im Rahmen eines jedenfalls auch biblisch geprägten *aggiornamento* — im Dienst des einzig dastehenden Wertes eines *Evangelio vacare*. Denn so möchte wohl die alte monastische Formel *Deo vacare* in der heutigen Welt der Orden vielerorts lauten.

B. Die beiderseits evangelisch radikalisierten Exklusivitäten — *fides sine additamento* und *vita monastica sine addito* — bezeichnen auch ihrerseits eine Linie der Kontinuität, von der wenige Punkte hervorgehoben worden sind. Auf mönchischer Seite sind diese Punkte auch „Momente" einer inneren reformierenden und fortwährenden Selbstkritik. Sie erhellen den bestehenden inneren Streit zwischen einem immer lebendigen berufungsgemäßen Mönchtum und den kanonischen, theologischen Bestimmungen. Also die mehr oder weniger akute Spannung zwischen ekklesialer Kontinuität des Mönchtums und der hinzugekommenen Form eines Standes der Vollkommenheit, die die besondere kirchliche Einverleibung des Mönchtums und seine, wenn auch tiefgreifende, so doch künstliche Umformung bedeutet.

Luther hat diese doppelte, aber ungleiche Spezifizierung des traditionellen Mönchtums klar angedeutet:

„Sanctus Bernhardus et alii castitatem, obedientiam et paupertatem sub votis, sed non secundum vota, imo secundum priscum patrum exemplum et Evangelium servaverunt, et traditionem tam reprobam et institutum vovendi

---

[80] WA 29; 491, 6: „De illis [scil. operibus ante fidem] dico, quod omnia perdita, quia omnia habent ein bosen Zusatz (additamentum): quod sint bona opera, quod ieiuno, cappam gero, obedio et votum servo ... Ideo quod homo his confidit et tam pretiosa helt, quod per hoc velit salvari. Ideo non bona ... quod tam eximia sint, ut sit via ad coelum, das ist der Teufel. Das ficht contra fidem nostram qua dicitur: Ego credo quod Christus mortuus. Si nostris operibus potuissemus, non opus ut moreretur. Ergo illa opera non possunt fieri absque tali Zusatz, schendet und lestert redemptionem et quicquid Christus pro nobis." — In einer Studie über die Hauptrichtungen des heutigen Mönchtums sagt R. P. Dom. Jean Leclercq: „man will je länger und je mehr Mönch sein, ohne weiteres; man redet von einem Mönchtum *sine addito*" (Problemes et Orientations du Monachisme, in: *Etudes,* mai 1964, S. 668). Cf. P. Dom Garcia M. Colombas, Pour un monastère simple et actuel, in: *La Vie Spirituelle,* janvier 1966, S. 69—83. — E. Wolf: „Additamentum erweist sich als der genaue Gegenbegriff zur *particula exclusiva,* zu dem ‚solum', sowohl auf der Linie vom *sola scriptura* wie auf der Linie des *sola fide, sola gratia* ..." (Peregrinatio I, S. 140).

[81] Für das *Additamentum* und den Sinn dieses Begriffs bei Luther siehe E. Wolf, Leviathan, eine patristische Notiz zu Luthers Kritik des Papsttums, in: Peregrinatio I, S. 135 sq.

dannatum humano errore lapsi probaverunt et docuerunt, cum ipsi longe aliud et aliter sequerentur, sed operatio erroris fuit stabilienda etiam patrum exemplis perverse acceptis." [82]

In der Kritik der zweiten, kanonisch-theologisch hinzugekommenen, Spezifität des Mönchtums trifft Luthers Urteil die Diskontinuität, die das Mönchtum bestimmt. Gleichzeitig befindet er sich auch auf der Linie einer monastisch-kirchlichen Kontinuität, nicht nur mittels seiner positiven Einschätzung der ursprünglichen monastischen Lebensform, sondern auch durch die Übereinstimmung seines Urteils mit der Kritik, die, innerhalb des Mönchtums selbst und von der ursprünglichen vocatio aus, immer wieder den öffentlichen *status perfectionis* in Frage stellt, indem diese kritische Selbstbesinnung eine theologische Unbehaglichkeit den evangelischen Räten und den Gelübden gegenüber wachruft, die die Grundlage dieses Standes der Vollkommenheit sind. Diese Infragestellung ist in der ganzen Entwicklung des Mönchtums bemerkbar und für den heutigen Beobachter besonders im post-konziliaren Zeitabschnitt deutlich [83]. Indem Mgr. Huyghe, ein zeitgenössischer Prälat, behauptet — des Paradoxes übrigens voll bewußt —, daß

„es eigentlich keine Keuschheit, keinen Gehorsam und keine Armut gibt, daß Christus allein da ist, daß der Ordensmann sich auf Ihn allein beziehen muß, da er von der Taufe an eins ist mit Ihm" [84],

läßt er die Kontinuität des Urteils erscheinen, die eines der Merkmale der monastischen Selbstbesinnung ist und damit den fortwährenden Protest der

---

[82] WA 8; 617, 9—14.

[83] Von der Geschichte einer solchen kritischen Besinnung abgesehen, wobei Joh. Chrysostomus, Basilius der Große, das 12. Jahrhundert und die sinnvolle *Richtung* der folgenden Entwicklung bis zu den *Instituta saecularia* besonders zu erwähnen wären, müssen genannt werden: R. P. Mennessier, in: Dictionnaire de Spiritualité ascétique et mystique, art. „conseils évangéliques col. 1592—1609"; P. Jean Beyer SJ, Les Instituts séculiers, 1954, S. 109; R. P. Urs von Balthasar, Die großen Ordensregeln, S. 20. Noch näher Mgr. Gérard Huyghe, in: Les religieux aujourd'hui et demain, S. 11 sq., der selbstverständlich den Begriff des consilium evangelicum an und für sich nicht verwerfen kann (S. 21), der aber nicht mehr glaubt, das Ordensleben mit Hilfe dieses Begriffs theologisch erklären zu können, da „die Räte keineswegs das eigene Gut der Ordensleute sind, sondern an alle Christen gerichtet sind, und hauptsächlich da diese Räte sich auf keinen Fall mit der heute das Ordensleben kennzeichnenden Übung der Armut, des Gehorsams und der Keuschheit decken". Vom gleichen Verfasser eine Kritik der Gelübde, so wie sie das kanonische Recht bestimmt; diese Kritik zeugt auf vortreffliche Weise von der ekklesialen Kontinuität des Mönchtums (s. u.).

[84] „So wahr es wirklich ist, daß die Keuschheit secundum Christum, daß die Armut secundum Christum zur Freiheit des Sohnes erziehen und damit zur Liebe, so wahr ist es auch, daß die Gelübde, für gegebene Fälle, zahlreicher als man es vermutet, im Ordensleben eine Schranke errichten, die eine weitere Reife unmöglich macht. Ein Beispiel genügt, um eine Ahnung von dieser Schranke und ihrer Bedeutung zu vermitteln. Wenn der Ordensmann im Begriff steht, zu handeln in der Richtung seiner Gelübde, etwa des gelobten Gehorsams, wird er gut tun, sich folgende Frage zu stellen; ,Was bindet mich, oder was bestimmt mich? Ist es die Verpflichtung oder ist es der innere Ruf des Herrn, ihm nachzufolgen und es ihm gleichzutun ,quam possim proxime'? Ist es das Gebot oder ist es die Liebe?' Es ist gut, den Brief an die Römer wieder einmal zu lesen, um daran erinnert zu werden" (Mgr. Gérard Huyghe, op. cit. S. 163 und 161—162).

Ekklesia — ecclesia non cessabit — gegen die Diskontinuität bezeugt. Ein solcher Protest kann selbstverständlich nur äußerst maßvoll sein: er kann sich aber auch für einen gelegentlichen Hörer in unerwartet radikaler Weise kundtun.

Wenn dieser Protest aber Räte und Gelübde betrifft, muß hauptsächlich auf die tiefere Analogie der Begründung hingewiesen werden. Bei Luther ist die Begründung seines Urteils, also die positive Seite desselben, erstens das im vollsten Sinne des Ausdrucks verstandene kirchenbildende Wort Gottes — es ist hiermit eine Kirche gemeint, die als alleiniger *status perfectionis* dasteht — und zweitens die Taufe, die als gläubige Einverleibung in eine solche Kirche aufgefaßt wird. Dabei erscheint Luther — wenn auch radikalisierend — auf der Linie einer urmonastischen *ekklesialen* Kontinuität. Von dieser kirchlichen Kontinuität wird wohl eines der bedeutendsten Merkmale das einer ekklesiologischen Zurückhaltung [84a] des Mönchtums sein, das in der immer wieder auftauchenden Feststellung Ausdruck findet, daß sich die Mönche im tiefsten Grunde als membra ecclesiae verstehen und als nichts anderes: „der Ordensmann will nur eines sein: Christ. Das ist sein Besonderes." [85]

Es muß aber hier noch bemerkt werden, daß das radikalisierende Moment, das Luther auf dieser Linie der monastischen kirchlichen Kontinuität vertritt, als solches auch nicht als ein ihm exklusiv gehörendes gesehen werden muß. Das Wesen dieses lutherischen Radikalismus ist auch sonst auf dieser Linie bemerkbar. So will nun einmal Luther selbst die großen Ordensgründer sehen. In dieser Richtung will auch der in neuerer Zeit geprägte Begriff einer *monastischen Theologie* von seinen verantwortlichen Vertretern verstanden werden [86]. So sagt auch P. Bernard Besret:

„Alle Erneuerung des Ordenslebens muß zuvorderst ein neues Lesen des Evangeliums sein ... Es handelt sich darum, das Evangelium zu öffnen und es mit neuen Augen zu lesen ... Das ist der erste Schritt zu einer wahren Reform. Nicht eine Rückkehr zum Ordensgründer, sondern ein neues Bewußtsein der evangelischen Botschaft." [87]

[84a] „Dieses ‚effacement' [bescheidene Zurückgezogenheit], in welcher das Coenobium als christliche Gemeinde verharrt, dies ekklesiologische *Nicht-Sein* unterstreicht vielleicht den einzigen Grund der Trennung der Mönche. Indem er sich nicht auf dem Boden der ekklesiologischen Ordnung fortsetzt, tritt der einzige Unterschied zwischen Mönchen und Weltchristen klarer hervor und kann seine Authentizität besser bewahren. Die Zurückgezogenheit steht der mönchischen Gemeinschaft sowohl wie den Mönchen an" (Ad. d. Voguë, Théol. de la Vie monastique, S. 224).

[85] P. Dominikus Thalhammer SJ, Jenseitige Menschen, 1953, S. 56—57.

[86] „A propos de S. Bernard, on a parlé, ce qui pourrait s'appliquer à tous ceux dont il n'est que le témoin privilégié, de l'existence d'une théologie monastique, biblique, c'est-à-dire d'une théologie qui a son fondement premier dans la parole de Dieu: On pourrait la définir simplement comme une théologie du primat de la Bible ... Or cette théologie monastique diffère-t-elle beaucoup en substance de ce que devrait être une théologie authentique, une théologie tout court?" (B. Ulianich, Studii Bernardini, cité par Dom J. Leclercq OSB, in: Théologie traditionnelle et théologie monastique, in Irénikon, Ier trimestre 1964, S. 54).

[87] Critères pour une rénovation, in: Les religieux aujourd'hui et demain, Paris 1964, S. 139—140.

C. Eine nach Luther im Mönchtum feststellbare kirchliche Kontinuität dürfte endlich noch dazu führen, in seinem Urteil etwaige Ansätze eines jedenfalls bedingten Fortlebens oder einer Erneuerung der *monasteria* genau zu beachten. Es kann hier eine solche Aufgabe nicht unternommen werden, die eine umfassende Prüfung der späteren sowie der früheren Aussagen Luthers voraussetzt. Es werden hier nur einige Hinweise aufgezeigt, die dazu beitragen können, das Problem ins rechte Licht zu stellen.

Darunter muß die bekannte Alternative in der ersten Reihe der Themata de votis Beachtung finden:

„Aut da monasteriis doctores fidei aut dele ea funditus"[88],

an deren Seite man auch den am 22. November 1521 an Spalatin gerichteten Brief erwähnen muß:

„Certum est votum monasticum hodie esse damnatum vel uno hoc nomine, quod in monasteriis verbum dei non tractatum et mera mendacia hominum ibi regnant."[89]

Sicher wird damit nur gesagt, daß in der gegebenen reellen Lage der Weg nach einer Erneuerung hin nicht offen steht, aber es muß zugegeben werden, daß weiter nichts ausgeschlossen ist.

Luther sagt es gelegentlich deutlicher:

„si in monasteriis eiusmodi Bernhardi essent, tolerari possent propter serium Pauli institutum ex parte observatum"[90].

Da die Gelübde im Widerspruch mit dem Glauben gelobt worden sind, ist es klar, daß sie wertlos sind, es sei denn, man gelobe und beachte sie wieder auf andere Weise[91]. Das bedeutet allerdings, daß alle offizielle, in der Kirche geltende, d.h. eine kanonisch, theologisch, öffentliche Form des mönchischen Gelübdes unbedingt ausgeschlossen ist — das ist der unumgängliche Sinn des Urteils —, aber auch, daß eine monastische Lebensform in aller geforderten Bescheidenheit und Zurückhaltung ihren Platz in der Kirche behält, ebenso wie jede andere Form:

„paupertas, obedientia, castitas perpetuo servari potest, voveri, doceri, exigi non potest, quia in servando manet libertas Evangelica"[92].

Da sie von einem Weg zeugen, der von Luthers Urteil aus einer geläuterten Form des monastischen Lebens nicht verschlossen ist, bestätigen solche Aussagen auch ihrerseits die Möglichkeit, dieses Urteil im Rahmen der monastischen kritischen Selbstbesinnung zu sehen, als deren konsequent durchgeführte, vokationsgemäße Radikalisierung.

Wenn also die besondere ekklesiologische Hervorhebung des Mönchtums entschieden die in der Kirche Diskontinuität wirkende Entwicklung bedeutet, die

---

[88] WA 8; 328, 32.   [89] WA Br. 2; 405, 3 sq.
[90] WA 8; 622, 31—32; cf. WA 15; 595, 19—596, 11; WA 11; 396, 35—397, 9.
[91] WA 8; 593, 3—5.
[92] WA 8; 616, 20— 28; cf. 617, 5—15; cf. 395, 18—19.

Luther anklagt, soll die Frage nach dem offenen Weg für ein erneuertes Mönchtum jedenfalls nicht zur Frage werden nach einer besonderen theologischen Beziehung zur Kirche. Dürfte man hier von einem durch Engelsschwert versperrten Weg sprechen? Man soll es vielleicht um so mehr, als das Verbot, das Luthers Urteil bestimmt, von der Schwierigkeit bestätigt wird, die im monastischen oder katholischen Denken überhaupt bemerkbar ist, ein theologisches Statut der Orden zu definieren. Aber dieser Schwierigkeit dürfte wohl eine andere zur Seite gestellt werden: die vielleicht auf evangelischer Seite weder klar noch genügend empfundene Schwierigkeit der Aufgabe, das wohl höchst bedeutsame historische Faktum des Mönchtums gedanklich und praktisch zu würdigen. Luther begegnet dieser Aufgabe auch nach dem *Urteil*. Er hatte viel von ursprünglichen Schulen für die Erziehung in *fide et disciplina,* d. h. in der *vita christiana* gesprochen; nicht nur als von löblichen Stiftungen der Alten Kirche, sondern auch als von wünschenswerten Erscheinungen für seine Zeit[93]. Vielleicht dachte er daran, als er 1532 an Rat und Bürgermeister der Stadt Herford schrieb[94]. Indem er sagte, daß, „wenn alle Klöster also wären, so wäre allen Pfarrherren, Städten und Ländern wohl geholfen", hat er unter Ausschluß einer besonderen ekklesiologischen Bedeutung den dem Glauben, der Liebe und der christlichen Zucht dienenden Entwicklungen Raum geschaffen. Und wenn man in der heute üblichen sowie in der traditionellen monastischen Besinnung so oft von der Bedeutung des Mönchtums als einer Schule liest, so muß noch einmal an die wesentlichen Übereinstimmungen erinnert werden, wie sie soeben hervorgehoben wurden.

Somit wäre es vielleicht am Platze, eine Aussage Johannes Hessens aufzunehmen und damit unserer Untersuchung einen vorläufigen Abschluß zu geben. Joh. Hessen sagte, daß die Verständigung über Luther sehr wohl möglich und daß sie der Weg zur *Una Sancta* ist[95]. Müßte man aber diese Aussage nicht dahin deuten, daß dieser Weg zur *Una Sancta* zugleich eine Verständigung über die Bedeutung des Mönchtums in der Kirche einschließt?

---

[93] WA 8; 641. [94] WA Br. 6; 254—255.
[95] Joh. Hessen, Luther in katholischer Sicht, S. 66.

CONTINUITY AND ORDER IN LUTHER'S VIEW OF CHURCH AND MINISTRY

A Study of the *De instituendis ministris ecclesiae* of 1523

Supplementary Lecture by JAROSLAV PELIKAN

The question of the continuity of the church is a crucial one in the understanding of Luther, as it is in the study of patristic thought and in present-day ecumenical discussion. But it is a grave anachronism to ignore the differences in the problematics of the question as it is raised within each of these contexts. It is well known that Eusebius states a *leitmotiv* of his *Ecclesiastical History* in the opening words, "tas tōn hierōn apostolōn diadochas,"[1] and that his penchant for continuity and succession led him to find such "diadochai" even where they apparently did not exist, as in the so-called "catechetical school of Alexandria."[2] When Luther laid claim to the lineage of the centuries for his doctrines, however, this must not be understood either in the sense of the Eusebian "diadochai" or in the sense of the "testes veritatis" of Flacius,[3] but as part of his own "concern [about] God's promise for the future," as a new book has reminded us.[4] Moreover, because the question of the continuity of the church is never a merely theoretical one and never a merely practical one, the effort to make explicit the understanding of continuity at work in Luther's Reformation should concentrate on those issues in which theory and practice intersected.

One such issue is obviously the liturgy;[5] another is dogma;[6] yet another, as Dr. Esnault's paper shows, is monasticism. But the issue around which much of the controversy over continuity in both the ancient patristic and the modern

---

[1] Eusebius *Historia ecclesiastica* i. 1. 1; cf. Gustave Bardy, "Introduction," *Eusèbe de Césarée: Histoire ecclésiastique,* "Sources chrétiennes," 73 (Paris, 1960), pp. 79—94, and Pierre Périchon, "Index," *ibid.,* p. 302, *s. v.* "diadochē."

[2] Cf. Gustave Bardy, "Aux origines de l'école d'Alexandrie," *Recherches de Science religieuse,* 28 (1937), 65 ff.; *idem,* "Pour l'histoire de l'école d'Alexandrie," *Vivre et penser* (2nd series; Paris, 1942), pp. 80—109.

[3] See the recent monograph of Joachim Massner, *Kirchliche Überlieferung und Autorität im Flaciuskreis* (Berlin, 1964).

[4] Heiko Augustinus Oberman, *Forerunners of the Reformation* (New York, 1966), p. 19.

[5] Jaroslav Pelikan, *Obedient Rebels* (New York, 1964), pp. 77—104.

[6] The problem is raised in a new way by the researches of Peter Fraenkel, *Testimonia Patrum* (Geneva, 1961); together with Massner's study (see note 3), it makes an examination not only of Luther's formal attitude toward dogma, but of his concrete use of dogma, especially of the dogma of the Trinity, a question that cannot be treated with the usual superficial slogans.

ecumenical debates has revolved is ministerial order; both the ancient term "diadochē" and the modern term "the succession" mean often, though not always, "the continued transmission of the ministerial commission, through an unbroken line of bishops from the apostles onwards."[7] If we turn to Luther for a consideration of this issue, we find surprisingly few instances where the intersection of theory and practice was worked out in any detail. Because of this, few issues in his theology (except perhaps his ideas about the inspiration of Scripture) have suffered more from the Talmudic method of Luther research, which searches about for proof texts instead of undertaking a "close reading" of his crucial discussions of the issue.[8] For example, Luther provided very little theological legitimation for the action of Bugenhagen on September 2, 1537, ordaining seven Lutheran bishops in Copenhagen without establishing the continuity of their order through the succession;[9] similarly, the visitations were carried out without a full-blown theological rationale, as the designation of "Notbischöfe" suggests.[10] On the other hand, the brief treatise of 1523, *Daß eine christliche Versammlung oder Gemeinde Recht und Macht habe, alle Lehre zu urteilen und Lehrer zu berufen, ein- und absetzen,* contented itself with brief comments on some of the most important biblical texts, without supplying instruction about how this calling, installing, and deposing were to be carried out.[11]

In the same year, however, another writing was published under Luther's name, in which specific instructions and a detailed theological rationale for the continuity of the ministry of the church were provided. This was the treatise *De instituendis ministris ecclesiae,* which seems to have appeared in November, 1523.[12] It was called forth by the dire straits into which the Czech Utraquists had come over the need for a continuity of church order.[13] The archbishopric of Prague had been vacant since 1421. From 1482 Augustin Lucian de Bessariis, bishop from the island of Santorino, had been in Bohemia ordaining Utraquist priests; but he had died in 1493, and the consistory of the Utraquist church had to find other devices for having its candidates for the priesthood validly ordained. The practice developed of sending such candidates

---

[7] *The Oxford English Dictionary,* X-2 (Oxford, 1933), *s. v.* "succession," with quotations.

[8] Thus even the modest study of A. W. Dieckhoff, *Luthers Lehre von der kirchlichen Gewalt* (Berlin, 1865), pays little attention to the *Sitz im Leben* of the writings it summarizes, as, for example, the *De instituendis ministris ecclesiae,* discussed pp. 90—106, also pp. 109—110, 116—121, and p. 158, n. 2.

[9] See the summary comments of Kurd Schulz, "Bugenhagen als Schöpfer der Kirchenordnung" in Werner Rautenberg (ed.), *Johann Bugenhagen. Beiträge zu seinem 400. Todestag* (Berlin, 1958), pp. 61—62.

[10] Karl Holl, *Gesammelte Aufsätze zur Kirchengeschichte,* I, *Luther* (7th ed.; Tübingen, 1948), 375—376.

[11] *WA* 11; 408—416.

[12] *WA* 12; 169—196; henceforth, where no reference to a specific title is given, I am referring to *De instituendis ministris.*

[13] This summary is based on Ferdinand Hrejsa, *Dějiny křestanství v Československu* (Praha, 1948), IV, 41—61, 93—114, 242—281.

elsewhere; for example, Jan Bechyňka had been ordained in 1499 by the Armenian bishop in Lvov, and many others went to Italy to receive holy orders. Upon his return to Bohemia the newly ordained priest would have to renounce his promise to administer the eucharist under only one kind. The shortage of priests also made the Utraquists the victims of what we might call "sacerdotes vagantes," who had been forced to leave Germany or Poland but found refuge in Bohemia; a German proverb, quoted by Luther, observed that anyone who in Germany deserved the gallows or the rack could be a priest among the Czechs. [14]

Taking advantage of this confused situation to advance his own ambitions, Havel [Gallus] Cahera Žatecký, who was pastor in Litoměřice, managed to maneuver Luther into the position of supporting his candidacy for higher office. During the summer of 1523 [15] Cahera was in Wittenberg, where he described the plight of the Utraquist church to Luther and sought his aid and counsel. This Luther provided in De instituendis ministris, which, as we shall note in more detail a little later, contained an endorsement of Cahera as candidate for bishop. Armed with Luther's treatise, Cahera returned to Prague, and on August 24, 1523, he was elected as one of the four administrators of the Utraquist consistory and assigned to the Týn church. His subsequent career need not detain us here, except to note that he eventually betrayed Luther's confidence by surrendering the Utraquist cause. "Hardly ever was Luther as disappointed in his hopes" as he was in Cahera [16].

In the aftermath of that disappointment Luther charged that "quaecunque sunt admonitiones in his libellis [the Czech translation has a singular here] in certis locis exhibitae, de manibus eius [sc. Cahera's] habui," although he added that "libelli hi a me compositi sint." But then he continued: "Et nihil in his libellis meum est, praeter modum, dogma et scripturae discursum, reliqua omnia Galli sunt." [17] This charge not only raises certain difficulties of chronology, as the Weimar editor of De instituendis ministris has noted, but also suggests the need for a literary and stylistic analysis of the treatise, to determine, if possible, which sections contain Luther's "modus, dogma et scripturae discursus" and which sections have incorporated the "admonitiones" originally composed by Cahera. In the absence of such an analysis, the essay does give the impression of a rather tightly knit argument, despite the haste with which, according to Luther's oftrepeated complaint, it had been composed. [18] Perhaps

---

[14] WA 12; 170, 29—30.

[15] As the Weimar editor has observed, WA 12; 161—162, there is a discrepancy in the chronology; on Cahera, cf. Hrejsa, op. cit., pp. 267—279, and my Obedient Rebels, pp. 124—125.

[16] WA 12; 163.

[17] Luther to Burian Sobek von Kornitz, October 27, 1524, WA Br. 3; 364, 10—16.

[18] Referring to the need for a new liturgy, Luther wrote to Nikolaus Hausmann, November 13, 1523, WA Br. 3; 195, 8—9: "Fecissemque id in hoc libello ad Boëmos, nisi ratio temporis me exclusisset."

the most reasonable tentative solution of the literary problem is to conclude that Cahera supplied the description of the Czech situation as well as his own recommendation, which Luther took over into the treatise, but that the "modus, dogma et scripturae discursus" refers to the main body of Luther's argument. (The entire problem is made even more complicated by the circumstance that the letter in which Luther made this charge has not been preserved in its Latin original, but only in a Czech translation, as part of the chronicle of Bartoš, from which it was translated back into Latin.[19])

Obviously it was not merely Cahera's judgment, but also Luther's own, that the method being used by the Utraquists to assure continuity of church order was wrong. It was "cahos illud et Babylonia confusissima,"[20] and Bohemia had become practically a "mendicant."[21] If this was the only way to obtain clergy, it would be far better simply to dispense with an ordered ministry altogether and to allow "quemlibet patremfamilias suae domui legere Euangelion et baptisare," even if this meant that they would have to be without the eucharist for the rest of their lives.[22] Continuity was undermined when "successor contraria antecessori statuat."[23] It is a significant commentary on Luther's understanding of continuity, however, that his denunciation of the Utraquist practice, while it refers to their being forced "ordines emere,"[24] does not discuss the implications of simony for the validity of ordination, as this was set down in canon law and was being discussed in his own time, for example, by Pope Julius II,[25] but concentrates on the disorder this practice caused and on the "violenta conscientia ... ut prorsus nullus queat unquam bona conscientia gloriari, sese per ostium in vestrum ovile intrasse." Opinions might differ about the right way of providing continuity, and the "scrupulosi" might be "infirmiores," i. e., too unsure of themselves to follow the way Luther was recommending;[26] but whatever might be the right way, this was certainly the wrong way.

If necessary, then, the Utraquists could live as did the Jews in exile, who "sola fide tamen verbo dei servata inter hostes vivebant et ad Ierusalem suspirabant."[27] But this was not really necessary, for continuity of order could be provided. They should pray, individually and collectively, for the gift of the Holy Spirit. Then all those "quorum corda deus tetigerit, ut vobiscum idem

---

[19] On the chronicle, cf. J. V. Šimák (ed.), Bartoš Pisař: Pražská kronika (Praha, 1907).

[20] WA 12; 171,3; on "Babylon," cf. also 189,24.

[21] WA 12; 190,34.

[22] WA 12; 171,17—21. See the almost identical words of advice, addressed to a quite different situation nine years later: "... und ehe sein lebelang des Sacraments emperen, ehe ers von jhm empfahen solt, ja auch ehe drüber sterben und alles leiden," Sendschreiben an die zu Frankfurt a. M., WA 30,3; 561.

[23] WA 12; 171,7.

[24] WA 12; 170,23; cf. also 171,6: "parochias emant."

[25] See Ludwig Pastor, History of the Popes, ed. F. I. Antrobus, VI (2nd ed.; Saint Louis, 1902), 440, and the bibliography cited there.

[26] WA 12; 172,10; also 194,21.   [27] WA 12; 172,1—2.

sentiant et sapiant" should meet and elect "quem et quos volueritis."[28] Through the laying on of hands by those who were "potiores inter vos," presumably (though not unquestionably) referring to the political leaders of the Utraquist estates, "confirmetis et commendetis eos populo et Ecclesiae seu universitati, sintquo hoc ipso vestri Episcopi, ministri seu pastores, Amen." Eventually, Luther hoped, this procedure could lead to a restoration of true continuity of order, "ad legitimum rursus et Euangelicum archiepiscopatum," as those who had been elected through this "free and apostolic rite" in turn elected one or more others as their "maiores . . . id est, qui illis ministrent et visitent illos."[29] And so continuity of order could be assured without recourse either to the morally questionable expedient of sending candidates elsewhere or to the expedient of accepting morally questionable priests simply because they happened to be episcopally ordained.

At the same time, Luther acknowledged—and Cahera apparently expected him to acknowledge—that some of the Utraquists might be reluctant to adopt such a radical form of polity and might prefer an order whose continuity with established succession could be more easily legitimized. If so, they did have among their number "iam ordinatos ab Episcopis papisticis" whom they could appoint to positions of authority. There was, for example, Cahera himself, "Gallus ille vester et sui similes."[30] Such priests, possessing valid papal orders, could call, elect, and ordain others and thus provide a continuity of ministerial order. If theories of polity are to be classified, one might say that Luther had been urging a congregational polity as a substitute for an episcopal polity, but was willing to agree to a presbyterian polity if congregationalism seemed too extreme a solution for the problem of continuity. But he went along with this substitute only for the time being, "donec adolescatis et plene intelligatis, quae sit potentia verbi dei." It was, then, as a temporary accommodation to their scrupulosity, not as a permanent concession to some theory of continuity, that Luther proposed the elevation of Cahera and other clergy to episcopal or quasi-episcopal status. "Nam sine peccato vel impietate, deinde sine periculo perdendarum animarum papisticos ordines et ordinatos suscipere non potestis."

Underlying these concrete recommendations were both a rejection of the theory of continuity through an ordained priesthood and a positive understanding of the nature of continuity and of its guarantees. "Respondeo, Ecclesiam non moribus sed verbo cognosci,"[31] and the effort to base the continuity of the church on priestly ordination was a substitution of "mores" for "verbum." This is what made "Ordinationes (ut vocant) papales . . . [an] execra-

---

[28] WA 12; 193,22—35.

[29] WA 12; 193,39—194,22; the translation of Speratus renders "potiores" with "die Vornehmsten." It is well known that some of the Kirchenordnungen refer to princes as "praecipua membra ecclesiae."

[30] WA 12; 194,23—24; it seems that Cahera was still in Wittenberg while this was being written and that he took the treatise with him when he returned to Bohemia.

[31] WA 12; 194,34, referring to 1 Corinthians 14: 24—25.

mentum ordinis,"[32] and vitiated the claim of continuity. The Hussites had more reason to know this than anyone else. In the bitter struggle against them the papacy had proved itself ready to see "vos et nos semel perditos, ne scintilla esset reliqua, quae pro Christo paululum micaret,"[33] that is, to destroy both the church and its continuity for the sake of proving that its principle of continuity was the correct one. This readiness to destroy continuity came in the face of the boast that it was the one holy catholic and apostolic church, apart from which there was no salvation. It gave Luther and his supporters the right "simulatricem et simulatam Ecclesiam Romanam cum fiducia iudicare," just as Paul had judged Peter.[34] In opposition to that boast Luther insisted that "papisticum sacerdotium esse merum mendacium extra Ecclesiam dei repertum et mera impudentia in Ecclesiam subintroductum."[35] The very institution on which the theory of sacerdotal continuity rested had its origin outside the church and had been foisted on the church. And so, contrary to the charge that the Reformers had broken the continuity of the church, it was their opponents who "sese a nobis segregaverunt et orbem hebetaverunt."[36]

Because this was the real contrast between the two positions, Luther drew a sharp opposition between his definition of church and ministry and the papal one, even though the latter could claim the support of a majority both past and present. He sounded the theme at the very beginning of *De instituendis ministris:* "Nos puram et germanam divinis literis praescriptam rationem quaerimus, parum soliciti, quid usus, quid patres in hac re vel dederint vel fecerint, cum iam olim satis docuerimus, nos debere, oportere et velle traditionibus humanis, quantumlibet sanctis ac celebribus, non modo non servire, sed plane pro nostro arbitrio et libertate Christiana dominari."[37] And so, repeatedly and consistently, throughout the treatise. One should close one's eyes and open one's ears: close one's eyes to "usus, antiquitas, multitudo," and open one's ears to the word of God.[38] The word of God was a thunderbolt against which it was impossible to prove the theory of priestly continuity in spite of "infiniti Patres, innumera Concilia, aeterna consuetudo et universi

---

[32] Cf. Augustine *De haeresibus* 46, *PL* 42, 36: "hoc non sacramentum sed exsecramentum"; Augustine's *De haeresibus* is cited in the *Enarratio in Genesin, WA* 44; 363.

[33] *WA* 12; 176,22—23; on the Hussite Wars, cf. also *Warnungen D. Martini Luther an seine lieben Deutschen, WA* 30,3; 281; *Schreiben an die böhmischen Landstände, WA* 10,2; 174; and Ernst Schäfer, *Luther als Kirchenhistoriker* (Gütersloh, 1897), p. 459.

[34] *WA* 12; 187,36; 188,29—30. The name of Peter plays a significant role throughour the treatise; cf. 169, 28; 176, 26; 179, 39; 180, 18; 184, 14, 25; 185, 24; 186, 1; 193, 31; 195, 20. See also Karl Holl's essay, "Der Streit zwischen Petrus und Paulus zu Antiochien in seiner Bedeutung für Luthers innere Entwicklung," *Gesammelte Aufsätze,* III, *Der Westen* (Tübingen, 1928), 134—146.

[35] *WA* 12; 186,20—21.

[36] *WA* 12; 185,17; this was, of course, an argument to which Luther recurred throughout his career. A striking parallel, reminiscent even of the outline of the *De instituendis ministris,* is the statement of this argument in 1541, *Wider Hans Worst, WA* 51; 477.

[37] *WA* 12; 169,23—27.   [38] *WA* 12; 178,18—20; cf. lines 31—33.

mundi multitudo."[39] It was useless to argue: "Nos multi sumus et sic sentimus ergo est verum."[40] For, as Luther declared in an aphorism that sounds proverbial, "non minus errat, qui cum multis errat, nec minus ardebit, qui cum multis ardebit."[41] Not even an angel from heaven, much less "antiquus usus, multorum opinio et recepta autoritas,"[42] could substantiate customs that had been introduced by human superstition as assurances of continuity in church order. And in a "ceterum censeo" he attacked those upon whom Scripture made no impression, but who were impressed "tantum longitudine tempore et multorum usu."[43] That was where the issue was joined, between the authority of the word and promise of God and the authority of tradition; and while Luther could argue that this made his position "imo antiquissima"[44] because he was pitting apostolic antiquity against post-apostolic antiquity, he refused in principle to argue the case on the basis of the competing claims to antiquity of tradition or continuity of usage.

For what was at stake was far more fundamental. It was nothing less than the gospel itself and the work of Christ as Lord and Savior. "Talis est illorum furor et abominabilis amentia, ut Christum sit necesse negari et prorsus aboleri, si sua illis steterint sacrificia et officia."[45] Nor can this be dismissed as a rhetorical extravagance or a polemical exaggeration. In one theology, as Luther saw it, the ground of the church and of its continuity was being sought in the "Einmaligkeit" of the sacrifice of Christ, "qui semel et unica sui ipsius oblatione omnium peccata exhausit et in sempiternum consummavit sanctificatos"; in the other theology, the continuity of the church was being sought in the daily sacrifice of the body and blood of Christ "infinitis locis per orbem" by the priests, "quasi hostia illa unica non sit satis, aut quasi non invenerit semel aeternam redemptionem."[46] This made the forgiveness of sins "non aeternam, sed quottidie iterandam." And there the difference lay. Either continuity was to be thought of as "eternal", that is, as eternally grounded in the one, unrepeatable sacrifice of Christ, who, as we shall note later, had promised that he would always be with his church; or continuity was to be thought of as "daily", that is, as passed on by the succession of sacrificing priests and ordaining bishops. No sophistry or compromise could soften that contrast; for "aut enim forti fide ista tentanda via est, vel in totum prorsus desistendum."[47]

As the theory of daily sacrifice was a betrayal of the eternal sacrifice of Christ, so the theory of sacrificing priests was irreconcilable with the priesthood of Christ and with the priesthood of believers. The priesthood of believers had a positive significance for the doctrine of the ministry in *De instituendis ministris*, to which we shall return later. But it was also part of the attack upon

---

[39] *WA* 12; 181,20—22.

[40] *WA* 12; 182,29—30.

[41] *WA* 12; 185,32—33.

[42] *WA* 12; 190,9—10.

[43] *WA* 12; 192,30—31.

[44] *WA* 12; 192,35.

[45] *WA* 12; 175,5—7.

[46] *WA* 12; 175,10—20.

[47] *WA* 12; 196,17—18.

the priestly theory of church and ministry, which occupies the major part of the work; apparently the heading, "sacerdotem non esse quod presbyterum vel ministrum, illum nasci, hinc fieri,"[48] belongs to the original and was not, as were so many such headings in other works of Luther, introduced by a later editor.[49] In a point-by-point examination of the theory of the priest and his powers, Luther refuted the claim that the clergy of the church were priests. It was an unbreakable rock that "in novo testamento sacerdotem externe unctum nullum esse nec esse posse," because a priest "non fit, sed nascitur, non ordinatur, sed creatur."[50] And so the term "priest", properly used, could refer either to Christ as priest or to all Christians as priests, but not to the clergy.[51] Yet Christ had become the chief priest of the New Testament without the benefit of the continuity of ordination upon which the priesthood now depended, "sine rasura, sine unctura, denique sine Charactere illo et sine omni illa Episcopalis ordinationis larva."[52] In brief, the theory of continuity through the ordination of priests by bishops overlooked what had made priests of Christ and the apostles; and what they had lacked, it insisted upon.

Nor was it a solution of this discontinuity when the advocates of priestly continuity argued that "ius clavum esse Ecclesiae, sed usum esse pontificum."[53] This defense against Luther's doctrine of the priesthood of believers had been attempted by some of his opponents as a way of coming to terms with the usage of the New Testament, where "priest" did indeed refer either to Christ or to believers but not to the ministry of the church, and yet of defending the sacerdotal character of that ministry. Luther's rejection of such distinctions as "frivola ... per sese ruentia" is, to say the least, qualified by his own application, in this same treatise, of a similar distinction to the relation between the universal priesthood of believers and the public ministry. For he wanted one or more to exercise that ministry publicly in the name of all, and he supported this on the basis of a general principle whose parallel with the argument of his opponents is certainly more than merely verbal: "Aliud est enim ius publice exequi, aliud ius in necessitate uti: publice exequi non licet, nisi consensu universitatis seu Ecclesiae. In necessitate utatur quicunque voluerit."[54] Certainly one difference between Luther's view here and that of his opponents lay in the prescription of how that "consensus" was to be obtained; but his own admission of a cognate distinction, which was to be accented more

---

[48] *WA* 12; 178,9—10.

[49] The same would seem to be true of the headings "Protestatio" (*WA* 12; 169,18) and "Dehortatio a suscipiendis ordinibus papisticis" (170, 1—2).

[50] *WA* 12; 178,21—27. It will be recalled that some time earlier, probably during 1522, Luther had expounded 1 Peter on this theme; cf. *Epistel S. Petri gepredigt und ausgelegt, WA* 12; 316—318.

[51] *WA* 12; 179,15—16.   [52] *WA* 12; 179,25—34.

[53] *WA* 12; 184,3—4; this argument had been put forth, for example, by Emser, to whom Luther had replied in *Auf das überchristlich usw. Buch Bock Emsers zu Leipzig Antwort, WA* 7; 628,31—35.

[54] *WA* 12; 189,25—27.

sharply in the next two or three years as a result of his conflict with the radicals,[55] belongs to any description of his doctrine of the ministry even in 1523.

In opposition to the theory of the continuity of the church through the ordained priesthood Luther affirmed his own theory, "nostram institutionem, hoc est Christianam,"[56] as he called it at the very beginning of *De instituendis ministris*. His own theological argumentation in support of his theory of continuity must be specified with some care if the distinctness of his position is to be identified. There is, to be sure, some reason to question whether his argumentation in support of his theory of continuity is basically theological or pragmatic, for in some statements he gives the impression that the public ministry is based on a largely utilitarian consideration.[57] It is on the basis of a "communio iuris" that he argued "ut unus, aut quotquot placuerint communitati, eligantur vel acceptentur, qui vice et nomine omnium, qui idem iuris habent, exequantur officia ista publice, ne turpis sit confusio in populo dei, et Babylon quaedam fiat in Ecclesia."[58] And the biblical support for this arrangement was not the institution of the apostolic or ministerial office, but the general imperative of 1 Corinthians 14:40 that everything should be done "decently and in order." This "communio iuris" was apparently cogent enough to function as a general principle, just as the subordination of the eucharist to baptism and the word was evident from the nature of the case, "etiam si deesset scripturae autoritas."[59] Stephen and Philip entered the ministry "proprio motu et generali iure."[60] The impression that Luther's view of continuity and order in *De instituendis ministris* has a decidedly pragmatic or even secular accent is reinforced when he declares that "deponi minister potest ... sicut quivis *alius* civilium rerum inter fratres aequales administrator."[61] Even though some of Luther's critics might argue, in view of his attitude toward civil government, that this parallel ascribed an impressive amount of authority to the ministry, it was still pronouncedly utilitarian in tone.

Juxtaposed with this apparent pragmatism about the organized church was, as it often is, an ecclesiology so "high" as to be almost Donatistic.[62] In the passage just quoted about deposing a minister, Luther continued: "Imo hic minister spiritualis multo est mobilior, quam ullus civilis, quanto intolerabilior

---

[55] Both the analogies and the contrasts become evident, for example, in the introduction to the *Deutsche Messe, WA* 19; 72—75.

[56] *WA* 12; 170,3—4.

[57] Thus Elert speaks of "eine scheinbar rein praktische, fast kann man sagen: utilitarische [Gedankenreihe]" in Luther's language about the institution of the ministry, Werner Elert, *Morphologie des Luthertums*, I (München, 1931), 298.

[58] *WA* 12; 189,21—24.   [59] *WA* 12; 183,14—15.

[60] *WA* 12; 192,12—13; cf. also 192,1 on Apollos.

[61] *WA* 12; 190,25—28; italics, of course, are mine.

[62] As Luther had shrewdly observed in 1521, drawing a parallel between Donatist utopianism and ecclesiastical power politics, "was Jhene ketzer [the Donatists] der menschlichen heylickeytt gaben. das gibt der Bapst meschlicher gewallt vund hohe," *Grund und Ursach aller Artikel, WA* 7; 364,25—26.

est, si infidelis fuerit, quam civilis." Advising the Utraquists rather to live without the sacraments than to go on being the victims of exploiting priests, he asserted that Christ would "non modo non damnaturus, sed plane coronaturus hanc piam et Christianam abstinentiam ab omnibus sacramentis aliis [except baptism], per impios et sacrilegos ministrandis." [63] Repeatedly throughout the treatise the qualification stressed by the pastoral epistles, that the minister be "idoneus," [64] is used to warn against the ministry of impious men. On the other hand, there does not seem to be anywhere in the treatise [65] an explicit statement of the anti-Donatist principle upon which Luther insisted elsewhere, even and especially in his dealings with the Hussites, that the means of grace were objectively valid even when administered by—or, for that matter, when administered to— the unworthy. There is instead the flat declaration that the sacrifices of the church cannot be offered "nisi ab eo, qui spiritualis est, id est a Christiano, qui spiritum Christi habet." [66] This is combined with an attack upon the theory of "opere operati, non operantis," in which no effort is made to distinguish between the various possible meanings of that theory. [67] One might conclude, then, that the continuity of the church was provided by its character as a spiritual church made up of pure believers, in which the ministry was a mere matter of convenience.

But such a conclusion would be a vast oversimplification, and it would ignore the primacy of what might be called "the vertical dimension of continuity" in Luther's picture of the church. If the Utraquists were afraid that they were not the church of God, they should be assured that whatever they did as believers "plane Christum fecisse certum est," [68] even though they may not be shining examples of pure sainthood. The theory of continuity through the priesthood was to be rejected "non nostra, sed Christi … autoritate," [69] for the eucharistic command and promise had not been intended to institute the ordained priesthood, but had been addressed "omnibus suis [i.e., Christi] praesentibus et futuris." Here, in the command and promise of Christ, lay the assurance of the true continuity of the church. He had promised (Matthew 18:19,20) that where two or three were gathered together in his name, he would be in their midst, granting their requests. "Si igitur trium aut duorum consensus in nomine domini omnia potest, et Christus agnoscit sese esse autorem eius facti, quod tales faciunt, quanto magis illo probante et operante fieri

---

[63] *WA* 12; 171,29—31.

[64] 2 Timothy 2:2, quoted *WA* 12; 191,3—4; see also 172,6, 12; 191,5, 23; 192,5; 193, 38; 194, 25.

[65] It is noteworthy that Matthew 23:2, which is cited in the Augsburg Confession viii. 2 against Donatism, appears here (*WA* 12; 188,10—12) as a warning "ne falsis doctoribus credamus." There are at least two passages, however, that do have some anti-Donatist overtones: 194, 34—195, 4, and perhaps even more 174, 26—29.

[66] *WA* 12; 186,2—6.

[67] On three possible meanings of the term, cf. A. Michel, "Opus operatum, opus operantis," *Dictionnaire de théologie catholique*, XI—1 (Paris, 1931), 1084—1087.

[68] *WA* 12; 195,7.   [69] *WA* 12; 182,23.

et factum esse credendum est, si in nomine eius congregemur, oremus et eligamus Episcopos et ministros verbi ex nobis ipsis."[70] The alternatives were simple and clear, as Luther formulated them in a disjunctive syllogism: Either the church was to be allowed to perish for lack of the word of God—or a way had to be found to elect and install true ministers of the word.[71] For the continuity of the church was in that word and promise, and "palam est, eam sine verbo esse non posse, aut si sine verbo sit, Ecclesiam esse desinere," regardless of the presence or absence of a "legitimately" ordained priesthood.

As the foundation for the church and its continuity, the promise of Christ was not to be tampered with or distorted. "Non enim nobis licet verbis dei ubique eisdem positis alium et alium sensum aliis et aliis locis affingere," as Luther formulated the hermeneutical axiom.[72] It meant that the command to loose and bind sins and the promise that they would be loosed and bound in heaven as well (Matthew 18:18) was addressed to the entire church and to all Christians, not merely to the ordained priests.[73] Those who had been called out of darkness into light were a royal priesthood, according to 1 Peter 2:9. "Qui sunt illi vocati de tenebris in admirabile lumen? an solae rasae et unctae larvae? Nonne omnes Christiani?"[74] The theory of continuity through an ordained priesthood arrogated to this priesthood the rights and privileges that belonged to all Christians. The continuity did come through the priesthood, but through the priesthood of all believers. Those who were chosen and designated as ministers "iam sine electione eiusmodi per baptismum nati et vocati sumus ad eiusmodi ministerium."[75]

Not the sacrifices of the priesthood, but the proclamation of the word of God assured continuity; not ordination, but baptism was the sacrament of continuity. The head of the household could maintain the church in his family, "legere Euangelion et baptisare ... etiam si tota vita vel non audeant vel non possint Eucharistiam sumere."[76] There was clearly a stratification of the sacraments: baptism was "incomparabiliter maius"[77] because of the word; "Eucharistia ... non est sub periculum salutis necessaria";[78] and "ordinatio autoritate scripturarum, deinde exemplo et decretis Apostolorum ... sit instituta,"[79] but not by the same explicit command as either baptism or the eucharist. That stratification was part of a more complete stratification of means of grace, which was also at work in the continuity of the church, as Luther summarized in the most systematic statement of continuity in the treatise, a comment on the story of the Ethiopian eunuch. "Absque dubio multos docuit verbum dei, cum praeceptum habuerit annunciare virtutes eius, qui eium vocavit de tenebris in lumen suum admirabile. Ad verbum eius secuta est

---

[70] *WA* 12; 191, 28—36.
[71] *WA* 12; 191, 17—27.
[72] *WA* 12; 184, 19—20.
[73] *WA* 12; 184, 11—12.
[74] *WA* 12; 180, 20—22.
[75] *WA* 12; 191, 36—37.
[76] *WA* 12; 171, 17—21.
[77] *WA* 12; 181, 28—29.
[78] *WA* 12; 171, 21.
[79] *WA* 12; 173, 1—2.

multorum fides, cum verbum dei non revertatur vacuum. Ad fidem autem secuta est Ecclesia, Ecclesia deinde baptisandi, docendi et omnia supradicta officia per verbum habuit et implevit."[80] Therefore the Utraquists were to have no qualms about the supposed novelty of this method of selecting and installing ministers. For one thing, as we have noted, it was the rejection of "recens pestilentiae exemplum" and the restoration of "priscum salutis exemplum."[81] But even if it were an utter novelty, "tamen cum verbum dei hic luceat et iubeat, simul necessitas animarum cogit, prorsus nihil movere rei novitas, sed verbi maiestas." And in an admission that takes on special meaning in the light of subsequent developments, Luther acknowledged: "Nec me tam movet eius novitas quam magnitudo."[82]

De instituendis ministris ecclesiae was not Luther's final position on continuity and order; nor, for that matter, was it a statement of his entire position, even in 1523.[83] The treatise has had an interesting history since that time. It has been invoked repeatedly to prove that the intent of Luther's Reformation was an independentist view of church and ministry,[84] and in America it was reprinted to support the claim of an émigré community that it had a legitimate ministry.[85] As we have noted, Luther lived to regret his involvement in the ambitions of Cahera and his composition of the treatise. It is, of course, ironic that Luther's most "Protestant" definition of continuity and order should have indirectly contributed to a defeat for the Protestant cause. But that irony does not obscure the importance of *De instituendis* as one of Luther's most detailed efforts to come to terms with one of the most persistent issues in both the life and the teaching of the church.

---

[80] *WA* 12; 192,17—21.

[81] *WA* 12; 192,37—38.

[82] *WA* 12; 193,1—3; 23—24.

[83] As I have noted earlier, *Daß eine christliche Versammlung* etc. stands close to the *De instituendis ministris*, but would bear careful exegesis to note some of the contrasts; on *De instituendis ministris* in another context, cf. Wilhelm Maurer, *Pfarrerrecht und Bekenntnis* (Berlin, 1957), pp. 117—119.

[84] See, for example, Siegfried Hebart, *Wilhelm Löhes Lehre von der Kirche, ihrem Amt und Regiment* (Neuendettelsau, 1939), pp. 226—235.

[85] *Brief Dr. Martin Luthers von der Einsetzung der Kirchendiener an den Rath zu Prag in Boehmen vom Jahr 1523, aus dem Lateinischen uebersetzt vom Paulus Speratus als ein Wort zu seiner Zeit zur Rettung der theuren Lehre von dem geistlichen Priesterthum aller glaeubigen Christen* (Saint Louis, 1850).

Bibliography

Bardy, Gustave. "Aux origines de l'école d'Alexandrie," *Recherches de Science religieuse*, 28 (1937), 65 ff.

—. "Introduction," *Eusèbe de Césarée: Histoire ecclesiastique*, "Sources chrétiennes," 73 (Paris, 1960).

—. "Pour l'histoire de l'école d'Alexandrie," *Vivre et penser* (2nd series; Paris, 1942), pp. 80—109.

Brunotte, Wilhelm. *Das geistliche Amt bei Luther*. Berlin, 1959, pp. 76—95.

Dieckhoff, A. W. *Luthers Lehre von der kirchlichen Gewalt*. Berlin, 1865, pp. 90—106.

Elert, Werner. *Morphologie des Luthertums*. Munich, 1931—2.

Fagerberg, Holsten. *Bekenntnis, Kirche und Amt in der deutschen konfessionellen Theologie des 19. Jahrhunderts*. Uppsala, 1952.

Fraenkel, Peter. *Testimonia Patrum*. Geneva, 1961.

Goppelt, Leonhard. "Das kirchliche Amt nach den lutherischen Bekenntnisschriften und nach dem Neuen Testament," *Zur Auferbauung des Leibes Christi: Festgabe für Peter Brunner*. Kassel, 1965, pp. 97—115.

Hebart, Siegfried. *Wilhelm Löhes Lehre von der Kirche, ihrem Amt und Regiment*. Neuendettelsau, 1939.

Holl, Karl. *Gesammelte Aufsätze zur Kirchengeschichte*. I, Luther. Tübingen, 1948. III. *Der Westen*. Tübingen, 1928.

Hrejsa, Ferdinand. *Dějiny křestanství v Československu*, IV, *Před světovou reformaci a za reformace*. Prague, 1948.

Jensen, Wilhelm. "Johannes Bugenhagen und die lutherischen Kirchenordnungen von Braunschweig bis Norwegen," *Luther*, 29 (1958), 60—72.

Lieberg, H. *Amt und Ordination bei Luther und Melanchthon*. Göttingen, 1962.

Massner, Joachim. *Kirchliche Überlieferung und Autorität im Flaciuskreis*. Berlin, 1964.

Maurer, Wilhelm. *Pfarrerrecht und Bekenntnis*. Berlin, 1957.

Michel, A. "Opus operatum, opus operantis," *Dictionnaire de théologie catholique*, XI—1 (Paris, 1931), 1084—1087.

Münter, Wilhelm Otto. *Begriff und Wirklichkeit des geistlichen Amts*. Munich, 1955.

Niebergall, Alfred. "Die Anfänge der Ordination in Hessen," *Reformatio und Confessio: Festschrift für D. Wilhelm Maurer*. Berlin, 1965, pp. 140—160.

Oberman, Heiko Augustinus. *Forerunners of the Reformation*. New York, 1966.

Pastor, Ludwig. *History of the Popes*, ed. F. I. Antrobus, VI (2nd ed.). Saint Louis, 1902.

Pelikan, Jaroslav. *Obedient Rebels*. New York, 1964.

Rengstorf, Karl Heinrich. "Wesen und Bedeutung des geistlichen Amtes nach dem neuen Testament und in der Lehre des Luthertums," *Welt-Luthertum von heute: Anders Nygren gewidmet*. Stockholm, 1950, pp. 243—268.

Rietschel, G. *Luther und die Ordination*. 2nd ed. Wittenberg, 1889.

Schäfer, Ernst. *Luther als Kirchenhistoriker*. Gütersloh, 1897.

Schulz, Kurd. "Bugenhagen als Schöpfer der Kirchenordnung," *Johann Bugenhagen*, ed. Werner Rautenberg. Berlin, 1958.

Šimák, J. *Bartoš Pisař: Pražská kronika*. Prague, 1907.

Tuchel, K. "Luthers Auffassung vom geistlichen Amt," *Luther-Jahrbuch* (1958), pp. 61 ff.

155

DAS PROBLEM DES NATÜRLICHEN BEI LUTHER

Hauptreferat von GUSTAF WINGREN

Luther spricht oft vom Leben im Beruf, in der Ehe und in der alltäglichen Welt und betrachtet dieses Leben als von Gott befohlen. Heute ist dagegen das weltliche Leben ein Problem. Wenn ich nun „Das Problem des Natürlichen bei Luther" zu behandeln habe, suche ich nicht nach solchen Stellen in der WA, an denen Luther die Wörter „Natur" und „natürlich" gebraucht. Bisweilen werde ich zwar auch Texte dieser Art anführen. Aber im allgemeinen stelle ich die Frage so: In welcher Weise wird bei Luther die Linie von Gott zu dem natürlichen und alltäglichen Leben gezogen? Stellt man die Frage so, dann sieht man bald, daß „das Problem des Natürlichen" gerade *unser* Problem ist. Luther ist da relativ problemlos, wo wir Probleme finden.

Gott ist wirksam im alltäglichen Leben. Dabei ist das Werk der Schöpfung in der Natur — also die Ernte auf dem Felde, die Wolle auf den Schafen, das Silber in den Bergen — und das Werk der Schöpfung durch die menschliche Arbeit ein zusammenhängendes göttliches Werk[1]. Nur durch unsere Arbeit wird die Ernte zu Brot, wird die Wolle zum Kleid usw. Der Schöpfer ist ebenso selbständig, wenn er durch unsere Arbeit schafft, wie wenn er sozusagen direkt in der Natur schafft (denn auch diese Natur kann ja durch uns Menschen zerstört werden, wir sind überall potentielle Hindernisse für das Werk der Schöpfung). Zerstören wir, hindern wir durch geiziges Behalten, in Selbstliebe und Neid, so geht Gott trotzdem weiter vorwärts, immer gebend, immer ausstreuend. Will der Mensch zerstören, dann gibt es immer etwas zu zerstören. Denn Gott schafft. Das Leben ruht nie.

Die Natur rings um uns bedeutet also ein *Geben* Gottes, ein Weitergeben den Sündern zuliebe. Die Sonne und der Regen schenken ihre Gaben, ohne zu fragen, ob die Meschen, die diese Gaben empfangen, gut und gerecht sind. Schon in der Bergpredigt sind ja Sonne und Regen von Jesus als Vorbilder für das Handeln der Menschen aufgestellt worden[2]. Luther kehrt gern zu diesen hohen exempla ad imitandum zurück, und er weitet die Liste der natürlichen Vorbilder aus: Blumen, Beeren, Bäume und singende Vögel — sie alle teilen aus[3]. Ihre Liebe ist eine „verlorene Liebe", wie die Liebe der Christen es auch

---

[1] Siehe WA 17, 1; 418, 1—3 (Pred. 1525; Rörer); WA 44; 6, 24 (Genesiskomm. 1535—1545).
[2] Mt. 5, 44—48. Vgl. WA 56; 80, 3—81, 4 (Römerbriefkomm. 1515—1516).
[3] WA 32; 404, 7—10 (Ausleg. der Bergpredigt 1530—1532).

sein soll. Schon in der Natur ist das *Geben* Gottes eine verhüllte Gestalt des Evangeliums. „Gott hat Vergebung der Sünden in alle seine Creatur gesteckt." [4]

Aber dasselbe göttliche Geben in der Schöpfung ist auch eine verhüllte Gestalt des Gesetzes, falls ich geizig, für mich behaltend und neidisch bin. Von diesem Geben des Schöpfers geht ein Gericht und eine Aufforderung aus. Hier sieht man noch einmal, wie Luther die Dinge in der Natur und die Dinge der menschlichen Arbeit, z.B. die Dinge in einer Werkstatt, zusammenhält. Werkzeug, Nadel, Fingerhut, Bierfaß — alles in meiner Umgebung ruft mich an und fordert mich auf: „Lieber, handele mit mir also gegen deinem nehesten, wie du woltest das dein nehester gegen dir handeln solt mit seinem gut." [5] Der Beruf und die äußeren Dinge des Berufes fordern etwas, sie warten auf unser Handeln.

Das eigentliche *Problem* ist also nicht die Natur, sind weder Pflanzen noch Dinge. Das Problem ist der *Mensch*. Es ist zwar nicht die Aufgabe des Menschen, dem natürlichen Leben einen Sinn zu geben. Die außermenschliche Natur hat schon deshalb Sinn, weil Gott sie geschaffen hat und täglich schafft. Aber der Mensch hat die Aufgabe, diese sinnvolle, gut geordnete Natur zu *gebrauchen*. Gerade er ist zum richtigen „usus" beauftragt. Dann aber bedeutet die Sünde des Menschen den „abusus", also den Mißbrauch der geschaffenen Dinge und Lebewesen. Deshalb „seufzt" die Natur, sie wartet auf die Heilung des Menschen (Röm. 8, 20 ff.). Der „unproblematische" Mensch, der dem Nächsten dient und der dafür dankbar ist, daß er leben darf — der also den Schöpfer preist —, dieser Mensch bedeutet, daß die Natur kein Problem mehr hat. „Das Problem des Natürlichen" hat eine einzige Lösung, nämlich die Erlösung des Menschen. Denn nur der Mensch ist gefallen [6]. Die Dinge, die Tiere und die Pflanzen sind reiner als er.

Dieser „unproblematische" Mensch ist selbstverständlich eine eschatologische Größe, er gehört zu der Auferstehung der Toten, wenn die Sünde gerichtet und gestorben ist. Aber so verdorben ist die Natur nicht, daß man nie einen unproblematischen Menschen finden könnte. Noch einmal zeigen Jesu eigene Worte, in welcher Richtung man suchen muß: das *Kind* ist vorbildlich, auch in den Werken. Schlafen, essen, trinken usw., das ist das „Amt" des Kindes — und diese Werke tut das Kind im Schoß seiner Mutter, ohne einen Augenblick an andere Ämter zu denken, ohne etwas anderes zu „erfinden". Mehr noch: das Kind zweifelt nicht [7]. Es ruft und wartet und öffnet seinen Mund für die Nahrung. Das ist beispielhaft und exemplarisch. Richtige, wirkliche Menschen sind bei Luther einfach, gewöhnlich, alltäglich. Sie sondern sich niemals aus, auch

---

[4] Vgl. David Löfgren, Die Theologie der Schöpfung bei Luther (Forschungen zur Kirchen- und Dogmengeschichte 10), Göttingen 1960, S. 43 ff.

[5] WA 32; 495, 29—496, 2 (Ausleg. der Bergpredigt 1530—1532).

[6] Vgl. WA 56; 372, 26—373, 25 (Römerbriefkomm. 1515—1516). Siehe auch Löfgren, a.a.O. S. 98, 121 f. und 141.

[7] Siehe z.B. WA 29; 690, 7 f. (Pred. 1529, Rörer), dazu Ivar Asheim, Glaube und Erziehung bei Luther (Pädagogische Forschungen 17), Heidelberg 1961, S. 242—244.

dann nicht, wenn sie von Gott selbst auserwählt werden. Nach der Ankündigung der Geburt Jesu ist die Jungfrau Maria die Heilige. Sie ist aber gerade darin heilig, daß sie sich *nicht* absondert: „... geht hyn unnd schafft ym hausz wie vorhyn, milckt die kuhe, kocht, weschet schussel, keret, thut wie ein hauszmackt odder hauszmutter thun sol, in geringen vorachten wercken ..."[8] Ebenso die Hirten von Bethlehem: als sie ihren Lobgesang über den Heiland sangen, waren sie auf dem Wege zurück zu ihren Tieren[9].

Die Polemik richtet sich hier, wie sonst so oft bei Luther, gegen das Klosterleben und gegen die Schwärmer. Maria trägt Jesus in ihrem Schoß, sie ist keine Nonne. Man könnte sonst meinen, das grausame Spiel der Katze mit der Maus wäre ein Beispiel von Sünde unter den Tieren, und dazu ein Beispiel, das in der Menschenwelt beinahe nur unter Kindern seine Parallele hat — und unter Völkern, die noch wie Kinder sind. Aber Luther ist viel weniger erschrocken über primitive, tierische Grausamkeiten als über die unnatürliche Erfindung des Klosterlebens. Es ist ja begreiflich, daß ein Mann, nach so vielen Jahren im Kloster, nach Jahren voller Forderungen von höchster Strenge, es als eine geistige Tat von Rang ansehen muß, wenn er wieder in das gewöhnliche Leben zurückkehren kann. Luther liebt und erstrebt gerade das, was Kierkegaard haßt und verachtet, nämlich dies: ganz schlicht das zu sein, was „man" ist. Und weil Kierkegaard die moderne Interpretation von Luther beeinflußt hat, ist diese „Naturseite" bei Luther in der Forschung ein wenig vernachlässigt worden. Man kann diese Seite jedoch nicht länger verschweigen; es ist notwendig, Luthers Lehre von der *Schöpfung* aufs neue zu berücksichtigen. Die Lehre von der Schöpfung und den alltäglichen Werken im Beruf hier auf Erden hängt bei Luther unmittelbar mit dem Zentrum, also mit der Rechtfertigungslehre, zusammen. Luthers Polemik gegen die Rechtfertigung durch Werke kehrt in seiner Polemik gegen die Flucht vor dem Alltag wieder. Gerade in der *Welt* findet man heilige Menschen, wo sie mit äußeren, einfachen, gewöhnlichen Dingen arbeiten[10]. Daß sie durch solche Arbeit vor Gott gerecht werden, daran denken sie nicht. Sie dienen nur ihren Mitmenschen.

Aber der unproblematische Mensch, der zufrieden in seinem Beruf steht „und tut, was vor die Hand kommt" — 1. Sam. 10,7 ist in diesem Zusammenhang Luthers Lieblingsstelle —, dieser Mensch ist eine Ausnahme. Normal ist, paradox gesprochen, nur die Abnormität, die Perversion. Deshalb kann Luther von dem sündigen, gegen den Schöpfer aufrührerischen Menschen sagen, daß *er* „der natürliche Mensch ist", obwohl die Sünde im strengsten Sinne des Wortes

---

[8] Dies ist das klassische Bild von Maria in Luthers Magnificat von 1521. Siehe WA 7; 575,13—22.

[9] Vgl. WA 32; 514,1—20 und 516,23—36 (Ausleg. der Bergpredigt 1530—1532). Siehe auch WA 36; 370,29—31 (Pred. 1532) über „die reine Erde" mit ihren Bäumen und ihrem Gras.

[10] Das schöne Beispiel in De votis monasticis von 1521, Bernhard von Clairvaux und seine *politische* Wirksamkeit, die ihn rettete, spricht deutlicher als viele andere Texte (WA 8; 628, 24—30). Siehe auch WA 8; 363,10—18 (Ausleg. der Perikope von den zehn Aussätzigen, 1521).

gerade *contra naturam* geschieht. Weil dem so ist, ist es auch ganz normal, daß der gute, frei gebende Schöpferwille als *Gesetz*, d. h. als Druck und Zwang auftritt. Es besteht eine enge Verbindung zwischen Schöpfung und Gesetz, also zwischen der spielerischen, quellenden Freude Gottes am Menschen einerseits und dem tötenden und harten Zorn Gottes andererseits. Diese plötzliche Wendung bei Luther ist für uns schwer zu verstehen. Für ihn scheint die Umdrehung vom einem zum anderen selbstverständlich zu sein — so selbstverständlich wie der Wechsel von Tag und Nacht.

Ich nehme als Ausgangspunkt jene Stelle aus einer Predigt von 1524, die auch in meinem Buch „Luthers Lehre vom Beruf" mein Ausgangspunkt war. „Alle Stände sind darauf gerichtet, daß sie anderen dienen sollen. Die Mutter pflegt das Kind. Das hat nicht sie, wohl aber das Kind vonnöten. Der Mann muß aufstehen. An und für sich könnte er weiterschlafen. Aber er muß Weib und Kind etwas zu essen geben — also: aufstehen! Wir kehren alles um." [11] Im letzten Satz treten „wir" auf, aber ohne Liebe. Es ist also nicht unsere Liebe, die sich in den dienenden Werken äußert. Sondern die Ämter in sich selbst (hier das Mutter- und Vateramt), die äußeren Verhältnisse im Beruf, enthalten eine stärkere Liebe, als unser Herz sie besitzt, eine Liebe, die uns zwingt und treibt — „also: aufstehen!" [12] Man kann es nicht aushalten, Menschen hungrig zu sehen, ohne etwas dagegen zu tun. Diese Stelle sagt also nicht nur viel über die Gedanken Luthers aus, sondern auch viel über „Ethik". So ungefähr geht es doch zu, wenn wir handeln! Hat jemand eine Schlußfolgerung aus einem Prinzip gezogen, bevor er handelte? Unser Leben ist, wie jetzt K. E. Løgstrup an verschiedenen Stellen sagt, in sich selbst moralisch und kann nicht erst durch unsere Prinzipien moralisch gemacht werden [13].

Aber unser Leben kann *zerstört* werden. Und die Zerstörung kommt von *uns*. Der Schöpferwille, der ein gebender ist, muß als Druck, Zwang, Bedrohung und als Tod von mir hingenommen werden, wenn ich selbst nur behalten will und dem Geben gegenüber feindlich bin. Wir kommen alsbald auf diese tötende Funktion des Gesetzes zurück. Hier soll nur betont werden, daß das Gesetz in den Ämtern, im Berufsleben, mein eigenes Geben an meinen Nächsten fordert und auch effektiv hervortreibt. Ich diene tatsächlich, willig oder unwillig, ande-

---

[11] „Omnes status huc tendunt, ut aliis serviant. Mater custodit puerum: ipsa non indiget, sed puer. Vir cogitur surgere: posset dormire, sed quia uxorem et pueros nutrire cogitur, ideo surgendum. Nos omnia invertimus" (WA 15; 625,7 ff.). Zur Diskussion mit Karl Holl über diese Stelle siehe G. Wingren, Luthers Lehre vom Beruf (Forschungen zur Geschichte und Lehre des Protestantismus X, 3), München 1952, S. 17 f. und 159. Vgl. Karl Holl, Gesammelte Aufsätze zur Kirchengeschichte I, 6. Aufl., Tübingen 1932, S. 259, Fußnote 1 und 3.

[12] Vgl. auch WA 51; 254,10—12 (Ausleg. des Ps. 101; 1534—1535) und WA 19; 627,4—6 (Ob Kriegsleute 1526), wo die Reinheit des Amtes und die Unreinheit der Personen betont wird.

[13] Zum Beispiel K. E. Løgstrup, På hvilke måder kan man argumentere for et etisk standpunkt? (Wie kann man für einen ethischen Standpunkt argumentieren?), in: Svensk teologisk kvartalskrift 1964, S. 14 f. Løgstrup wünscht bewußt, in der heutigen Lage einen biblisch-lutherischen Standpunkt geltend zu machen und meint, daß eine solche Position der Struktur des wirklichen Lebens konform ist.

ren Menschen in meinem Beruf. Das Subjekt dabei ist *Gott,* der Schöpfer. *Er* gibt, frei und umsonst wie immer, jetzt aber durch Ausübung von Zwang auf mich. Und schon hier soll auch betont werden, daß diese sekundäre Umformung des gebenden Schöpferwillens zum drohenden Gesetz ein Hauptgrund dafür ist, daß ein „dritter Gebrauch des Gesetzes" bei Luther nicht vorkommen kann[14]. Das Gesetz ist da, weil die Störung da ist. Das Gesetz will ein Hindernis töten, um das Ursprüngliche, also Freiheit, wieder herbeizuführen[15]. Ewig ist das Gesetz nicht[16].

Und hier nun auch noch ein letztes im voraus! Man sollte mit dem „dritten Gebrauch des Gesetzes" die Tatsache nicht verwechseln, daß bei Luther Christus als Vorbild, als exemplum für die rechten Werke des Christen gepredigt wird. Das kommt oft vor, ja, das ist sogar der gewöhnliche Aufbau einer Predigt bei Luther: erst Christus als Gabe, dann Christus als exemplum für die Taten der Nächstenliebe (sehr klar von Henrik Ivarson in seiner ausgezeichneten Dissertation über die Predigt bei Luther und im Pietismus nachgewiesen)[17]. Diese Predigt von den Taten der Christen in der Nachfolge Christi ist grundsätzlich nicht eine Predigt des Gesetzes, sie wird von Luther oft „admonitio" oder „Vermahnung"[18] genannt. Sie richtet sich an diejenigen, die durch das Evangelium und den Glauben schon Christus in sich haben, eine Kraft also, die zum Weitergeben drängt und die geleitet werden muß. Wir kommen auf diesen christologischen Punkt noch einmal zurück.

Aber nun müssen wir zunächst die weltliche Seite, die „Naturseite" des Gesetzes näher betrachten, die Frage also: Welche theologische Bedeutung hat die Rede Luthers vom „usus civilis legis" oder „usus politicus legis"? Gerhard Ebeling betont nachdrücklich, daß die Lehre Luthers vom duplex usus legis hauptsächlich im Galaterbriefkommentar der Jahre 1531—1535 zu finden ist, daß die Schematisierung wahrscheinlich von den Schülern und nicht von Luther selbst stammt und daß eigentlich der usus *theologicus* allein den Namen „usus legis" verdient[19]. „Uti und usus ist für Luther die Kategorie des existentiellen Verhältnisses zum Gegenstand", schreibt Ebeling. Der Adressat des Gesetzes wäre also eigentlich das Gewissen — denn „im usus theologicus steigt das Gesetz in das Gewissen auf", so heißt es bei Luther —, und „die Erde" mit dem

---

[14] Vgl. zu diesem Punkt Gerhard Ebeling, Wort und Glaube, Tübingen 1960, S. 50—68.

[15] Siehe auch H. Østergaard-Nielsen, Scriptura sacra et viva vox (Forschungen zur Geschichte und Lehre des Protestantismus X, 10), München 1957, S. 46 f. Der Verf. ist von Løgstrup beeinflußt.

[16] Der Terminus „lex aeterna" kommt bei Luther vor, aber nie im Sinne eines ewig fixierten Prinzipgesetzes, das die Aufgabe hätte, das Äußere und Menschliche für alle Zeiten zu regeln. Siehe hierzu Kjell Ove Nilsson, Simul. Das Miteinander von Göttlichem und Menschlichem in Luthers Theologie (Forschungen zur Kirchen- und Dogmengeschichte 17), Göttingen 1966, S. 44 und 386.

[17] Henrik Ivarsson, Predikans uppgift (= Die Aufgabe der Predigt), Lund 1956, S. 121—133. Leider ist dieses Buch nur in schwedischer Sprache zugänglich.

[18] Luther gebraucht verschiedene Termini; s. Ivarsson 1956, S. 130—132.

[19] Siehe Ebeling, a.a.O. S. 60—62.

Leib und den Ämtern wäre für das Gesetz sozusagen ein verhältnismäßig unwichtiges Gebiet, ein Gebiet zweiten Ranges.

Ohne Zweifel beziehen sich bei Luther die Termini „usus" und „uti" auf die persönliche Aneignung. Diese Termini kommen jedoch, wie Ebeling selbst feststellt, selten bei Luther vor. Wenn sie vorkommen, dann ist der geistliche Gebrauch des Gesetzes — die richtende, anfechtende Funktion im Gewissen — klar und deutlich die „eigentliche" oder die „höchste" Funktion des Gesetzes (der „proprius usus" oder „praecipuus usus" oder „summus usus")[20]. Dort, im Gewissen, *tötet* nämlich das Gesetz, und dieser Tod ist das negative Moment des ewigen Heils für den einzelnen (das positive Moment desselben Heils ist die Auferstehung). Und bei Luther ist die Rettung des Menschen wichtiger als die Ordnung der äußeren Welt. Diese Rettung aber geschieht nicht durch die Werke des Menschen. Wenn wir nun zu den *Werken* kommen, dann haben die Erde und der Leib und die vielen Mitmenschen ihr eigenes Gewicht. Die Erde ist so wichtig, daß Gott arbeitet, um sie zu *schaffen*. Sie soll, wenigstens eine Zeitlang, da sein mit allen Geschöpfen auf ihrer Oberfläche. Dorthin gehören die *Werke* des Menschen. Es ist die Hauptaufgabe des Menschen, in seiner weltlichen Arbeit endlich einmal damit aufzuhören, alles auf *sich* zu beziehen. Wenn Luther sich über die Arbeit im Beruf äußert, dann ist es sein großes Anliegen, die geradezu entgegengesetzte Wahrheit einzuschärfen: saubere und gute Verhältnisse in meiner Umgebung sind wichtiger, als ich selbst es bin; der Bedarf meiner Mitmenschen — und das heißt ganz alltäglich, ganz allgemein ihr Bedarf an Wohnung, an Brot usw. — ist wichtiger als mein eigener[21]. Dieses Interesse für die im groben Sinn äußere Welt ist bei Luther so ausgeprägt, daß er in ausführlichen, umfangreichen Schriften thematisch Probleme dieser Art behandelt: Kauf, Handel und Wucher, Ehesachen, Türkenkriege und dergleichen mehr.

Deshalb sollte man sich in der Lutherforschung nicht auf die Termini „usus civilis legis" oder „usus politicus legis" beschränken, sondern sich vielmehr diesem überaus reichen Schrifttum Luthers zuwenden, um von dort her seine Lehre von der *Welt* zu entwickeln. Denn es gibt bei ihm eine Lehre von der Welt, eine Lehre vom Gang der Geschichte, von der Kunst des Regierens („Billigkeit", „viri heroici"), vom richtigen Gebrauch der Gewalt, vom Geld usw.[22].

---

[20] Die Variation der Adjektive ist reich: „verus", „proprius et absolutus", „verus et optimus", „verus et proprius" oder „praecipuus et summus". Die Stellen im Galaterbrief sind in meiner Arbeit, a.a.O. S. 170, Anm. 159 angegeben.

[21] Schon das Treiben Gottes in der Schöpfung an und für sich führt den Menschen in diese Richtung, weg von sich selbst. Dazu kommt die Vergebung der Sünden im Evangelium: ich bin ja nun schon gerecht, alle meine Kraft wird dadurch für den Nächsten freigemacht. Vgl. WA 8; 363, 10—11 (Von den zehn Aussätzigen 1521).

[22] Vgl. WA 51; 207—208 und 212—213 (Ausleg. des Ps. 101, 1534—1535), weiter WA 42; 503, 37—504, 1 (Genesiskomm. 1535—1545), wo die „viri heroici" beschrieben werden. Dazu kommt z. B. WA 30, 2; 558, 17—25 (Kinder zur Schule halten 1530) oder WA 11; 272, 6—273, 6 (Von weltlicher Oberkeit 1523) neben allen anderen Stellen über die „Billigkeit" (epieikeia), ein besonders beliebtes Thema in Luthers Sozialethik. Auch die Schrift über Kaufshandlung und Wucher 1524 (mit den zwei Sermonen von dem Wucher 1519 und 1520) wäre

Wollte man Themen dieser Art aufnehmen, dann würde die tiefe Kluft, die zwischen Luther und Kierkegaard besteht, uns deutlich vor Augen treten. Diese Kluft wird gerade heute in der Theologie nicht klar genug erkannt.

Wenn dies alles nun gesagt ist, müssen wir jetzt zum „geistlichen Gebrauch des Gesetzes" zurückkehren. Nur durch diese Tür können wir zu der Verbindung zwischen *der Welt und der Inkarnation* kommen. Denn diese Verbindung heißt bei Luther „Tod und Auferstehung" — oder, man könnte es auch so ausdrücken, sie heißt „Taufe". Die ganze Lehre vom Beruf ist gewissermaßen eine Lehre von der Taufe. Dabei behält das Wort „Beruf" erstaunlicherweise die ganz schlichte Bedeutung, die es in der deutschen Sprache hat, nämlich von Gewerbe, Handwerk. Ja, der tiefste christliche Sinn dieses Wortes „Beruf" liegt in der Irreligiosität und Gottlosigkeit des Wortes.

Auf den ersten Blick gesehen scheint es umgekehrt zu sein: da behält der „Beruf" die *religiöse* Bedeutung, die er in 1.Kor. 7, 20 hat. Der Berufene wird zur Gotteskindschaft gerufen. Das ist klar und wird von vielen Forschern betont. Luther aber nimmt den religiösen Terminus Beruf und setzt ihn einer *weltlichen* Beschäftigung auf; und zwar tut er das gerade dann, wenn er sieht, daß das Klosterleben schriftwidrig und verwerflich ist[23]. Viel wichtiger ist jedoch die totale Umdrehung der „Kasteiungen". Das, womit man sich im Kloster plagt, ist ein Spiel ohne Ernst, ist ein „selbstgewähltes Kreuz"[24]. Die echten Kasteiungen widerfahren dem Menschen in seinem weltlichen Beruf, und dabei scheint für Luther folgende Regel zu gelten: je weltlicher, alltäglicher und niedriger ein Beruf erscheint, desto „geistlicher" ist er[25]. Der Schmutz in der Ausübung eines Handwerks, die weinenden Kinder in der Ehe, die die Eltern am Schlaf hindern, der Neid und die Verleumdung in den hohen Ämtern — das und ähnliches mehr ist das echte Kreuz. Lebt man in der Welt, dann wird der Leib vom Kreuz getroffen. Dort, in der Welt, und nur dort, geschieht das, was die Taufe hervortreiben will, nämlich die Tötung des alten und selbstischen Menschen[26]. Ohne Angst und Anfechtung kann diese Tötung nicht zustande kommen.

Dieselben Tauf-Termini werden z.B. im großen Galaterbriefkommentar angewandt, wenn es um den „geistlichen Gebrauch des Gesetzes" geht. Wenn das Gesetz „hinaufsteigt" und im Gewissen regiert und richtet, dann „tötet" das

---

hier zu nennen (WA 15 und WA 6), sowie das Schrifttum Luthers über „Ehesachen". Der zivile Gebrauch des Gesetzes ist hier überall das Hauptthema. Die Kunst besteht darin, das Gesetz für irdische Zwecke richtig zu benutzen.

[23] Darin hat Holl recht, s. Gesammelte Aufsätze III, Tübingen 1928, S.217 f., eine Darstellung, die nicht veraltet ist.

[24] Vgl. WA 27; 466—467 (Pred. 1528; Rörer); WA 34,1; 355 ff. (Pred. 1531; Rörer); WA 43; 214,3—5 (Genesiskomm. 1535—1545), auch WA 29; 403,11—16 (Pred. 1529; Rörer).

[25] Siehe WA 51; 412,23—27 (An die Pfarrherrn wider den Wucher zu predigen 1540), auch WA 32; 511,27—512, 15 (Auslegung der Bergpr. 1530—1532).

[26] Siehe WA 2; 727,30—728,9 und 734,14—33 (Sermon von dem Sakrament der Taufe 1519).

Gesetz, es „kreuzigt", es treibt „Angst" und „Anfechtung" hervor[27]. Der Christ aber ist nicht über die Welt hinausgehoben, wenn diese Tötung stattfindet. Mit seinem Leib befindet er sich im Beruf, mit seinen Händen führt er irdische Werke aus. Es ist also die äußere Welt, die als Werkzeug für die Anfechtung auftritt. Der Lauf der Ereignisse rings um uns ängstigt unser Gewissen. „Denn so fulet sichs auch ym gewissen, das alles unglück, so uns überfellet, sey Gotts zorn und alle creaturn duncken eynen eytel Gott und gotts zorn seyn, wens auch gleich eyn rauschen blad ist."[28] In diese irdische Welt hinein wird das Evangelium gepredigt. Das Gesetz soll nicht im Gewissen *bleiben*, auch wenn er dort töten soll. In Gottes Hand ist der Tod ein Diener, der zum Leben führt. Denn der Sinn der Taufe ist nicht nur Tod, sondern Tod und *Auferstehung*.

Das Gefälle, in dem die „natürliche" Ethik und die Christologie bei Luther zusammengefügt werden können, ist ein anderes Gefälle als z.B. bei Karl Barth heute. Luther denkt nicht daran, daß das natürliche Gesetz das Evangelium und seine Eigenart gefährden könnte oder daß hier überhaupt ein Konkurrenzverhältnis möglich wäre. Auf der Erde wird ja das Gesetz nur Werke hervorbringen, die nicht selig machen können — selbst dann nicht, wenn sie gute Werke sind. Sind sie gut, dann dienen sie dem Leib, das ist alles. Auf der anderen Seite kann das Gesetz im Gewissen nur töten, also nicht heilen. Gesetz, Natur usw. sind nicht der Unterbau, auf dem Gott in Christus weiterbaut. Sondern das Gesetz und die Natur laufen aus in den *Tod*. Je mehr man von Gottes Werk im Gesetz, im weltlichen Regiment, in den Berufen usw. redet und je freier der Spielraum für alle diese „natürlichen" Werkzeuge in Gottes Hand wird, desto *größer* wird die Not und der Durst nach remissio peccatorum. Was aber das Evangelium gibt, wenn es in die Welt des Gesetzes hineingesprochen wird, ist „Leben und Seligkeit", ist die *Auferstehung*, also der Gegensatz zum Tod, der Gegensatz zum Inhalt des sogenannten „Unterbaus". In einem solchen Gefälle von Tod und Auferstehung ist es unmöglich, im Interesse des Evangeliums gegen die Vorstellung vom natürlichen Gesetz zu polemisieren. Bei Luther kommt eine solche Polemik nicht vor; bei Barth bestimmt sie die Struktur des theologischen Gebäudes.

Wichtiger jedoch ist dies: die Verknüpfung von „Natur" und Christus findet an einem überraschenden Punkt statt. Bei Barth ist die Offenbarung in Jesus Christus, und *nur* in ihm, geschehen. Die natürlichen Verhältnisse in der Menschenwelt enthalten Analogien, Gleichnisse, Entsprechungen, Hinweise. Jesus Christus ist die Wirklichkeit, die Welt kann ein Spiegelbild sein. Die Grundfrage ist: wo „weiß"man etwas von Gott, wo ist er „offenbar"? Bei Luther dagegen ist der lebendige Gott *wirksam* in der ganzen Welt, schaffend und hervorbringend durch sein Regieren im Gesetz, durch Zwang: weil die Welt krank

---

[27] Vgl. Nilsson a.a.O., S. 392 f., 410 f., dazu meine Arbeit a.a.O., S. 50 f.
[28] Diese berühmte Stelle aus der Auslegung des Buches Jona von 1526 ist für das Lebensgefühl Luthers charakteristisch. Siehe WA 19; 226, 11—15.

ist; durch Gericht: weil Widerstand da ist. In dieser Welt des Gesetzes gibt es *einen*, der hingerichtet und gerecht ist und so *das Gesetz überwindet*, der stirbt und auferssteht und so *den Tod überwindet*. Von ihm strömt die Gerechtigkeit in der Predigt des Evangeliums denjenigen zu, die noch unter dem Gesetz und Sklaven des Todes sind. Es ist nicht so, daß das Natürliche mit der Christologie komplettiert oder ersetzt werden müßte, sondern Christus bewegt sich im Gegenteil auf das Natürliche hin und verbirgt sich dort. Mit ihm leben wir, gerade wenn wir weltlich arbeiten, mit ihm leiden wir in der grauen Alltäglichkeit; ja, das Gericht und die Angst im Gewissen ist die Gegenwart seines Todes und deshalb Seligkeit; Hölle ist Himmel — alles das „sub contraria specie". Diese Beziehung von Christologie und Ethik ist in dem Anfang dieses Jahres erschienenen Buch „Simul" von Kjell Ove Nilsson klar herausgestellt worden. Christologie, Schöpfungslehre und Ethik fließen hier zusammen[29].

Denkt man sich Gott und Mensch als zwei Felder, dann befindet sich etwas entweder auf dem Feld „Gott" oder auf dem Feld „Mensch", es kann nicht zugleich an zwei Stellen sein. Stellt man sich statt dessen zwei Wellenbewegungen vor, dann ist der Gegenpol von „Gott" nicht „Mensch", sondern — wie Luther sagt — „Teufel", also die Macht, die nicht (wie Gott) schafft oder ausgibt, sondern für sich selber behält und dadurch zerstört[30]. Durch das Feld „Mensch" fließt entweder die Welle „Gott" oder die Welle „Teufel". Gott bedeutet, als Welle, die durch das menschliche Feld fließt, die Reinheit des Menschen. Nur so ist der Mensch „richtig" und hat — getragen von dieser Welle — königliche Freiheit. Hier können „Gott" und „Mensch" nicht auf zwei Felder verteilt werden. Wenn „Gott" im Menschlichen gegenwärtig ist, erst dann ist eigentlich der „Mensch" gegenwärtig. So rein ist die menschliche Natur in Christus, in der Inkarnation. Die Funktion, die Christus in den glaubenden Menschen — durch das Evangelium, durch die Taufe und durch das Abendmahl — ausübt, besteht nicht darin, daß er dem Menschlichen etwas Göttliches, Geistliches oder Christliches hinzufügt. Seine heilende Funktion besteht ganz schlicht darin, daß er das Menschliche menschlich macht. Denn die Sünde — also die Welle „Teufel" — bedeutet Zerstörung des Menschen, Verdrehung und Tod des Menschen. Das ist der Grund für die überraschende Terminologie Luthers, wenn er von dem „Natürlichen" und dem „Christlichen" in den Werken redet. Es bereitet ihm keine Schwierigkeiten, diese Termini durcheinander zu mischen oder sie zu identifizieren. Liebe und Dienst in Christus auf der Erde kommen dort vor, wo man natürlich zusammenlebt, so daß Hand, Mund, Auge, Fuß,

---

[29] Wenn Löfgren von der „Theologie der Schöpfung" redet und wenn Nilsson den Terminus „inkarnatorische Ethik" einführt, sprechen sie beide oft von denselben Realitäten und bisweilen sogar von denselben Texten bei Luther.

[30] Von der Komplikation, die darin besteht, daß die Welle „Teufel" auch der Welle „Gott" letzten Endes *dient*, sehen wir hier einstweilen ab. Die tötende und anfechtende Funktion kann ja bei Luther sowohl als göttlich wie auch als diabolisch betrachtet werden. Grundsäzlich ist der Teufel im Kreuz und in der Auferstehung Christi besiegt. Wer in Christus ist, kann nicht zerstört werden.

Herz und Sinn des einen Menschen auch seinem Nächsten gehören — *„das heyssen recht Christlich, naturlich gutte werck"* [31]. Die Formulierung im großen Galaterbriefkommentar 1531—1535, wo es heißt, daß der Glaube „inkarniert" wird, daß er also in den Werken der Liebe „Mensch" wird, daß er durch die Werke „ausgegossen" wird, „so wie in Christus die göttliche Natur durch die menschliche Natur ausgegossen ist", solche Formulierungen stimmen mit der Gesamtschau Luthers ganz und gar überein [32]. Und ebenso stimmen alle diese Aussagen mit der Auslegung des „Magnificat" von 1521 überein, wo Luther ja die einfache, schlichte Alltäglichkeit der Liebe preist: sie wandert wie Maria „in geringen und verachteten Werken", sie „geht hin und schafft im Haus wie vorhin, melkt die Kühe, kocht, wäscht die Schüsseln . . ." [33] So sieht ein *heiliger* Mensch aus, man kann ihn nicht von anderen Menschen unterscheiden. Hand, Mund, Auge, Fuß des heiligen Menschen sind Hand, Mund, Auge, Fuß der Umgebung und stehen ihr zur Verfügung.

Das menschliche Handeln ist also geschichtlich, verflochten mit den Ereignissen und Bedürfnissen in der Umgebung des Menschen. Aus Prinzipien können die richtigen Handlungen nicht abgeleitet werden. Luther stand in einer philosophischen Tradition, die ihm keine brauchbaren Begriffe für eine geschichtliche Ethik anbieten konnte. Er nahm — naiv und genial — Wörter aus der Bibel, wie z.B. „Stundelein", „hora" und ähnliche Vokabeln, und versuchte sie so auszudeuten, daß er dadurch der Geschichtlichkeit Raum geben konnte [34]. Wichtig aber ist, daß bei Luther diese Geschichtlichkeit des menschlichen Handelns nie *gegen* die schöpferische Tat Gottes ausgespielt wird. Im Gegenteil — Gott schafft gerade durch diesen Wechsel das Neue. Immer entsteht das Unerwartete, stets wird das Vorhandene durchbrochen, alles aber stimmt überein mit der allgemeinen Definition des Schaffens: „creare est semper novum facere" [35].

Der Mensch ist also Werkzeug, „larva", aber brauchbar als Werkzeug ist er gerade dann, wenn er „heruntersteigt", d.h. in schlichten Werken dienend zu dem geht, „das nichts, gering, voracht, elend, tod ist" [36]. In solchen Werken folgt er dem „exemplum Christi", denn Christus entäußerte sich, nahm Knechts-

---

[31] Siehe WA 10, 1, 2; 41, 5—12 (Adventspostille 1522).

[32] Siehe WA 40, 1; 417, 15—17 und 427, 11—14. „Communicatio idiomatum" ist eine Lehre, die nicht nur für die Christologie, sondern auch für die Ethik von Bedeutung ist. Vgl. mein Buch „Die Predigt", 2. Aufl., Göttingen 1959, S. 261—277.

[33] Siehe noch einmal WA 7; 575, 13—22.

[34] Was „hora" oder „Stundelein" betrifft, siehe WA 20; 58—61 (Annotationes in Ecclesiasten 1532) und WA 33; 404—407 (Wochenpredigten über Joh. 6—8, 1530—1532). Es ist hier nicht möglich, dieses Material ausführlich zu behandeln. „Billigkeit" und „Wunderleute" sind andere Begriffe mit denselben Funktionen wie „Stundelein". Vgl. wieder WA 51; 207, 25—28 und 212, 24 ff., sowie 255, 37—256, 5 (Ausleg. des Ps. 101, 1534—1535), dazu WA 11; 272, 6—24 und 279, 24—34 (Von welt. Oberkeit 1523), wo „liebe" und „natürlich recht" ganz unproblematisch zusammengestellt werden.

[35] WA 1; 563, 8 (Resolutiones disputationum de indulgentiarum virtute 1518).

[36] Dies ist ein Hauptthema im „Magnificat" von 1521.

gestalt an, starb. Das Kreuz Christi ist das „Nichts", aus dem Gott in der Auferstehung Neues schafft, und niemand kann ohne Kreuz ihm nachgehen[37]. Auch der Mensch wird an das „Nichts" geführt, wenn er in der Nachfolge lebt, und in dieser *Tiefe* kann er Werkzeug des Schaffens sein. Der „schöpferische" Mensch ist der angefochtene Mensch. Die beiden Begriffe „Schöpfung aus dem Nichts" und „Tod und Auferstehung" decken gewissermaßen denselben Inhalt. Beide beziehen sich auf die Schöpfung, auf die Inkarnation, auf die Werke des Menschen in der alltäglichen Arbeit. In seiner Stärke und Vitalität ist der Mensch weiter von der Auferstehung entfernt als in seiner Schwäche — in der äußersten Schwäche, im Tode, ist er der Auferstehung ganz nahe.

Deshalb flieht der Mensch vor der einzigen Möglichkeit der Erneuerung, wenn er vor der Geringheit flieht und die Verachtung fürchtet. Er flieht vor dem Punkt, an dem das Leben hervorbricht und wo der Nächste auf ihn wartet[38]. Dort, wo die Not ist, dort ist Gott — und dort sollten auch die Nachfolger Christi sein. „Das erfaren wir teglich, wie yderman nur uber sich zur ehre, zur gewalt, zum reichtumb, zur kunst, zu gutem leben, und allem, was grosz und hoch ist, sich bemuhet. Und wo solche leute sein, den hangt yderman an, da leuffet man zu, da dienet man gern, da wil iderman seinn und der hohe teilhafftig werden ... Widderumb ynn die tieffe wil niemant sehen, wo armut, schmach, not, jamer und angst ist, da wendet yderman die augen von. Und wo solch leut sein, da leuffet yderman von, da fleugt, da schewet, da leszt man sie, und denckt niemant yhnen zu helffen, bey stehn und machen das sie auch etwas sein ... Es ist hie kein *schepffer* unter den menschen, der *ausz dem nicht* wolle etwas machen, wie doch sanct Paulus Ro. XII leret unnd spricht: ,lieben bruder achtet nit die hohen dinge, szondernn fugt euch zu den nidrigen.' "[39] Die Mahnung am Ende des Textes (Röm. 12,16) bedeutet: „Gehe dorthin, wo Christus ist, in die Tiefe des Kreuzes hinab!" Das wiederum bedeutet: „Sei Schöpfer! Mach etwas aus dem Nichts!"[40] Und diese Mahnung, die höher zu fliegen scheint, als es die Kräfte des Menschen gestatten, läuft aus in die unglaubliche Trivialität des Marienbildes im „Magnificat", in Melken, Kochen und Waschen, in die Werke des Berufs und des Alltags[41].

---

[37] Vgl. WA 7; 547—548 (Magnificat). Christologie und Schöpfungslehre sind hier vereint, aber die Brücke heißt *Tod und Auferstehung*.

[38] Siehe den großen Zusammenhang in WA 7; 546—549. Christologie, Schöpfungslehre und Ethik sind nun vereint — und wieder heißt die Brücke *Tod und Auferstehung*. Die Predigt von Christus als „Vorbild" oder „exemplum" hat hier ihren Ort. Sie führt nicht aus der Lehre vom Beruf heraus, sondern zeigt umgekehrt in die Mitte der Berufslehre hinein.

[39] WA 7; 547,19—32.

[40] Diese kühne Formulierung kommt bei Luther vor, sogar in indikativischer Form: „Sic Christianus per fidem fit creator"; vgl. den Zusammenhang WA 27; 399,4—400,10 (Pred. 1528; Rörer). Daß der Christ seinem Nächsten „ein Christus" sein soll, ist übrigens eine ebenso kühne Formulierung.

[41] Vgl. WA 34,2; 313,6—14 (Pred. 1531; Rörer). Man soll „die Verachtung" nicht spiritualisieren oder religiös machen. Gemeint ist das philiströse Naserümpfen über schmutzige Arbeit. Das sah im 16. Jh. nicht viel anders aus als heute.

Die guten Werke sind also verborgen — bis zum Jüngsten Gericht. Melken, Kochen und Waschen haben viele, haben auch Heiden getan. Stellt man die Frage nach der besonderen *Qualität* der christlichen Werke im Unterschied zu anderen, gewöhnlichen Werken, dann versucht man die Verborgenheit aufzuheben. Heutzutage denkt man gern an abstrakte Qualitäten, die für Gruppen oder Arten von Handlungen kennzeichnend sein könnten: dies ist „sozial", dies ist „christlich", dies vielleicht „privat" usw. Solches Denken ist für Luther unmöglich. Er hat freilich für seine negative Reaktion dagegen keine philosophischen Begriffe zur Hand. Er sagt nur, daß die Werke der Liebe „keinen Namen haben". Wer Aktivitäten erfindet, der hat auch „Namen" für alles, was er tut. Wer aber liebt, der weiß nicht mehr, wie seine Werke heißen. Sie sind *hingegeben*, sie gehören dem Nächsten, nicht mir[42]. Würde ich nach ihrer besonderen Qualität — einer Qualität durch die Gesinnung des Subjektes, also durch meinen habitus — fragen, dann würde das eine Frage nach der Gerechtigkeit durch Werke sein. Gerecht vor Gott aber *bin* ich, durch den Glauben. Durch die Werke sind Hand, Mund, Auge und Fuß meines Leibes Hand, Mund, Auge und Fuß meines Nächsten — das zu wissen, ist genug.

Diese Liebe kann nur in *Freiheit* leben. Luther nimmt als Beispiel oft jene beiden Freunde, zwischen denen alles ohne Zwang und ohne Gesetz geschieht. Bevor der eine seinen Wunsch ausgesprochen hat, hat der andere schon die zur Erfüllung notwendige Handlung ausgeführt. „Da ist eitel Freiheit und Gunst."[43] Der Glaube ist, wie wir gesehen haben, inkarniert und ausgegossen durch die Werke, so wie die göttliche Natur in Christus durch die menschliche Natur ausgegossen ist. Es ist für Luther undenkbar, über diese Freiheit ein Gesetz aufzustellen, deshalb kennt er den sogenannten „dritten Gebrauch des Gesetzes" nicht. Wer vom konfessionellen Luthertum herkommt, fürchtet nun vielleicht, daß der Wegfall des „tertius usus legis" Antinomismus bedeuten könnte; aber das ist eine grundlose Befürchtung. Die Zerstörung des Lebens ist so allgemein, daß der „alte" Mensch — *er* aber ist nicht frei! — sogar „natürlich" genannt werden kann. Er hört, wie ihn das Gesetz von allen Seiten her ruft, wie alle Werkzeuge und alle Dinge ihn rufen: „Lieber, handele mit mir also gegen deinem nehesten, wie du woltest das dein nehester gegen dir handeln solt mit seinem gut."[44] Das ist eine von außen kommende Aufforderung zu Werken, die wie ein Gesetz trifft. Mehr noch: bin ich ungehorsam, dann können alle „creaturn duncken eynen eytel Gott und gotts zorn seyn, wens auch gleych eyn rauschen blad ist"[45], dann können also alle Dinge voller Anfechtung sein. Und sowohl in der Aufforderung zu Werken wie auch in der

---

[42] Siehe WA 10, 1, 1; 322, 17—323, 19 (Kirchenpostille 1522), WA 17, 2; 95, 17—30 (Fastenpostille 1525), außerdem WA 10, 1, 2; 38, 3—23 (Adventspostille 1522).

[43] Vgl. auch WA Tr. VI; 153, 4—15 (Aurifaber, Nr. 6728).

[44] Vgl. Anm. 5.   [45] Vgl. Anm. 28.

Anklage im Gewissen hat die Natur das verkündigte Wort der Schrift auf ihrer Seite. Einen Antinomismus gibt es also bei Luther auf keinen Fall.

Die äußeren Dinge und Wesen der Natur sind jedoch überall mit Gottes Taten, mit seiner Liebe und mit seinem Zorn geladen und gefüllt — das ist für unser Thema wichtig. Die heiligen Werke sind Werke des Alltags, sind Werke der Arbeit mit allgemeinen, gewöhnlichen Aufgaben, mit alltäglichen Sachen. Durch diese äußeren Dinge und Verhältnisse wird auch das Gesetz auf den Menschen geworfen. Sie hat Gott geschaffen — und er ist nicht fern von ihnen. Das Geschöpf aber, das der Schöpfer durch alle diese Werkzeuge *sucht*, ist der Mensch.

DAS PROBLEM DES NATÜRLICHEN BEI LUTHER

Korreferat von GERHARD EBELING

Das Thema ist deshalb wohl so unbestimmt formuliert, weil allererst einer Klärung bedarf, in welcher Hinsicht hier ein Problem vorliegt. Gemeint ist doch nicht, jedenfalls nicht in erster Linie: für Luther sei das Natürliche problematisch gewesen; oder: wir sollten bei Luther auf unsere Probleme betreffs des Natürlichen Antwort suchen. Vielmehr ist die Aufgabe gestellt, in Luthers theologischem Denken den Sachverhalt zu untersuchen, der durch das Stichwort „das Natürliche" provoziert wird.

Was meint dieses Stichwort? Wir glauben es zu verstehen, können es aber nur schwer sagen. Das Wort soll offenbar gerade auf die Weite der dadurch erweckten Assoziationen anspielen, um unserer Fragestellung ungefähr die Richtung zu weisen, ohne darüber zu präjudizieren, wie die entsprechenden Phänomene in Luthers Denken bestimmt sind. Wir sind also primär nicht an das Vorkommen und den Gebrauch dieser Vokabel bei Luther gewiesen, sondern an die Beachtung und Interpretation, die ein bestimmter Phänomenbereich bei ihm findet. „Das Natürliche" kann dann einfach im Sinne des Alltäglichen, des Weltlichen aufgefaßt werden. Oder wenn man sich enger an den Wortsinn hält, könnte man unter dem Natürlichen die von selbst vorgegebenen, d. h. nicht durch den Menschen hervorgebrachten Bedingungen menschlichen Daseins und Wirkens verstehen[1].

Die dabei vollzogene Orientierung auf den Menschen hin dürfte in ihrer Berechtigung einleuchten, da nach dem Natürlichen nicht in naturwissenschaftlicher, sondern in theologischer Hinsicht gefragt sein soll. Wenn aber Natur in Hinsicht auf Gott zur Sprache kommt, steht außer Zweifel, daß dies zugleich in Hinsicht auf den Menschen geschieht. Denn der Mensch ist Adressat des Redens von Gott, und zwar nicht in irgendeiner Hinsicht, sondern in Hinsicht auf sein Menschsein. Dürfte man also sagen: in Hinsicht auf seine „Natur"? Nun, sosehr sich in unserm Fall die Konzentration des Stichworts „das Natürliche" auf den Bezug zum Menschen nahelegt, wird nun doch gerade vom Bezug zum Menschen her das Natürliche problematisch. Eben dies steht auch hinter unserm Thema. Denn wann immer der Naturbegriff theologisch in Orientierung auf den Menschen hin relevant wurde, wurde er zur Quelle von Problemen.

---

[1] Vgl. W. Trillhaas, In welchem Sinne sprechen wir beim Menschen von Natur? ZThK 52, 1955, 272—296. Ders., Art. „Natur und Christentum", RGG³ IV, 1326—1329.

Diese Vorbesinnung hinterläßt ein Bedenken: Können wir durch den Terminus „das Natürliche" die Aufgabe umreißen, ohne ihm selbst genauere Beachtung zu widmen? Einige weitere Beobachtungen sollen dies unterstreichen.

Da das Wort „natürlich" auch bei Luther begegnet, müssen wir darauf achten, wieweit seine Verwendung den Phänomenbereich deckt, den wir dabei im Auge haben. Gustaf Wingren hat die terminologische Frage im allgemeinen ausgeklammert, an einer Stelle aber mit Nachdruck sich auf Luthers Sprachgebrauch berufen: Luther könne die Termini „das Christliche" und „das Natürliche" identifizieren[2]. In dem Beleg aus der Adventspostille: „das heyssen recht Christlich, naturlich gutte werck"[3] meint aber m. E. „natürlich" nicht die materiale Orientierung an den — wie wir sagen — „natürlichen" sozialen Gegebenheiten, von denen allerdings im Kontext die Rede ist. „Natürlich" bedeutet hier in Verbindung mit „gut" vielmehr soviel wie „echt", „wesenhaft", „wirklich" im Gegensatz zu dem bloß Scheinenden und Gleißenden. Die Wendung „recht Christlich, naturlich gutte werck" entspricht genau der Ausdrucksweise im Sermon von den guten Werken, wo Luther von „den rechten, worhafftigen, grundguten, gleubigen wercken"[4] spricht. Das ist kein Einwand gegen Wingrens Interpretation, daß nach Luther Christus „das Menschliche menschlich macht". Es ist nur ein zur Vorsicht mahnender Hinweis auf die Schwierigkeiten, die unserm Thema vom Terminologischen her erwachsen.

Schwerer wiegt das Folgende. In Luthers eigenem Sprachgebrauch begegnet der Terminus des Natürlichen kaum in solchen Fällen, in denen es entsprechend der Frageintention unseres Themas um die theologische Bedeutung des Alltäglichen und Weltlichen geht. Der Begriff der Natur und des Natürlichen fehlt im übrigen bei Luther zwar keineswegs. Doch im Vergleich zu der konstitutiven Rolle, die er in der Scholastik spielt, ist er für Luthers theologisches Denken nicht bestimmend, eher im Gegenteil Anlaß zu kritischer Wachsamkeit. Es handelt sich also nicht bloß darum, daß die Natur durch Luther theologisch anders eingeschätzt wird als durch die Scholastik. Die Differenz liegt tiefer: Sie betrifft die Einschätzung der theologischen Brauchbarkeit des Begriffs „Natur". Nicht daß man darum stritte, einen bestimmten Phänomenbereich — eben das sogenannte „Natürliche" — in das theologische Denken einzubeziehen oder aber aus ihm zu verbannen. Das strittige Problem ist vielmehr, wie dieser Phänomenbereich theologisch sachgemäß angesprochen und interpretiert wird. Von daher könnte man fragen, ob nicht die Themaformulierung eine Vorentscheidung zugunsten scholastischen Verständnisses in sich birgt, auch wenn sie nicht von dort, sondern von einem gewissen common sense des heutigen Sprachgebrauchs her bestimmt ist.

Bei der Lutherinterpretation kommt der Beziehung zur Scholastik aus historischen und kontroverstheologischen Gründen Vordringlichkeit zu. Deswegen

---

[2] S. o. S. 164 unten.   [3] WA 10,1,2; 41,12 (1522).
[4] WA 6; 209,9 f. (1520).

fällt die erwähnte terminologische Differenz ins Gewicht, zumal es sich bei der Sachfrage, die wir im Auge haben, nicht um irgendein Randproblem im Verhältnis scholastischer und reformatorischer Theologie handelt. Die Schärfe des Gegensatzes ist hier nicht weniger akut als an den bekannten neuralgischen Punkten der Kontroverstheologie. Ob man erfaßt hat, worum es in der Lehre von der Rechtfertigung sola fide und entsprechend in der Unterscheidung von Gesetz und Evangelium sowie in der Lehre von den zwei Reichen geht, dafür ist ein, wenn nicht gar *der* Testfall, wie in der Theologie das vorkommt, was man das „Natürliche" zu nennen pflegt, und unter welchen Kategorien es theologisch interpretiert wird.

Die vor allem durch Henri de Lubac[5] ausgelöste Diskussion um den Naturbegriff in der gegenwärtigen katholischen Theologie ändert nichts an dessen kontroverstheologischer Relevanz. Hans Urs von Balthasar entschuldigt die Tendenz zu einer isolierenden Verselbständigung der Natursphäre in der katholischen Theologie seit der Gegenreformation mit der ihr gestellten Aufgabe, „den Naturbegriff gegen die Gefährdung oder Zerstörung im Protestantismus ... sicherzustellen"[6]. Im Anschluß an die Äußerung Y. Congars, daß der Preis für die Bekämpfung der Einseitigkeit einer Häresie auch immer eine gewisse Vereinseitigung der katholischen Wahrheit sei[7], bemerkt von Balthasar: „Die katholische Kirche und Theologie nahm das Odium auf sich, zum ausgesprochenen, anscheinend einseitigen Anwalt der Natur und der Vernunft zu werden, wo die Häresie, auf das Schriftprinzip pochend, die geschichtliche Offenbarung für sich in Anspruch nehmend, in Wahrheit das Schöpfungswerk verkürzte und damit auch das Erlösungswerk untergrub."[8] Die erforderliche katholische Neubesinnung in dieser Hinsicht weist nach von Balthasar auf eine Klärung katholischer Denkform, nämlich auf eine theologische „scientia de singularibus", „jenseits des Gegensatzes von bloßer geschichtlicher ‚Tatsache' und von bloßer übergeschichtlicher ‚Lehre' ". Und er urteilt von daher über den Gegenstand unseres Nachdenkens: „Vielleicht hat der historische Nominalismus diesen theologischen Punkt gemeint, ihn aber, auf der bloß philosophischen Ebene denkend und polemisierend, verfehlt. Die schlimmste Folge davon war — Luther."[9]

Nun ist diesem Beitrag zu dem „Problem des Natürlichen bei Luther" allerdings ebenfalls der Vorwurf simplifizierender Vereinseitigung nicht zu ersparen. Das eigentliche Problem, das der Lutherinterpretation in diesem Zusammenhang aufgegeben ist, ergibt sich doch aus dem Beieinander zweier sich scheinbar widersprechender Tendenzen. Auf der einen Seite interpretiert Luther in der Tat das Verhältnis von Natur und Gnade antithetisch: „Frustra magnificatur ab aliquibus Lumen naturae et comparatur Lumini gratiae, cum potius

---

[5] Henri de Lubac, Surnaturel. Études historiques, Paris 1946. Vgl. U. Kühn, Natur und Gnade. Untersuchungen zur deutschen katholischen Theologie der Gegenwart, 1961.

[6] H. U. von Balthasar, Karl Barth. Darstellung und Deutung seiner Theologie, 1951, 299 f.

[7] Yves M.-J. Congar, Chrétiens désunis, 1937, 34—36; in Übersetzung zitiert bei H. U. von Balthasar, a.a.O. 23 ff.

[8] A.a.O. 277. [9] A.a.O. 278.

sit tenebra et contrarium gratiae."[10] Die particulae exclusivae akzentuieren dies mit schneidender Schärfe in jeder theologisch wichtigen Hinsicht. Katholische Scholastik und Humanismus werden zu Freunden im Protest gegen ein anscheinend antiphilosophisches Theologie- und inhumanes Menschenverständnis: „In philosophia est homo animal rationale. In theologia ,statua salis', non videt, audit, non rationem [habet], est plus quam cadaver."[11] Die Natur des Menschen als solche gilt als korrupt — eine am Naturbegriff gemessen sinnlos erscheinende Aussage. Das ganze Leben wird zur Buße[12]. Die Taufe als in Tod und Auferstehung sich erfüllende mortificatio und vivificatio wird zum Inhalt des ganzen Lebens[13]. Evangelische Frömmigkeit erscheint geradezu als Radikalisierung und Absolutierung des Existenzverständnisses der religiosi. Reformatorische Rechtfertigungs- und Sakramentslehre mit ihrer Konzentration auf promissio und fides klingt für scholastisch geschulte Ohren als Rückfall auf die heilsgeschichtliche Stufe des Alten Bundes[14]. Die Wirklichkeit des neuen Lebens scheint im Zeichen der theologia crucis ins Eschatologische oder Spiritualistische verflüchtigt.

Auf der anderen Seite dagegen nimmt nun — das ist der katholischen Tradition nicht minder fremd — das Natürliche überhand. Das Übernatürliche — sofern man es nun überhaupt noch so nennen kann — entschwindet in die Verborgenheit, und die Natur, ihres geistlichen Schmucks beraubt, bleibt nackt

---

[10] WA 56; 356,18 f. (1515/16). Vgl. dazu die anschließenden antithetischen Bestimmungen von gratia und natura: 356,18—357,26. Zur komparativen Verhältnisbestimmung in der Scholastik z. B. Thomas von Aquin, S. Th. I q. 12 a. 13: „... per gratiam perfectior cognitio de Deo habetur, quam per rationem naturalem." Die äußerste Steigerung der Differenz innerhalb dieses Interpretationsschemas: S. th. 1, II q. 113 a 9 ad 2: „... bonum gratiae unius maius est quam bonum naturae totius universi." Zum Sachverhalt bei G. Biel vgl. besonders Coll. II dist. 28 q. un. Das komparative Schema von gratia und natura kommt hier (art. 1 notab. 1 D) deutlich zum Ausdruck in der Unterscheidung zwischen den actus boni meritorie (die propter deum geschehen) und den actus boni moraliter (die gemäß dem dictamen rectae rationis geschehen), wozu dann noch als dritte Gruppe die actus boni secundum genus treten (welche propter aliquod bonum utile vel delectabile consequendum aut in commodum vel periculum vitandum geschehen). „Actus ... primis duobus modis eliciti sunt vere virtuosi. Et habitus eis correspondentes sunt vere virtutes, sed primi perfecti, secundi imperfecti ... Secundum patet, quia actus primi ordinantur in finem perfectiorem propter quem eliciuntur quam secundi. Multo enim perfectius est agere propter deum, qui est summum bonum, et aeternam felicitatem quam propter amorem virtutis honestatis aut propter communem pacem naturae vel rei publicae conservationem temporalem. Et perfectius est agere propter deum quam propter hoc, quod ratio sic dictat, pro quanto deus perfectior est recta ratione. Uterque tamen finis honestus est et bonus. Et secundum hoc distinguitur triplex bonum, sc. bonum meritorium, bonum morale et bonum ex genere. Primum nunquam est sine gratia et caritate. Secundum non sine virtute, a qua procedit vel quam generat. Tertium invenitur sine utroque." Zur Interpretation von G. Biel, Coll. II dist. 28 q. un.: L. Grane, Contra Gabrielem. Luthers Auseinandersetzung mit Gabriel Biel in der Disputatio Contra Scholasticam Theologiam 1517, 1962, 149 ff. Zu der oben zitierten Lutherstelle ebendort 324 ff.

[11] WA 40,3; 567,2—4 (1534/35).

[12] WA 1; 233,10 f. (1517).

[13] WA 2; 728,10—729,5 (1519); WA 6; 534,31—535,26 (1520).

[14] Vgl. zu diesem weiten Thema die scholastische Erörterung des Unterschiedes zwischen den alttestamentlichen und den neutestamentlichen Sakramenten (z. B. Thomas von Aquin, S. th. III q. 62 a. 6) und Luthers Stellungnahme dazu: WA 6; 531,26—534,2 (1520).

zurück. Die sakramentalen Elemente werden nicht verwandelt. Das Wasser ist schlicht Wasser[15]. Brot und Wein verlieren nicht ihre natürliche Substanz[16]. Die Gnade wird nicht zu einer dem Menschen inhärierenden Qualität[17]. Weil alle Christen für geistlichen Standes erklärt werden, gerät die religiös begründete gestufte Sozialordnung aus den Fugen und sind nun alle zugleich weltlichen Standes[18]. Nicht bloß geistliche Herrschaften, Klöster und fromme Stiftungen werden säkularisiert. Der Glaube selbst säkularisiert das gute Werk und nimmt ihm seine Abzielung auf Gott. Allein so gibt es wahre gute Werke. Um sie kämpft die Reformation mit dem sola fide[19]. Die Heiligen sind nun nicht mehr auf Goldgrund gemalt oder in der Gebärde des Verlangens nach dem Übernatürlichen. Sie sind von Luther — unter merkwürdiger Verquickung von allgemeinem Stilwandel und theologischer Einsicht — in derber Natürlichkeit und nüchterner Alltäglichkeit vor Augen gestellt: als der Hausvater, der den Acker bestellt oder sein Handwerk betreibt, als säugende Mutter, als Magd mit dem Besen, als die für öffentliche Ordnung sorgende Magistratsperson, ja gar als Scharfrichter in seinem schrecklichen, aber notfalls erforderlichen Amt[20].

Daß es sich bei diesen beiden Tendenzen: nämlich einer — nach dem Augenschein geurteilt — ebenso übertriebenen Abwertung wie übertriebenen Aufwertung des Natürlichen, nicht um einen Widerspruch handelt, der das Verständnis von Schöpfung und Erlösung zersetzt, vielmehr um die vollkommene Entsprechung zweier Aspekte derselben Sache, nämlich der reformatorischen Erfassung des Evangeliums, die erst in Wahrheit Schöpfung Schöpfung und Erlösung Erlösung sein läßt, — dies ist allerdings nicht im scholastischen Interpretationsschema von Natur und Gnade deutlich zu machen, auch nicht unter Vornahme gewisser Korrekturen daran. Dazu bedarf es des spezifisch reformatorischen Interpretationshorizontes: der Unterscheidung von Gesetz und Evangelium. Erst dann kann theologisch richtiggestellt werden, was bei der eben vollzogenen groben Konfrontation verzerrt erscheint und zu Mißverständnissen Anlaß gibt: inwiefern nämlich gerade im Zeichen der particula exclusiva das Menschsein des Menschen ernst genommen ist und inwiefern es sich bei der Befreiung zum Natürlichen nicht um eine naturalistische Reduktion auf den Menschen „in puris naturalibus" handelt (um dieses nominalistische Schlag-

---

[15] Luther sagt wohl von der Taufe, „das sie nicht ein blos schlecht wasser ist, sondern ein wasser ynn Gottes wort und gepot gefasset und dadurch geheiligt, das nicht anders ist denn ein Gottes wasser", fährt aber fort: „nicht das das wasser an yhm selbs edler sey denn andere wasser sondern das Gottes wort und gepot dazu kömpt" (WA 30,1; 213,29—33 [1529]).

[16] Die Ablehnung der Transsubstantiationslehre wird besiegelt durch die Analogie zur Christologie: „Sicut ergo in Christo res se habet, ita et in sacramento. Non enim ad corporalem inhabitationem divinitatis necesse est transsubstanciari humanam naturam, ut divinitus sub accidentibus humane nature teneatur. Sed integra utraque natura vere dicitur ‚Hic homo est deus, hic deus est homo'" (WA 6; 511,34—38 [1520]).

[17] Z. B. WA 40,1; 225,10—229,14 (1531).

[18] Die Fundamentalstelle: WA 6; 407,9—411,7 (1520).

[19] WA 6; 204,25—207,14 (1520).   [20] WA 11; 255,1—4 (1523).

wort in etwas anderer Nuance zu verwenden), sondern um eine Weltlichkeit, die daraus entspringt, daß Gott ernst genommen wird, und die darum in vollem Einklang steht mit dem Satz: „In Christo fiunt omnia *spiritualia*."[21]

Was hat sich eigentlich darin vollzogen, daß an der Stelle der Unterscheidung von Natur und Gnade die Unterscheidung von Gesetz und Evangelium fundamentaltheologischen Rang erhalten hat? Und was ist es um die eigentümliche Problematik, in die nun unser Thema „Das Natürliche bei Luther" gerät? Es verhält sich offenbar so paradox: Wird „Natur" zu einer Grundkategorie theologischen Denkens, so wird die theologische Relevanz des sogenannten „Natürlichen" im Sinne des Alltäglichen und Weltlichen gerade geschmälert oder verdeckt. Wenn dagegen dem Naturbegriff die dominierende Rolle im theologischen Denken streitig gemacht wird, dann kommt das „Natürliche" im Sinne des Alltäglichen und Weltlichen theologisch erst richtig zur Geltung.

Diese Fragestellung erforderte es, Luthers Denken nun zu dem weiten geistesgeschichtlichen Zusammenhang in Beziehung zu setzen, der am Leitfaden des Naturbegriffs von der griechischen Antike bis zur Gegenwart zu verfolgen ist und in dessen Wandlungen sich Grundweisen des Wirklichkeitsverständnisses abzeichnen. Doch selbst die Beschränkung auf das Phänomen theologischer Inanspruchnahme des Naturbegriffs, die sich zunächst in der Christologie zentrierte, dann aber mit der vollen Aristoteles-Rezeption den Schwerpunkt in die Anthropologie und Soteriologie verlegte, wäre für jetzt ein maßloses Unterfangen. Trotzdem sei wenigstens noch versucht, die historische Einsamkeit, aber auch den noch unerschlossenen Reichtum des Denkens Luthers anzudeuten, was durch eine weitgespannte geistes- und theologiegeschichtliche Kontextinterpretation ungleich differenzierter und erregender zutage zu fördern wäre. Ist doch schon dies bezeichnend, daß die philosophische Abkehr von der Scholastik vor und neben der Reformation gerade den Naturbegriff auf den Schild erhob, der dann schließlich zum Fanal der Abkehr vom Christlichen wurde. Und ferner: daß die Erben der Reformation sich mit unterschiedlichen Akzentsetzungen und unzureichenden Antithesen wieder in den Schlingen des Naturbegriffs verfingen.

Der Naturbegriff ist gleichsam der ontologische Sauerteig scholastischer Theologie. Er hält dazu an, etwas als Substanz auf sein inneres Prinzip hin zu erfassen. Bei dem wichtigen Versuch, den Begriff der Natur und den Begriff des Willens zu verknüpfen, nimmt Thomas von Aquin den Ausgang von zwei Definitionen, für die er sich auf Aristoteles und Boethius beruft und die im Entscheidenden auf dasselbe hinauslaufen: „Quandoque... [natura] dicitur principium intrinsecum in rebus mobilibus"; sowie: „Alio modo dicitur natura quaelibet substantia, vel etiam quodlibet ens. Et secundum hoc, illud dicitur esse naturale rei, quod convenit ei secundum suam substantiam. Et hoc est quod per se inest rei."[22] Wenn Kjell Ove Nilsson in seinem Buch: Simul. Das Miteinander von

---

[21] WA 40,2; 30,3 (1531).   [22] S. th. 1, II q. 10 a. 1 crp.

Göttlichem und Menschlichem in Luthers Theologie (1966) zwischen Natur-kategorien und energetischen Termini unterscheiden will bzw. mit der Unter-scheidung von Statik und Dynamik operiert[23], so trifft dies nicht den scholasti-schen Naturbegriff, der schon von Aristoteles her ganz und gar auf das Phäno-men der Bewegung hin orientiert ist. Natur meint das Seiende, das im Wege des Hervorgehens und Hervorbringens sich selbst verwirklicht und an sich selbst zu messen ist. Dieser Naturbegriff ist aufs engste mit den Aristotelischen causae verquickt und könnte darum in seiner ontologischen Relevanz durch den Be-griff einer Kausalontologie gekennzeichnet werden (wobei die uns vertrauteste causa efficiens gerade zu allerletzt rangiert).

Auf die Anthropologie bezogen hilft der Naturbegriff dazu, den Menschen — selbstverständlich unter dem Vorzeichen des Schöpfungsgedankens — in seiner relativen Selbständigkeit und somit primär in Relation zu dem, was in seiner Macht liegt, zu erfassen, also als einen, der — analog zu Gott — suorum operum principium ist und darum in erster Linie durch den Besitz des liberum arbitrium und die Fähigkeit des Tätigseins charakterisiert ist[24]. Der Schwer-punkt der Anthropologie fällt darum in die Erörterung über die causa formalis des Menschen, d. h. in die Seelenlehre, die als Lehre von den potentiae animae entfaltet wird[25]. Am Leitfaden des Naturbegriffs ist der Mensch in seiner Eigentlichkeit vom Tätigsein her zu bestimmen, und zwar so, daß er darauf angelegt ist, durch Tätigsein sich selbst zu verwirklichen.

Man täte der Scholastik bitter Unrecht, wenn man nicht die starken Gegen-kräfte berücksichtigte, die dem mit dem Naturbegriff gegebenen Gefälle in der Soteriologie entgegenwirken sollen. Hier ist der Mensch ganz auf Gnade an-gewiesen. Das letzte Ziel des Menschen, die aeterna beatitudo, liegt über seine Natur hinaus. Deshalb kann er es von Natur aus weder erkennen noch er-reichen[26]. Er ist auf Offenbarung sowie auf Gnade als wirksame Hilfe von außen angewiesen. Aber die bereits erfolgte Auslegung des Menschen durch den Naturbegriff färbt notwendig auf die darauf ausgerichtete Interpretation der Gnade ab. Sie ist gewiß ungeschuldet und ein von außen kommendes Prin-zip[27]. Doch sie muß, um am Menschen wirksam zu werden, d. h. um ihn auf sein Ziel hin in Bewegung zu setzen, in ihn eingehen als virtus — gewiß als virtus infusa und theologica, nicht als virtus acquisita intellectualis oder moralis, aber nun doch als ein im Menschen gesetztes principium, das ihm ermöglicht, auf menschliche Weise, nämlich durch entsprechende Akte des freien Willens, und

[23] Kjell Ove Nilsson, Simul. Das Miteinander von Göttlichem und Menschlichem in Luthers Theologie, Göttingen 1966, 162 f., 204 f., 279, 343 u. ö.
[24] Thomas von Aquin, S. th. 1, II Prol.: „postquam praedictum est de exemplari, scilicet de Deo, et de his quae processerunt ex divina potestate secundum eius voluntatem, restat, ut consideremus de eius imagine, idest de homine, secundum quod et ipse suorum operum principium, quasi liberum arbitrium habens et suorum operum potestatem."
[25] Thomas von Aquin, S. th. I q. 75 ff.
[26] A.a.O. 1, II q. 5 a. 5 crp.
[27] Die Lehre von Gesetz und Gnade handelt nach Thomas von den principia exteriora actuum: 1, II q. 90 introd.

das heißt: durch merita, das ihm gesetzte Ziel zu erreichen[28]. Diese Überhöhungsfunktion gegenüber der menschlichen Natur rechtfertigt die Bezeichnung der gratia als supernaturalis[29]. Damit ist die Unterscheidung der Gnade von der Natur im Medium der ontologischen Funktion des Naturbegriffs vollzogen.

Zwischen den moralischen und den theologischen Tugenden wird zwar scharf unterschieden und doch beides — das Ethische und die Beziehung zu Gott — im Gefolge des Naturbegriffs auf denselben Nenner menschlicher virtus gebracht. Das bewirkt eine entscheidende Strukturgemeinsamkeit: die Ausrichtung auf die Vervollkommnung des Menschen[30]. Und eben deshalb vermischen sich de facto doch die Aspekte des Moralischen und des Theologischen ineinander und verursachen eine ethische Zweistufigkeit, die — mit welchen Einschränkungen und Modifikationen auch immer — dem Bereich des sogenannten „Natürlichen", d. h. dem Alltäglichen und Weltlichen, in ethischer Hinsicht eine gewisse Inferiorität verleiht. Indem das Übernatürliche die Überhöhung des Natürlichen ist, ist es auch dessen Abwertung.

Wenn wir dem nun — nicht weniger vereinfachend — Luthers Denkweise gegenüberstellen, so wird die Behauptung kaum auf Widerspruch stoßen, daß er die am Naturbegriff orientierte Kausalontologie — nicht überhaupt und in jeder Hinsicht, wohl aber als für die Theologie verhängnisvoll — abweist: „... omnes stulti sunt, qui scientiam rerum querunt per causas, vt Aristoteles, cum sint ‚incomprehensibiles'."[31] Es wäre vor allem an die theologische Verwendung der vocabula physica — aus Anlaß einer Diskussion um den Begriff der causa formalis iustificationis — zu erinnern. „Nam physica naturaliter blanditur rationi ... physica semper attulit et affert aliquid mali et incommodi theologiae." Luther erkennt scharf die theologiegeschichtliche Rolle des Naturbegriffs: „Cum vocabula physica in theologiam translata sunt, facta est inde scholastica quaedam theologia."[32] Mit der Feststellung solcher Kritik ist es aber nicht getan. Man könnte das soeben Zitierte dahin variieren: Die Polemik gegen Aristoteles und die Metaphysik behagt von Natur dem protestantischen Theologen. Wodurch wird aber bei Luther die Funktion versehen, die in der Scholastik der Naturbegriff ausübte? Der damit berührte Sachverhalt ist ein höchst instruktives Beispiel dafür, wie um korrekter historischer Interpretation willen das eigene Weiterdenken an der Sache erforderlich ist. Das einfache Nachreden von Luthers Kritik an der Aristotelischen Metaphysik ist ebenso unzureichend wie etwa die kurzatmige Antithetik von Ontologie und Personalismus.

Ich glaube, nicht fehlzugehen mit der These, daß bei Luther die ontologische Relevanz des Naturbegriffs — jedenfalls was das Reden von der Wirklichkeit

---

[28] A.a.O. 1, II q. 110 a. 3 sowie q. 5 a. 7, q. 62 und 114.

[29] Vgl. O. H. Pesch, Art. Übernatürlich, LThK² 10, 437 ff.

[30] Thomas von Aquin, S. th. q. 62 a. 1 crp.: „... per virtutem perficitur homo ad actus, quibus in beatitudinem ordinatur ..."

[31] WA 56; 116, 17 f. (1515/16).

[32] WA 39, 1; 228 f., bes 229, 2—8. 22—24 (1537).

in Hinsicht auf den Menschen und davon untrennbar in Hinsicht auf Gott betrifft — in die Schranken gewiesen wird durch die Rolle des Wortes. Es ist klar: Luther war an der expliziten Erarbeitung sachgemäßer Ontologie nicht interessiert. Aber er handhabte sie mit schlafwandlerischer Sicherheit und in hinreißender Vielfalt sprachlichen Ausdrucks. Um jetzt nur einige Vokabeln aneinanderzureihen: Man denke u. a. an seine Verwendung von usus, sensus, opinio, affectus, fiducia, timor, reputatio, iudicium, iustitia, hypocrisis, facies, larva, absconditas, persona, cor, conscientia, auditus und eben: verbum; sowie an die mehrdimensionale coram-Relation[33] als die Erfassung der dialektischen Situation des Wortgeschehens von Gesetz und Evangelium.

Gerät der Naturbegriff in dieses Sprachfeld, so widerfährt ihm eine Verwendung, die seiner eigentlichen Intention zuwiderläuft. An der Natur des Menschen wird nun das wichtig, worauf er hört und wonach er urteilt bzw. welches Urteil ihm zuteil wird. Aber der als Natur verstandene, auf sich selbst gestellte Mensch ist eben der in sich selbst verkrümmte Mensch. Er beurteilt sich als Täter seiner selbst und verrechnet darum nach dem Maßstab der ratio auch Gott in das Schema des Gesetzes. Die Folge ist, daß der Mensch, wird er als Natur verstanden und dabei behaftet, Unnatur ist. Das facere quod in se est kann nur Sünde hervorbringen[34]. Freilich muß unterschieden werden: Obwohl die Natur des Menschen Gott gegenüber verdorben ist, sind doch, was die Dinge der Welt betrifft, die naturalia des Menschen integra[35]. Aber doch auch dies nur in gewisser Weise. Denn, scharf erfaßt, mißbraucht nicht nur der Mensch von Natur das Natürliche, sondern er erkennt auch von Natur nicht einmal das Natürliche in Wahrheit. Daß der Naturbegriff in dieser Weise ins Widersprüchliche verformt wird, ist höchst instruktiv und keineswegs als Nachlässigkeit abzutun. Dieses kritische Vorgehen gegen den ontologischen Grundbegriff der Scholastik macht es nun gerade unmöglich, ihn in neuer Weise theologisch bestimmend sein zu lassen. Denn die Kausalontologie sperrt sich gegen die Relevanz des Wortes. Es ist kein Zufall, daß Luther mit eigenen begrifflichen Bemühungen nicht am Naturbegriff, wohl aber am Personbegriff angesetzt hat, weil sich hier die Möglichkeit bot, den altkirchlichen und scholastischen Personbegriff vom biblischen Sprachgebrauch her auf die Relevanz des Wortes hin zu korrigieren.

Soll die ontologische Relevanz des Wortes, wie sie Luthers Denken bestimmt, präzisiert werden, so stellen sich sofort Anthropologie und Soteriologie miteinander ein, statt daß wie in der Scholastik eine theologisch neutrale Anthropologie der Soteriologie den Interpretationsrahmen liefert. Und zwar rückt als umgreifendes Thema die iustificatio in reformatorischem Verständnis ins Zentrum der Theologie, weil Wort und Glaube über das Sein des Menschen entscheiden. Das durchzieht als roter Faden Luthers gesamte theologische Entwicklung. Schon in der ersten Psalmenvorlesung heißt es: „habens verba per fidem

---

[33] Vgl. mein Buch: Luther. Einführung in sein Denken, Tübingen 1964, 220 ff.
[34] WA 1; 148,14 f. (1516).   [35] WA 40,1; 293,7 (1531).

habet omnia, licet abscondite."[36] Und im Tractatus de libertate christiana: „quale est verbum, talis ab eo fit anima."[37] Oder im Jahre 1532: „Sicut de deo cogito, ita fit mihi."[38] Das gilt auch noch in der Verkehrung, welche an das menschliche Tun die Erwartung der iustificatio knüpft und bestimmten äußeren Dingen eine das Gewissen bindende Nezessität zuschreibt[39]. Eine fehlgeleitete opinio und fiducia verursacht den abusus der in sich selbst guten Dinge der Kreatur, während die fides zu deren rechtem usus befreit, indem sie zu dem rechten iudicium omnium rerum offen macht[40]. Das heißt aber: Während der Unglaube sich von opus und persona beeindrucken läßt[41], statt auf das verbum zu achten, sieht der Glaube wie im Sakrament so auch im alltäglichen Leben nicht auf die groben äußerlichen Larven, sondern nimmt wahr, daß und wie darin Gottes Wort ist[42].

Weil über das Menschsein des Menschen das Wort entscheidet, er also letztlich nicht Täter, sondern Hörer ist, sein Heil nicht eine Frage der Vervollkommnung, sondern der Gewißheit und seine wahre iustitia niemals in seipso, sondern stets extra se liegt, weil der Mensch also nicht als ein Entwicklungsprozeß auf die visio Dei hin, sondern als ein Prozeßgeschehen von Anklage und Freispruch, also als homo iustificandus fide coram Deo, zu definieren ist[43], darum ist auch das gute Werk worthaft und deshalb zugleich ganz weltlich und ganz geistlich. Man kann nicht eins vom andern trennen: „alere prolem, diligere uxorem, obedire magistratui sunt fructus spiritus."[44] Denn wohlgemerkt: „tantum ex auditu fidei komen boni fructus."[45]

Die iustificatio sola fide hat also dadurch materialethische Folgen, daß die Werke allein um des Glaubens willen gut sind, d. h. nur dann, wenn der Mensch nicht auf sie vor Gott sein Vertrauen setzt, vielmehr aus der Gewißheit des Glaubens heraus dazu frei ist, zu tun, was vor die Hand kommt. Deswegen befreit der Glaube zu den aus Liebe — und nicht etwa um des Heils willen — notwendigen Werken. Werke, die von Interesse überhaupt nur sind als opera hypocritica, entfallen deshalb[46]. „... yhe hoher unnd besser die werck sein, yhe weniger sie gleissen."[47] Damit ist der materialethischen Frage zwar im Gegensatz zur katholischen Tradition die Richtung gewiesen. Aber doch auch nur in begrenztem Maße. Denn „der Munch stickt uns jnn der haud von jugent auff"[48]. Wie sollte er nicht auch unter der Decke des weltlichen Berufs sein Wesen treiben und sogar unter der Kutte auch absterben können?

---

[36] WA 4; 376,16 (1513/15).
[37] WA 7; 53,26 f. (1520).   [38] WA 40,2; 343,2 (1532).
[39] WA 40,1; 157,1—160,10; 211,10 f. (1531).
[40] WA 40,1; 106,6 f. (1531).
[41] WA 56; 416,21—30 (1515/16); WA 40,1; 173,4—8 (1531).
[42] WA 40,1; 173,9—178,9 (1531); WA 30,1; 213,28—215,2 (1529).
[43] WA 39,1; 176,33—35 (1536).
[44] WA 40,1; 348,3 f. (1531).   [45] WA 40,1; 359,1 f. (1531).
[46] WA 40,1; 345,1—3 (1531).   [47] WA 6; 219,10 f. (1520).
[48] WA 37; 547,16 f. (1534).

Die Frage des rechten usus bleibt also auf jeden Fall den Werken gegenüber akut und wird nicht durch die materialethische Orientierung an einer Lehre von der Welt und vom weltlichen Beruf überholt. Vor allem aber darf uns der Begriff des „Natürlichen" nicht dazu verleiten, die durch die soziologischen Bedingungen des 16. Jahrhunderts geprägten, noch relativ „naturnahen" Vorstellungen Luthers vom weltlichen Beruf zur Norm zu erheben und darüber die bedrängende ethische Problematik unserer veränderten Situation aus dem Auge zu verlieren. In ihr ist Gustaf Wingrens Forderung, „das Werk der Schöpfung in der Natur ... und das Werk der Schöpfung durch die menschliche Arbeit als ein zusammenhängendes göttliches Werk" zu verstehen[49], wohl nicht falsch geworden. Aber dieses Verständnis ist heute äußerst schwer zu vollziehen angesichts dessen, wozu — im Unterschied zum 16. Jahrhundert — menschliche Arbeit geworden ist. Nur eine tief erfaßte, das Problem des Atheismus mit einbeziehende Lehre vom Deus absconditus könnte in jenem umgreifenden Sinne vom göttlichen Werk zu reden wagen. Dafür allerdings können wir wiederum von Luther entscheidend lernen als Wegweisung für das, was wir von ihm in bezug auf die Ethik nicht unmittelbar lernen können. Die Lehre vom Deus absconditus jedoch erschließt sich nicht durch den Begriff der Natur, sondern nur im Zeichen des verbum Dei.

---

[49] S. o. S. 156.

LUTHER ON CIVIL RIGHTEOUSNESS
AND NATURAL LAW

Supplementary Lecture by WILLIAM H. LAZARETH

"Karl Barth has properly exposed the 'soft underbelly' of Lutheran social ethics in the realm of creation. Lutherans have been far more responsible in the realm of redemption. They have rightly stressed the redemptive significance of Christ, grace, Scripture, faith and the gospel. But they have often neglected the crucial importance of the non-redemptive counterparts: Caesar, nature, tradition, reason and the law. Lutherans must quickly recapture and boldly champion the Reformer's appreciation of the 'sacred secularity' of civil life, which is at once free from church-rule and yet subject to God-rule."[1]

That was the admission made by the author in the preparatory material on Luther's social ethics for the 1966 World Conference on Church and Society sponsored by the World Council of Churches. We claimed immediately, however—in opposition to Barth—that "...there is nothing so sick about Lutheran ethics that a strong dose of Luther cannot cure it!"[2] Therefore it might prove useful to supplement the brilliant essay of Professor Gustaf Wingren with some added documentation on Luther's dialectical views regarding civil righteousness and natural law.[3]

Civil Righteousness

Luther, as an evangelical prophet, gave great emphasis to the religious dimension of man's existence under the rule of God's gospel. This realm Luther describes variously as "the kingdom of God", "the kingdom on the right hand," "the kingdom of Christ and the gospel," and "man before God." What is of special interest for us now, however, is the way in which all of this is related by Luther to the second of the two kingdoms: "the kingdom of the world," "the kingdom on the left hand," "the kingdom of Caesar and the law," and "man in community life." Luther asserts with Paul that the ethical dimensions of man's existence is properly under the reign of God's law whose religious function of condemning sin is always coupled with its political function of preventing crime.

---

[1] Cf. my "Luther's 'Two Kingdoms' Ethic Reconsidered" in John C. Bennett (ed.), *Christian Social Ethics in a Changing World* (New York: Association, 1966), p. 121.

[2] Ibid.

[3] Cf. the expanded chapter on "Righteousness and Social Justice" in my *Luther on the Christian Home* (Philadelphia: Muhlenberg, 1960), pp. 115 ff.

"To put it as briefly as possible here, Paul says that the law is given for the sake of the unrighteous, that is, that those who are not Christians may through the law be externally restrained from evil deeds. Since, however, no one is by nature Christian or pious, but every one sinful and evil, God places the restraints of the law upon them all, so that they may not dare give rein to their desires and commit outward, wicked deeds."[4]

The indispensable key to Luther's understanding of the "kingdom of the world" is his conviction that God has ordained civil authority "... to restrain the un-Christian and wicked so that they must keep the peace outwardly, even against their will."[5] This means that God in his loving providence has so structured daily life in the civil community that all men—"even against their will"—are constrained to live in conformity with at least a minimal standard of social morality if only out of the fear of punishment or hope of reward.

In comparison with Christian righteousness, of course, this so-called "civil righteousness" (iustitia civilis) comes off a very poor second. Whereas Christian righteousness springs forth from faith, and is therefore joyful and willing, civil righteousness is forced out of unbelief, and is consequently "murmuring" and involuntary. Since "all that does not proceed from faith is sin" (Rom. 14, 23), civil righteousness has absolutely no justifying value— no matter how enlightened its self-interest might be. It is "inherently vicious" at the core, however attractive its surface.[6] Luther remains unequivocal in his religious condemnation of all social ethical behavior which is not fired by the loving heart of one who has confessed Christ as his Lord and Savior. "Where there is only secular rule or law, there, of necessity, is sheer hypocrisy, though the commandments be God's very own. Without the Holy Spirit in the heart, no one becomes really pious, he may do as fine works as he will."[7]

Yet parallel with the many statements which condemn all civil righteousness as sinful in the sight of God, there are other writings of Luther which consider the moral efforts of unregenerate men to be relatively "righteous" in the realm of creation, even when they remain wholly unacceptable in the realm of redemption. For instance: Although hating and killing might be considered equally sinful in heaven, it is clearly the lesser of two evils if society can at least compel a man to control his murderous actions even if not his hateful thoughts. In a fallen and sinful world, ethics must often be satisfied with the imperfect second-best. Consequently, God punishes sin with sin and employs sinful individuals and institutions as imperfect dikes against even more demonic expressions of man's unfaithful rebellion against his Maker. "God is himself the founder, lord, master, demander, and rewarder of both spiritual and civil righteousness. There is no human order or power which is not a godly thing."[8] Works of civil righteousness, therefore, fall on the boundary

---

[4] WA 11; 250.
[6] WA 40,2; 526.
[8] WA 19; 629—630.

[5] Ibid., 251.
[7] WA 11; 252.

181

line between the two kingdoms as ultimately evil, but provisionally good; they are products of sin which are at once remedies against it.

"Learn here to speak of the law as contemptuously as you can in matters of justification [*in causa iustificationis*] ... but apart from justification [*extra locum iustificationis*], we ought with Paul to think reverently of the law, to commend it highly, to call it holy, righteous, good, spiritual, and divine."[9]

Perhaps the most cogent illustration of Luther's ambivalent attitude towards civil righteousness is the unexpected way in which he lauds the social expressions of goodness which natural man's reason and common sense can effect —apart from the gospel—for a just and peaceful society. Luther was convinced that all God's rational creatures—despite sin—are still capable of a high degree of civil righteousness by virtue of the divine law which God has written "with his own finger" into their hearts at creation.[10] Even the most cursory reading of Luther's writings reveals a surprising number of references to the distinction between God's twofold rule by law and gospel in the two kingdoms, and the admirably high position afforded man's reason when it is employed in the service of neighbors and limited to managing the technical affairs of everyday life.[11]

"Here you must separate God from man, eternal matters from temporal matters. Involving other people, man is rational enough to act properly and needs no other light than reason. Consequently, God does not bother to teach men how they are to build houses, or make clothes, or marry, or make war, or sail a boat. For all such matters, man's natural light is sufficient. But in divine matters, such as man's relation to God and how God's will is fulfilled for our eternal salvation, here man's nature is completely stone-blind."[12]

In marked consistency with his earlier teachings is Luther's systematic portrayal of the proper exercise of reason and force to achieve social order and civil justice in his *Sermons on Exodus* (1524—1527). In the first place, there must be a clear distinction between the realms of creation and redemption, the kingdom of men and the kingdom of God.

"You have often heard of the differences between religious and civil authority. In the spiritual realm men are ruled by God through Christ as the head of all believers, although neither Christ nor the believers are ever openly seen. In the civil realm Christ does not exercise his rule directly, for he has delegated his powers to human rulers who are to govern their citizens in moderation, justice, and equity."[13]

In the second place, the non-redemptive rule of the sword in the kingdom of men is aimed at the establishment of a just and orderly society in which men may live in peace and the gospel might be proclaimed unto the ends of the earth.

---

[9] WA 40,1; 558.

[10] WA 10,3; 373.

[11] See *e. g.*, WA 10,3, 380; WA 16; 251,353.

[12] WA 10,1,1; 531.

[13] WA 16; 352.

"Here we have described for us how the people of Israel were united together under a civil government and how that government was organized. [Moses] attends first to the civil authority before ordering the religious authority ... This is because the civil sword must first be exercised to secure peace and order on earth before anyone can preach with the necessary time, place, and tranquility. When men are compelled to take up spears, guns, and swords in time of strife, there is little opportunity to preach God's Word." [14].

In the third place, the non-redemptive rule and maintenance of the civil realm should be governed by a judicious use of reason and common sense which is implanted by God into every human being. In public office, personal piety is no substitute for political prudence. As Luther was to insist so often later, "Better a wise Turk than a foolish Christian," when it comes to running the state for the social welfare of all.

"God has placed man's civil life under the dominion of natural reason which has ability enough to rule physical things. Reason and experience together teach man how to do everything else that belongs to sustaining a life here on earth. These powers have been graciously bestowed by God upon man's reason, and we need not look to Scripture for advice in such temporal matters. God has seen to it that even the heathen is blessed with the gift of reason to help him live his daily life." [15]

Finally, Christians should be vigilant and not mix the two kingdoms by demanding of pagans in the kingdom of the world what is possible only among Christians in the kingdom of God. Luther insisted that "the world cannot be run by the gospel ... The sheep, to be sure, would keep the peace and would allow themselves to be fed and governed in peace, but they would not live very long." [16] Rather than attempt any naive and fruitless "Christianization" of the fallen social structures in the community, Christ's followers should dedicate their consecrated brains to learn even from pagans how best to live their daily lives so as to achieve the most equitable society possible under human reason, justice, law, and order.

"Pagans have been found to be much wiser than Christians. They have been able to order the things of this world in a far more capable and lasting way than have the saints of God. As Christ said, 'The children of this world are wiser in their own generation than the children of light.' They know how to rule external affairs better than St. Paul or other saints. It is because of this that the ancient Romans had such glorious laws and ordinances ... without any counsel or guidance from Holy Scripture or the apostles." [17]

Consequently, without at all weakening the distinction between the two kingdoms, Luther can gratefully view all the provisional victories of dedicated men over hunger, sickness, crime, and social evils in general, as "signs" and

---

[14] *Ibid.*, 352—353.
[16] WA 11; 252.

[15] *Ibid.*, 353.
[17] WA 16; 354.

183

foretastes of the coming kingdom of God when the rule of Christ will be all in all. Political peace and social justice remain qualitatively inferior to the peace of God and his righteousness, but—like the long finger of John the Baptist in Grünewald's "Crucifixion"—they point to the coming kingdom even while not a part of it. Many a critic of Luther's alleged "cultural quietism" would do well to read Luther himself to challenge their unexamined prejudices.

"Just as the spiritual government or office should instruct people how to act in relation to God concerning their eternal salvation, so too the civil government should rule people so as to insure that man's body, goods, wife, children, household, and all his possessions remain in peace and safety for his earthly happiness. For God would have civil government become a prefiguration [Vorbild] of the true blessedness of his heavenly kingdom." [18]

The Law of Nature

Just as Luther was able to subsume all the Christian righteousness of the kingdom of God under the loose heading of "the law of Christ," so he often included everything that we have described heretofore as civil righteousness within the kingdom of men under the general rubric of "the law of nature" (lex naturae). This ambiguous designation has caused untold grief in Luther research ever since, for it is at once obvious from the theological foundations of his ethics that Luther could not possibly have meant by this term what it had traditionally stood for in the Aristotelian categories of Roman Catholic moral philosophy.

Perhaps most helpful today is Gustaf Aulén's suggestion that we first incorporate the material to which this tradition-laden term refers into Luther's overarching doctrine of the two kingdoms of creation and redemption. If we then interpret it in terms of "the law of creation", we readily divest it of any non-Christian metaphysical coloration and relate it directly to the ongoing creative activity of God in his temporal rule of the kingdom of the world. This certainly preserves the religious intention behind Luther's usage of a term whose meaning has become radically secularized for us since the godless philosophical inroads of the eighteenth century. [19]

In general, we may safely say that Luther conceived of the relation between "natural law" and "the law of Christ" in dialectical terms of radical correction and fulfillment. They reflect precisely the same provisional opposition and

---

[18] WA 51; 241.

[19] Cf. Gustaf Aulén, The Faith of the Christian Church. tr. Erich H. Wahlstrom and G. Everett Arden (Philadelphia: Muhlenberg, 1948), p. 189. "The idea lex naturae has often appeared as a substitute for the lex creationis, or lex creatoris, of Christian faith. Lex naturae, the law of nature, could be described as a rationalized and secularized variety of lex creationis. The foundation of both is a universal law. The difference between them can be defined in this way, that lex naturae is a metaphysical conception, while lex creationis is a religious concept, originating in the relation to God and inseparably connected with faith in God as Creator."

ultimate unity as between law and gospel, justice and love, reason and revelation, creation and redemption. In short, they are but another expression of the twofold way in which the Triune God governs his children as both their Creator and Redeemer.

Luther's doctrine of the bondage of man's will and reason to the forces of evil, precluded any possibility of anyone living a righteous life apart from Christ. Yet, as we have seen, even the sinner remains a creature of God who bears within his heart—in however distorted and corrupted a form—a knowledge of the law of his Creator. Man in rebellion no longer possesses a saving knowledge of God, but he still has a conscience which witnesses to the contradiction between right and wrong. He still is rationally cognizant of the "law of nature" which tells him that "man should do good and avoid evil," that good is rewarded and evil punished, and that he must do good to others if he wants to be treated well in return.[20] For Luther, the ethic of natural law is the morality of the "Golden Rule."

"It is unrighteous in God's sight for me to refuse to serve my neighbor in need for I am then unjustly depriving him of what the Lord has provided for his benefit. I am obligated to treat him according to the natural law, 'Do unto others as you would have them do unto you' (Matt. 7, 12). And as Christ said, 'Give to him who begs from you' (Matt. 5, 42)."[21]

These words introduce us concretely to the ambiguity in Luther's view of civil righteousness or natural law morality. In some instances he clearly subordinates natural law to Christian love, while in others he couples the two so closely together as almost to equate them. For Luther, it would seem that social justice is the necessary form which Christian love takes in a given situation while yet falling short of the disinterested, sacrificial love (agape) which God revealed in Christ. The following quotation, for instance, illustrates the one side of his position; namely, that justice is a sub-Christian, pagan virtue. Here it is emphasized that to love each other as we would like to be loved in return (Matt. 7, 12) is qualitatively inferior to loving each other as Christ has loved us (John 13, 34—35).

"The lepers here teach us faith while Christ teaches us love. Love does for the neighbor as it has seen Christ do for us. As he said, 'For I have given you an example, that you also should do to others as I have done to you . . . By this all men will know that you are my disciples, if you have love for one another' (John 13, 15, 35) . . . Love does not fight or dispute; it is there only to do good. For this reason love always does more than it is obligated to do, going beyond the demands of the law. Consequently, St. Paul says that among Christians there should be no need for recourse in the civil law courts since love does not seek or stress its own rights, but desires only to do good to others (I Cor. 6, 1)."[22]

---

[20] WA 10, 1, 1; 203.
[21] WA 10, 3; 291.   [22] WA 8; 360 and 364.

On the other hand, there are many important passages in Luther which lend great weight to the view that civil justice is the social expression of Christian love. Just as the "Golden Rule" is itself incorporated into the Sermon on the Mount, so too the Christian life in the temporal kingdom should be governed by the natural law of equity and moderation. Here followers of Christ join their non—believing neighbors in doing good to all men—though their motivation is radically different. One of Luther's 1522 sermons on Philippians 4, 4—7 gives us an striking example of this "Christianized" natural law ("equity") which should govern Christians in their temporal pursuits.

"The word the Apostle uses here *[epieikeia, equitas, clementia, commoditas]* is perhaps best rendered as 'leniency.' This is a virtue by which man is guided to treat others with fairness and equity, and through whose practice man avoids setting himself up as the final rule and judge. Leniency permits men to distinguish between strict and merciful law, and to moderate that which is too strict: this is *equitas*." [23]

Luther is referring here to the classical medieval distinction between positive law *(iustum)* and natural law *(aequum)*, in which the spirit of the law softens and qualifies the rigid application of the letter of the law, whenever its strict enforcement would do more harm than good in a concrete case. Natural law is the source and norm under which all human laws are to be held accountable. It is ". . . the heart and the empress of all laws, the fountain from which all laws flow forth." [24] And yet at other times, meaning apparently the very same thing, Luther can call love ". . . the judge of all laws and their sound understanding"; [25] it is the "queen and mistress" which should ". . . govern all external civil laws in the world." [26]

When pressed for a more specific description, however, Luther will go no further than seeing deeply embedded within natural law an abiding concern for the welfare of the neighbor. [27] "There should be a moderation in life which mitigates, adapts, and guides our capacities and behavior so that we feel constrained to be good, follow, shun, do, leave, and suffer in keeping with our neighbor's needs, even if it is at the cost of goods, honor, or personal comfort." [28] And then, after citing several examples of such "equity" in the lives of Christ, Peter, and Paul, Luther concludes: ". . . nothing else is necessary for a Christian but faith and love, with love determining what is to be done or not done according to its contribution to society." [29]

Since Luther himself complained that "we invent many fables about law," [30] we shall perhaps have to conclude that at different times and places Luther

---

[23] WA 10, 1, 2; 174.

[24] WA Tr. 6; Nr. 6955.

[25] WA 8; 664.

[26] WA 17, 2; 92.

[27] As a faithful biblical theologian, Luther has Paul to thank for his dilemma. It is the same Paul who condemns all non-Christian behavior in Romans 1 who is here lauding the pre-Christian moral virtues of the Greeks in Philippians 4!

[28] WA 10, 1, 2; 174—175.

[29] *Ibid.*, 176.

[30] WA 56; 355.

was treating various dimensions of this central ethical paradox: As two parallel lines meet only at infinity, the forces of love and law meet only in eternity. In terms of our presentation, the morality of natural law may be viewed as part of the "strange work" *(opus alienum)* of God's non-redemptive activity under the law. Underneath the distorted mask of Aristotle's "law of nature," there is concealed the loving Creator of all mankind whose will is that all men should love one another. "The law of nature lives in us as heat and fire in flint. Its use is like that of a mirror, for it cannot be separated from the law of God." [31]

Conclusion

We have briefly sketched Luther's views of civil righteousness and natural law. Now we might well conclude by suggesting the contemporary relevance of the Reformer's position after it has been properly "demedievalized." Here is the way in which the author posed that challenge at the World Council's 1966 Conference on Church and Society:

"In attempting to translate Luther's theology into the twentieth century, we must never forget to shift the ethical accent, since his chief enemy was clericalism, whereas ours in secularism. Luther had to put the church back under the gospel; we must put the state and society back under God's law.

"Let no one underestimate the difficulty of this mission. Yet many unnecessary obstacles might be removed at the outset if Christians would properly distinguish the gospel of redemption from the law of creation, and then further differentiate the law's theological function to condemn sin from its political function to promote justice. Especially in our pluralistic culture, men and women who cannot worship together under the gospel must find more ways in which they can work together under the law. In mapping out the terrain, Christian social ethicists can perform an incomparable service.

"For example, is there not a 'hard core' of non-redemptive morality in what Lutherans call 'civil righteousness,' what Calvinists call 'common grace,' what recent ecumenical statements call 'middle axioms,' what Roman Catholics call 'natural law,' what Jews call 'social justice' and what secularists call 'enlightened self-interest'? Even Karl Barth is compelled to admit, 'It cannot be denied, however, that in the lists of examples [of ethical guidelines] quoted, we have more than once made assertions which have been justified elsewhere on the basis of natural law.' [32] Well, as Shakespeare said, '... a rose by any other name smells just as sweet.'

"Lutherans must now be challenged to make their contribution to this mighty ecumenical effort. Their traditional concentration on the gospel has energized a sound evangelical personal ethic: 'faith active in love.' But the vast realm of cor-

---

[31] WA Tr. 2; Nr. 2243.

[32] *Community, State and Church: Three Essays* (New York: Doubleday Anchor, 1960), p. 180.

porate structures and institutional life has often thereby been deprived of the normative judgment and guidance of God's law by the church's neglect of a corresponding social ethic: 'love seeking justice.' Though responsible for the proclamation of the whole Word of God, Lutherans have generally put much stronger emphasis on the personal appropriation of God's gospel (for politicians and economists) than on the social demands of God's law (for politics and economic life).

"In short, what Lutherans need desperately today is a prophetic counterpart of the priesthood of all believers. Evangelical Christians will be reverent to God's Word as well as relevant to God's world by expressing both their priestly Yes, through faith active in love, and their prophetic No, through love seeking justice." [33]

---

[33] John C. Bennett (ed.), *op. cit.*, pp. 130—131.

DAS HEILIGUNGSPROBLEM NACH LUTHERS SCHRIFT „WIDER DIE HIMMLISCHEN PROPHETEN"

Kurzreferat von Wilfried Joest

Da die folgenden Ausführungen nur als Kurzreferat zur Einleitung eines Kolloquiums über das gestellte Thema dienen sollen, wird mit ihnen nicht beabsichtigt, Luthers Stellung in der Heiligungsfrage gegenüber den Kreisen, die er als „Schwärmer" bezeichnete, eingehend und vollständig zu entfalten. Es sollen nur einige charakteristische Grundlinien dieser Stellung, ohne Vorlage neuen Materials oder Eingehen auf bestimmte Forschungsprobleme, in Erinnerung gebracht werden.

Dazu scheint es am besten, von einem bestimmten Text auszugehen, der für den Zusammenstoß Luthers mit den spiritualistischen Heiligungsbestrebungen repräsentativ ist. Ein solcher Text dürfte in der Streitschrift gegen Karlstadt „Wider die himmlischen Propheten" gegeben sein. Man wird zwar Karlstadt nicht in jeder Hinsicht mit den „Schwärmern" identifizieren dürfen, wie ja Luther überhaupt unter dieser Benennung recht verschiedenartige Gruppen zusammenfaßt. Man wird aber sagen können, daß Luther in Karlstadt (wieweit mit Recht, sei dahingestellt) gewisse Züge, die er als diesen Gruppen gemeinsam erachtete, gesehen und bekämpft hat. Für seine eigene Position in der Polemik gegen die „Schwärmer" ist die Schrift gegen Karlstadt also in gewisser Weise repräsentativ.

Es ist vorauszuschicken, daß das Thema der Heiligung bei Luther keineswegs abwesend ist — nicht darin unterscheidet er sich von seinen Gegnern. Man wird nicht einmal sagen dürfen, dieses Thema sei bei ihm minder betont. Luther konnte sehr betont von den konkreten Lebensfolgen des Glaubens reden: nach der positiven Seite davon, daß wirklicher Glaube in guten Werken Frucht bringt; nach der negativen Seite davon, daß der Glaubende zur militia Christi eingezogen wird und hier einen lebenslangen Streit gegen sein eigenes Fleisch zu bestehen hat. Das ist bekannt und bedarf keiner Belege. Auch in der Schrift gegen Karlstadt ist davon an einer Stelle ausdrücklich die Rede, allerdings nur nach der negativen Seite. Luther nennt dort[1] als die Hauptstücke der Lehre (die er bei Karlstadt gerade verkannt findet) das Gesetz, das Evangelium und das *Gericht*. Mit dem letzteren meint er „das Fasten und Arbeiten", das durch den Kampf gegen den alten Menschen in uns, aber auch durch das Tragen von

---

[1] WA 18; 65,9 ff.

189

Verfolgung und Schmach zu geschehen hat[2]. Das gehört also auch für ihn unabdingbar zu Gesetz und Evangelium hinzu. Wo das Evangelium die Macht ergreift, kann nicht unangefochten alles beim alten bleiben. Darin ist Luther mit seinen Gegnern einig. Aber allerdings meint er, die falschen Propheten verstünden diese Tötung des alten Menschen nicht recht. „Denn sie nehmen nicht an, was Gott ihnen zufügt, sondern was sie selbst erwählen."[3]

Damit sind wir bei seiner Differenz gegen die spiritualistischen Heiligungsbestrebungen und verfolgen diese Differenz nun nach den Seiten, nach denen sie in der Schrift gegen Karlstadt entwickelt wird.

Luther selbst bringt sie auf folgenden Hauptnenner: Sie (die „Schwärmer") kehren Gottes Ordnung um; denn „was Gott vom äußerlichen Wort und Zeichen und Werken ordnet, da machen sie einen innerlichen Geist daraus"[4]. Was Gott vom innerlichen Glauben und Geist ordnet, daraus machen sie „eine äußerliche Ordnung, davon Gott weder geboten, noch verboten hat"[5]. Man kann die beiden Bereiche, auf die sich dieses äußerlich/innerlich, innerlich/äußerlich bezieht, wohl durch die beiden Fragen bezeichnen: Wie kommt man in den Glauben hinein? und: Wie soll man im Glauben leben? Das zweite ist die Frage der Heiligung im engeren Sinne. Aber auch das erste steht mit ihr in Berührung.

Zur ersten Frage schärft Luther ein, daß nach Gottes Ordnung die „äußerlichen Stücke" vorangehen müssen[6]. Er meint damit die mündliche Predigt des Evangeliums und das leibhaftige Geschehen der Sakramente. Warum ist Luther gerade die Äußerlichkeit wichtig, in der Wort und Sakrament dem Menschen begegnen? Weil er darin den Weg erkennt, wie Gott den Menschen aus der Selbstbearbeitung und Selbstreflexion herausruft und ihm das widerfahren läßt, was er selbst, der Mensch, sich nicht nehmen und erarbeiten kann: den neuen Lebensstand in der Gemeinschaft mit Gott durch Vergebung der Sünde. Nicht wir kommen zu Gott, Gott ist zu uns gekommen in Jesus Christus. Das ist, auf die einfachste Formel gebracht, in Luthers Sinn der innere Grund für die Externität, mit der Wort und Sakrament auf uns trifft. Sie ist in Luthers Meinung nicht leere Äußerlichkeit, sondern konkrete Gestalt des Zuspruchs dieses zu uns kommenden Gottes: Hier bin ich für dich. Dieser Zuspruch setzt aller geistlichen Selbsthilfe und Selbstheiligung ein Ende. Der Mensch liefert sich dem in dem „äußerlichen" Wort und Sakrament begegnenden Christus aus und läßt ihn mit sich sein, für sich dasein und in sich wirken. Das ist der von Gott geordnete Weg, wie man in den Glauben und Geist hineinkommt.

Hier sieht Luther bei Karlstadt und den Seinen eine umgekehrte Bewegung wirksam. In mündlicher Predigt und Sakrament sehen sie eine in der Tat leere Äußerlichkeit — Buchstabe und Ritus. Sie wollen auf einem innerlicheren Weg in das geistliche Leben hineinkommen. Luther bezieht sich hier auf ein von Karlstadt propagiertes seelisches Training mit Stufen wie „Entgröbung, Stu-

---

[2] WA 18; 65,25 ff.
[3] WA 18; 65,27 f.
[5] WA 18; 137,22 f.

[4] WA 18; 139,4 f.
[6] WA 18; 136,9 ff.

dierung, Verwunderung, Langeweile"[7]. Hinter diesen vom heutigen deutschen Sprachgebrauch aus in solchem Zusammenhang höchst seltsam klingenden Worten verbirgt sich offenbar eine mystische Praxis der Selbstversenkung und Abkehr von sinnlichen Eindrücken und Interessen, als deren Frucht das ekstatische Erlebnis der Berührung und Erleuchtung durch den göttlichen Geist erwartet wird. Zweifellos wirkt hier das Erbe spätmittelalterlicher Mystik (und zwar nach einer Seite, in der es Luther gerade nicht übernommen hat). Er sieht gerade hier eben jene geistliche Selbstbearbeitung und Selbsthilfe am Werk, die das Gegenteil des Glaubens ist und der Gott durch sein externes Kommen in Wort und Sakrament ein Ende machen will. Der Versuch, geistliches Leben durch eine Methode seelischen Trainings herbeizurufen, ist für ihn Werkgerechtigkeit auf neuer Ebene und in sublimierter Gestalt. Dies ist die verkehrte Weise, den alten Menschen zu töten. Denn in Wahrheit feiert er dabei in der Gestalt des Hochgefühls besonderer geistlicher Qualität neue Triumphe.

Zur zweiten Frage, wie man im Glauben leben soll, sagt Luther: Hier geht nach Gottes wahrer Ordnung das Innerliche voran. Das Herz nämlich gibt dem Werk den Namen, nicht das Werk dem Herzen. Nicht die gesetzliche Ausführung bestimmter äußerer Dinge als solcher, nicht die Herstellung bestimmter Verhältnisse als solcher ist das geheiligte Leben, sondern die Liebe ist dieses Leben. In der Liebe lebt, wer in der Gegenwart und Macht Gottes ist, und d. h. wer sich durch die Externität von Wort und Sakrament hindurch von der geistlichen Selbstbesorgung entbinden ließ und im Glauben dies angenommen hat, daß Gott in Christus *ihn* annimmt und mit ihm ist. Denn Gott selbst ist die Wirklichkeit und Macht der Liebe, und wer in seine Gemeinschaft aufgenommen ist, der ist wahrhaftig im Kraftfeld des Geistes, der auch ihn zur Liebe bewegt. Daß dieses Innerliche nicht in *bloßer* Innerlichkeit bleibt, daß vielmehr aus ihm nun wieder ein „Äußerliches" folgt — ein Tun aus und in Liebe —, hat Luther oft und deutlich genug gesagt, wenngleich er es in der Schrift gegen Karlstadt nicht eigens hervorhebt.

Was er diesem und seinen Gesinnungsfreunden vorwirft, ist, daß sie hier, in der Frage des Lebens im Glauben, nunmehr dem Innerlichen das Äußerliche vorordnen. Sie „richten eine eigene äußerliche Ordnung an, die Gott weder geboten und verboten hat". Als Merkmale dieser Ordnung erscheinen in der Polemik gegen Karlstadt gewisse Dinge, die für sich betrachtet als belanglose Einzelheiten erscheinen könnten, in denen Luther aber eine typische und grundsätzliche Haltung wirksam sieht und bekämpft.

So etwa, wenn Karlstadt fordert, man *müsse* die Bilder vernichten, um einen wahrhaft christlichen Gottesdienst einzuführen. Luther hiergegen: Es kommt nicht darauf an, ob man im Gotteshaus Bilder hat oder nicht, sondern ob das Herz an Gott oder den Bildern hängt. Bilder haben oder nicht haben ist ein äußerliches Ding, für das es an sich für den Christen kein Gesetz gibt. Luther

---

[7] WA 18; 138,13 f.

wäre vielleicht der Erwägung nicht unzugänglich gewesen, daß es unter bestimmten Umständen und um der Liebe willen richtiger ist, die Bilder zu entfernen; nämlich da, wo Gefahr ist, daß sie zum Anstoß und zur Versuchung zum Götzendienst werden. Wogegen er heftig reagiert, das ist die Losreißung von dieser inneren Motivierung und die gesetzliche Feststellung: Bilder als solche sind unter allen Umständen verboten und zu vernichten.

Ebenso heftig reagiert er gegen Karlstadts Forderung, die Vokabel „Messe" dürfe für den evangelischen Gottesdienst um keinen Preis gebraucht werden, oder: die Geste der Elevation der Hostie dürfe um keinen Preis vollzogen werden. Luther geht sogar so weit, dem entgegenzusetzen: Wo man uns solche Verbote als ein göttliches Gesetz auferlegen will, da gerade *sollten* wir das Wort und den Gestus gebrauchen. Nicht weil daran etwas gelegen wäre und man es um Gottes willen tun müßte, sondern eben um zu bekunden, daß daran nichts gelegen ist und daß wir frei sind, es zu lassen oder auch zu tun[8].

Steht in dem etwas quisquilienhaft anmutenden Streit um solche Dinge wirklich das Schwergewicht der Heiligung in Frage? Für Luther ja; denn das Aufrichten solcher Statuten und Verbote ist ihm Symptom dafür, daß das wahre Wesen der Heiligung nicht verstanden, ja, in sein Gegenteil verkehrt wird. Man sucht das geheiligte Leben zu verwirklichen in der Einhaltung von Observanzen, in einer Art von antipapistischem Ritualismus, wo doch die wahre Heiligung die Öffnung der Herzen zur Liebe durch die Gegenwart der göttlichen Liebe ist. Dahinter sieht Luther grundsätzlich die Wiederaufnahme des Versuches, durch Werke des Gesetzes gerecht zu werden. Er sieht hier eine Haltung, die von Angst und innerer Unfreiheit geprägt ist — und in eins damit von dem Pochen auf die formale Korrektheit und Hundertprozentigkeit ihres „Gottesdienstes". In beidem zeigt sich, daß der Zuspruch des Evangeliums an ihr vorüberging.

In derselben Linie liegt für Luther offenbar der Umstand, daß sein Gegner ostentativ den Doktortitel und die Gelehrtentracht ablegte, sich in einen grauen Bauernrock und Filzhut kleidete und sich „Bruder Endres" nennen ließ. Dies Gehaben Karlstadts muß ihm besonders widerwärtig gewesen sein, denn er kommt durch die ganze Streitschrift hindurch immer wieder in bissigen Bemerkungen darauf zurück. Er meint, darin nicht nur die persönliche Laune eines Mannes zu sehen, über die man auch großmütig hätte denken können, sondern wiederum den Anspruch, Heiligung in einer äußerlichen Form darzustellen: die Werkgerechtigkeit, die Gott etwas Besonderes darbringen und zugleich im Gewande der Demut vor den Menschen Eindruck machen möchte. Zugleich dürfte bei Luther hier aber noch der Verdacht mitschwingen, daß in solcher Geste seines Gegners der Widerspruch gegen gegebene Ordnungen und Unterschiede des gesellschaftlichen Lebens, die Verwechslung von Heiligung mit sozialrevolutionärer Umgestaltung sich anmeldet.

---

[8] WA 18; 107,31 ff.; vgl. 116,1 ff.

Am Rande kommt Luther in der Auseinandersetzung mit Karlstadt auf dieses Problem: Verwirklichung der heiligen Gemeinde durch sozialrevolutionäres Handeln, auch unmittelbar zu sprechen[9]. Er sieht ihn bereits auf dem Wege zu der Predigt, man müsse die Gottlosen ausrotten und das reine, heilige Gottesreich auf Erden mit Gewalt aufrichten. Vermutlich hat er Karlstadts wirklichen Absichten Unrecht getan, wenn er in dieser Sache die Linie von ihm zu Thomas Münzer auszog. Für seine eigene Position gegen die Heiligungsbestrebungen der Spiritualisten ist das Ausziehen dieser Linie aber erhellend. Luther sieht auch in dem revolutionären und zur Gewaltanwendung bereiten Aspekt dieser Bestrebungen nichts anderes als den Wahn, das heilige Leben könne durch gesetzliche Durchsetzung einer äußeren Lebensordnung verwirklicht werden. Auch und erst recht hier tritt an die Stelle des Werkes Gottes im Menschen das Werk, das der Mensch selbst in verkehrtem Eifer Gott darbringen will; an die Stelle der Liebe, die von der göttlichen Liebe getragen und bewegt wird, tritt der Fanatismus, der seinen eigenen Willen — und letztlich den Willen seiner Selbstsucht und Rachgier — durchsetzt.

Der rote Faden der Polemik Luthers gegen alle diese unter sich scheinbar so verschiedenen Erscheinungen ist leicht zu sehen. Luther meint hier in der Tat, gegen die Verkehrung des Evangeliums in ein neues Gesetz streiten zu müssen: Das „Äußerliche" des Kommens Gottes zu uns in Wort und Sakrament wird verachtet und an seine Stelle das mystische Werk des Menschen gesetzt, sich selbst in geistliche Erfahrung hineinzusteigern. Damit wird die Entbindung von der geistlichen Selbstbesorgung verfehlt, die Gott dadurch schenkt, daß er selbst in Christus durch Wort und Sakrament rechtfertigend-heiligend zu uns kommt. Das Ergebnis kann nicht das Tun der Liebe sein, das die Frucht dessen wäre, daß wir Gott selbst aus Gnade zu uns kommen ließen; sondern wiederum nur das eigengewählte Werk, mit dem wir selbst unsere Heiligung und die Heiligung der Dinge ausrichten wollen, nachdem wir uns in „geistliche" Erfahrung hineingesteigert haben. Und das kann, eben *weil* die Entbindung von der geistlichen Selbstbesorgung verfehlt wurde, nicht das Werk der Liebe, sondern nur das von Eitelkeit und Fanatismus sein.

Dies ist, soweit ich sehen kann, Luthers Position in dieser Auseinandersetzung. Wieweit er damit den Motiven derer, die er „Schwärmer" nannte, wirklich gerecht wurde, das ist eine weitere Frage, zu der ich hier nicht Stellung zu nehmen habe.

[9] WA 18; 87,21 ff.

SANCTIFICATION IN THE TESTIMONY
OF SEVERAL SO-CALLED *SCHWÄRMER*

Introductory Lecture by GEORGE HUNTSTON WILLIAMS

In a congress devoted to research on Martin Luther and early Lutheranism it is useful, in dealing with Luther's conception of sanctification in the context of his controversy with the *Schwärmer*, to take note also of their critique of him and of his closest associates and followers in the same general area. There are, however, several formal problems in getting at our topic.

I. Introduction

Sanctification constitutes at once a theological, an ethical, and a social problem whether dealt with by Luther or by his opponents; but this breadth or complexity is especially apparent in the context of Luther's controversy with the *Schwärmer* because it was characteristic of all the various groups covered by his comprehensive and not wholly magnanimous term for them that they stressed not only personal morality but also social, political and ecclesiastical behavior and arrangements even to the neglect or seeming misapprehension of the more strictly theological problematic concerning the relation of justification by faith to sanctification, which was at the very center of Luther's theological reformation. In fact the various kinds of *Schwärmer* so stressed specific moral and ecclesiastical reforms that the generic term "sanctification" was largely pushed to the margins of their working vocabulary to be replaced by a series of other terms and concepts. Not surprisingly, therefore, the monographic literature specifically on the term "sanctification" among the *Schwärmer* is quite limited.[1]

It is, indeed, the large congeries of concepts and description that constitute the problem in our trying to understand the theology of sanctification among the *Schwärmer*. In getting at what they did include in experiential and socially visible sanctification we must therefore resort not only to their own more

---

[1] There is no book or article directly on the subject of sanctification among the *Schwärmer*. But related to the theme are the following works which I have consulted: Gerhard J. Neumann, "Rechtfertigung und Person Christi als dogmatische Glaubensfragen bei den Täufern der Reformationszeit," *Zeitschrift für Kirchengeschichte*, LXX (1959), pp. 62—74; John C. Wenger, "Grace and Discipleship in Anabaptists," *Mennonite Quarterly Review*, XXXV (1961), pp. 50—69; Harold Bender, "'Walking in the Resurrection': The Anabaptist Doctrine of Regeneration and Discipleship," *ibid.*, pp. 96—110; Eric Gritsch, "Thomas Müntzer and the Origins of Protestant Spiritualism," *ibid.*, XXXVII (1963), pp. 172—194; and Robert Friedmann, "The Theology of Anabaptism" to be published.

specialized vocabulary but also to some terms of more recent coinage. Accordingly, in dealing with the problem of sanctification in the radical opponents of Luther one may speak of penitential transformation of character, of participation in the holiness of the whole Christ in suffering and glory, of inheriting the resurrection of Christ in one's flesh, of becoming free from the rule of sin; of the experience of Christ not only *pro nobis* but also *in nobis;* of regeneration, renewal, divinization, imitation, and discipleship; of separation from the world, perfectionism, New Covenantal legalism, fruitage of the Spirit, pietism, suffering obedience, and moral accountability; of social reform, primitivist-mystical-eschatological communitarianism and covenantal-eschatological-martial discipline. Altough these terms are in fact the rubrics under which the various kinds of *Schwärmer* themselves or their sympathetic interpreters today would prefer to discuss sanctification, we shall nevertheless try in what follows to keep as closely as feasible to that core of thought and behavior which scholars primarily interested in Luther would be willing to subsume under sanctification.

But, then, there is still another problem of terminology as we turn from Luther to his opponents in the realm of sanctification. Thus far it has not seemed inappropriate provisionally to use Luther's own term for them, "fanatics", however uncomplimentary. In the interest of careful analysis, however, we should now distinguish his opponents and give to them names that will not prejudice our discussion of what they severally thought about sanctification and also about his views thereon. Unfortunately, often when they declaimed against Luther, what they had more in mind was the behavior of ordinary Evangelicals. In their despair at the want of moral reform in the campfollowers of the Reformers, they actually had, of course, not only the good company of Erasmus[2] but, also, even of Luther himself!

II. Kinds of Schwärmer

The first group whom Luther called *Schwärmer* were the Zwickau Prophets, Thomas Müntzer, and Andreas Bodenstein von Carlstadt. It may be best to call these opponents of Luther *revolutionary Spiritualists* rather than enthusiasts. They indeed purported to be, up to a certain point, followers of Luther, turning from him eventually because of his reluctance to endorse what they considered the valid social and even political implications of the Reformer's revolutionary doctrine of justification. Since all these opponents claimed to interpret the authoritative Scriptures under the tutelage of the Holy Spirit, both they and Luther would probably have accepted the designation "revolutionary Spiritualists" as a useful precision in sectarian taxonomy even though, of course, the two sides would have been diametrically opposed as to what Spirit actually

---

[2] For Erasmus' criticism of the immorality of the Evangelicals, see Karl Heinz Oebrich, *Der späte Erasmus und die Reformation* (Münster, 1961), ch. iii.

drove these radical reformers to revolutionary action! Professor Joest has well delineated the issue of sanctification as between Luther and Carlstadt[3].

Among these revolutionary Spiritualists there were several, notably Carlstadt, who held views about the sacrament of the altar which Luther called "sacramentarian." But among the so-called sacramentarians were also Ulrich Zwingli and John Oecolampadius and their followers, all of whom Luther also sometimes called *Schwärmer* to underscore their eucharistic if not their eschatological irresponsibility! Since that which was common to all these otherwise often quite disparate groupings was their understanding of the observance of the Lord's Supper as a commemoration, it might be well to call them, as specifically as possible, *Commemorationists* (granted, of course, that there were also some differences among even them on eucharistic theology).

A third major group of opponents of Luther were the Anabaptists who programmatically connected justification with a ceremonially much simplified baptism of adult believers, which implicated especially the first generation in the capital offense of rebaptism according to the tradition of Christian imperial law. Although the Anabaptists were, with respect to the other sacrament, also Commemorationists, it is desirable to designate them separately and soberly by the ordinance which was for them distinctive and constitutive, namely, as *Baptists (Täufer).*

Besides revolutionary Spiritualists, the Commemorationists, and the Baptists Luther included among the *Schwärmer* an isolated figure who had some affinities with them but who steadfastly distinguished himself from them: Caspar Schwenckfeld. The former Knight of the Teutonic Order who long considered himself the Lutheran reformer of Silesia never endorsed believers' baptism and finally suspended the observance of the eucharist among his own followers, although he steadfastly held to an inner, experiential feeding on the celestial flesh of Christ, an invisible and abiding bread from heaven. Schwenckfeld with his concern for sanctification as a physical renewal by inward covenant as Friend of God must be included in any overall view of the opponents of Luther on this subject. Schwenckfeldians might best be characterized as *evangelical Spiritualizers.*

Actually, however, Schwenckfeld broke from Luther more on christology and eucharistic theology than on sanctification. It was, indeed, not until well after the break that in *Vom Wort Gottes* (1554) Schwenkfeld dealt systematically and extensively with justification and sanctification in relation to Luther. In the section on Luther's doctrine of works, he observed that Luther himself had long since expressed keen disappointment with the practical working out of his doctrine of justification—a broad way and wide gate into heaven.[4]

[3] For the problem in Müntzer, see the forthcomming discerning and not entirely unsympathetic study by Eric Gritsch, Fortress Press, 1967.

[4] *Corpus Schwenckfeldianorum*, XIII (Leipziz, 1935), esp. p. 895. See the forthcoming study of "Schwenckfeld's *Vita Regia*" by Earnest Lashlee, Harvard Ph. D. dissertation, Cambridge, ca. 1968.

Evangelical Spiritualizers, revolutionary Spiritualists, Baptists, and Commemorationists, all called by Luther at one time or another *Schwärmer*, all had to come to grips with the problematic of justification and sanctification if for no other reason than that it was in these scriptural categories that Luther fixed the major issue of the Age of Reformation and of Counter-Reform.

To take up the Commemorationists as such on the issue of sanctification would be misleading, for they were to be found not only among the radicals but also among the established Reformed churches of the cantons of the Swiss Confederation and the city states of South Germany and elsewhere; and, as classical Protestants, on the issue of sanctification, they were, of course, much closer to Luther than to the radicals. It would, however, be useful to deal comprehensively with the other three groupings wherever any of their number expressly referred to Luther on sanctification and related topics; for they constitute the very core of the radicals between whom and the papists Luther sought to safeguard the preeminence of his doctrine of justification by faith alone while clarifying over a lifetime what place he could properly accord to sanctification, and eventually vocation in the world, insofar as neither the process of sanctification nor the achievements of one's vocation in the world would ever be construed as a righteousness meritorious of salvation (salvation by congruous merits or works-righteousness).

Most of the radicals of all three separatist types initially considered themselves as but consistent Lutherans in their stress on justification by faith. But what they came to embrace as belief and sanctification Luther finally considered blasphemy and sedition. For their part, what Luther called justification by faith the radicals came to consider fatuous because it did not become evident in moral improvement. Again, what the radicals thought of as the signs of life renewed in Christ Luther could not but deplore as hypocritical or pharisaical righteousness obnoxiously visible or audible in simplified garb, mendicant mobility, socially irresponsible separatism or incipient revolution, indifference to family ties, impudent self-righteousness, and provocative self-confidence. But nothing is gained by further generalization until we sample the full range of the criticism by the radicals of Luther's alleged neglect or misapprehension of the scriptural and experiential meanings of sanctification.

Because of the limitation of space we shall confine ourselves to a characterization of Baptists only.

III. A Sampling of Four Baptists on Sanctification

To give specificity to our presentation, we shall sketch briefly the views on sanctification and related motifs in four representative Baptists who were geographically or personally closer to Luther than most and to the principal revolutionary Spiritualist, Müntzer. Accordingly, we shall discuss Melchior Hofmann (c. 1495—1543), Melchior Rinck (1494—c. 1545), Balthasar Hubmaier (c. 1480—1528), and Hans Denck (c. 1500—1527) whose careers variously were interlaced with the whole Anabaptist movement from Strassburg to Mikulov, from Zurich to Amsterdam and Tartu.

Melchior Hofmann, a self-educated tanner, imported into his inchoate theology the doctrine of the celestial flesh of Christ which was eventually to prove significant both in Münsterite and Mennonite Anabaptism as a christological sanction for a physical-spiritual sense of the new creature reborn of "the seed of the Word" and for a conception of the gathered church as the disciplined fellowship of the participants in the celestial eucharist.

Hofmann, who first served as a Lutheran missionary in Baltic regions before he turned from Luther in espousing the freedom of the will in the realm of faith, represented a view of sin and sanctification based partly on the Epistle to the Hebrews that made him hold out the theoretical possibility of utter sinlessness in the true believer. Hofmann's expectation that the true believer might achieve perfection was grounded in believer's baptism as the conclusion of the first phase of progressive sanctification.

Hofmann, at one time clearly acknowledged with Luther that justification is alone possible through Christ. In a letter to the brethren in Dorpat (Tartu), printed along with a letter of John Bugenhagen and Luther's *Eine christliche Vermahnung . . . an die in Livland* (Wittenberg, 1525),[5] Hofmann told his Lutheran converts, in an apocalyptic mood that would later be much intensified, "that they who have put on Christ and have crucified the flesh along with its lusts, . . . ye believe that he [Christ] is alone your justification *(Rechtfertigung)* through whom ye are and will be justified, through God's grace and not through merit, for we must renounce our works and even despair of them."[6] Five years later in his *Die Ordonnantie Godts (1530)* Hofmann deplored what he considered the disproportionate stress on faith with Paul among the followers of Luther and called for a new appreciation of works with James: "For the whole world cries: Believe, believe; grace grace; Christ Jesus! And therefore it does not choose the better part, for its hope is idle and a great deception. For such belief cannot justify *(rechtveerdighen)* them at all before God, as the holy apostle James writes [2, 17]: Even so faith, if it has not fruits is itself dead."[7]

In his *Van den gevangenen ende vrien wil* (c. 1531) Hofmann explained further and at length the basis of his confidence that men now possess the capacity to go beyond faith to godly deeds. His basic soteriological conviction was that God had intended in the *justitia Christi,* in the utter obedience of the Second or Last Adam, to undo the misdeed of the first Adam. By this righteousness, through Christ's obedient and ministerial solidarity with the human race, God wiped out the sin of Adam and restored to all mankind the primordial freedom of the will whereby every human being (before he is again cor-

---

[5] WA 18; 412—430.   [6] In the original, p. L 1 *r.*
[7] *Bibliotheca Reformatoria Neerlandica,* V (The Hague, 1909), p. 165.

rupted by personal sins) is enabled to choose to do God's will. To establish his view, Hofmann interpreted the children of Israel in bondage to Pharaoh as paradigmatic of all mankind. Only the liberating act of God made it possible for Israelites to depart from bondage in Egypt and in the wilderness of Sinai freely to choose to be loyal (or disloyal) to the covenant. By hermeneutical analogy Hofmann held that God's liberating act on Calvary was valid for the whole human race (not only for the elect Jews as before), whether peoples in lands remote from Christendom or even at its interior know this to be true or not. They have long since been freed from bondage to the Pharaoh of world and self by the once-for-all act of redemptively obedient *justitia* of the Second Adam:

"God says to his Son: I will give to thee the heathen for an inheritance and the ends of the world for a possession ... For it is not a part of mankind that was given to Christ as Redeemer, as some suppose, but rather all peoples were given to him by his Father, both the heathen and the Jews, as God said elsewhere to the holy patriarch Abraham ... He made man from the beginning, that is, he has born him again from out the first death of Adam through his Word, Christ Jesus, unto life so that (John 8, [36]) man has become now a truly free creature."[8]

Hofmann connected the exercise of Christ-won freedom of the will with the resolution to accept believers' baptism. The true faith that has power to transform was thought of apocalyptically as also constitutive of the elect as a church, who have in the exercise of their free will unto salvation chosen to put on Christ in believers' baptism, as a bride yields herself to her lord and bridegroom:

"Such a bride will no longer live unto herself ..., neither of what is of the world nor what might be called of the world, rather solely of the Lord Jesus Christ. In this manner also St. Paul cries [Gal. 2, 20]: I live; yet not I, but Christ liveth in me. They are the true dead who have the true salvation and liberation from sin, who are purified of all misdeeds through the blood of Jesus Christ ... all who are dead to themselves in the Lord, having routed out and laid aside the old Adam ... And therefore that sinful seed, being dead, cannot make unrighteousness fruitful; for he who has been born of God has the upper hand and victory, and *therefore no sin can issue.*"[9]

Not only do the justified become the potentially or ontologically sinless elect through repentance and baptism in faith but they are also assured of persevering in their sinlessness throughout their pilgrimage in the wilderness of this world because of the support of the Holy Spirit, even during the days of apocalyptic temptation: "These ... no one will ever be able to draw away from his [Christ's] band and power, nor ever again be able to alienate *(out-*

---

[8] *Ibid.*, pp. 188, 194.   [9] *Ibid.*, p. 151.

vreemdem). For such victors, having died in the Lord [through baptism], *cannot sin* any more; for a new, true regeneration maintains them.[10].

Menno Simons, whose task it was to recast Hofmannite theology after the debacle in Münster and who, accordingly, extensively analysed the experience of regeneration and purified and systematized this Baptist concept of the new creature, remained faithful to Hofmann's own formative conviction in recognizing that remmants of Adamic flesh and impulses persist throughout the lives even of those who through rebirth in baptism and eucharistic participation in the celestial flesh of Christ (manna) must nevertheless ever strive to be faithful, obedient, and humble to the end.[11]

Melchior Rinck, a participant in the Peasants War, a major Thuringian Baptist, influenced by both Luther and Müntzer, came to speak with vehemence against what he considered "the dead faith" of Luther leading the deceived Evangelicals "to the devil". That as a Baptist he attacked Luther in the context of infant baptism should not obscure the fact that Rinck thought of himself as being loyal to the Pauline-Lutheran stress on the preeminence of faith and as being faithful to what he considered the clear Dominical-Apostolic injunction to perform acts indicative of an authentic rebirth and an inner separation from the immoralities of the world.[12]

Rinck felt that Luther's clinging to infant baptism, while he proclaimed the preeminence of faith, ranked him with the Judaizers in Galatians 5 who put their particular form of legalism or works-righteousness (circumcision) before the Gospel, "a work of the Law that is without faith."[13] Using Paul against the greatest Paulinist of the age, Rinck contended that "everything is sin that takes

---

[10] *Ibid.,* p. 165. There is no support in Rev. 14 cited in the margin for the interesting word "alienate."

[11] See Willis M. Stoesz, "The New Creature: Menno Simons' Understanding of the Christian Faith," *MQR* XXXIX (1965), esp. pp. 9—14.

[12] There are three places where we have the views of Rinck expressed. The first is a recently discovered Rinck manuscript which contains in turn two small tracts, *Widderlegung eyner schrifft,* directed against John Bader of Landau on infant baptism, and *Vermanung und warnung,* directed to all in political authority. The two tracts, paginated consecutively, appeared for the first time transcribed and printed by Gerhard J. Neumann, "A Newly Discovered Manuscript of Melchior Rinck," *MQR,* XXXV (1961), pp. 197—217. The *Sammelband,* of which the two Rinck tracts are a part, was discovered in the library of the University of Frankfurt by Adalbert Goertz. The text of the two tracts, not accompanied by a translation, being reproduced with two pages of the MS to a page of the *Review,* it will be most convenient to refer to the tracts as to one composition and to refer to this according to the pagination in the MS as a way of indicating the upper or lower half of the printed page. The second place where Rinck's ideas are recorded is in Günther Franz *et al., Wiedertäuferakten 1527—1626,* Urkundliche Quellen zur hessischen Reformationsgeschichte, IV (Marburg, 1951), esp. pp. 3—16, 31—57; 41—47. The third source is a tiny letter of Rinck's in a *Sammelband,* translated in *MQR,* XXI (1947), p. 282. The best study of Rinck is in a larger context, John S. Oyer, *Lutheran Reformers against the Anabaptists: Luther, Melanchthon and Menius and the Anabaptists of Central Germany* (The Hague, 1964), pp. 75—110. See the as yet unpublished dissertation by Erich Geldbach, "Das Leben und Denken Melchior Rincks," Marburg, 1966.

[13] "Manuscript Rinck," *loc. cit.,* MS, p. 8.

place without faith"[14] (cf. Romans 14,23) and that because Luther had proclaimed the preeminence of faith and then slipped back from the principle in insisting on the baptism of infants who could have no explicit faith, the Wittenberger was deforming the Gospel like the Judaizers insisting on circumcision. Luther, in interposing a Roman Catholic law (infant baptism) where there should be only the expectation of justification by faith and an inner renewal, enabling the faithful then and there to follow the precepts of Christ, was really worse than the Pope who, for his part, had not yet even glimpsed the Gospel. Pharisaical Rome was thus the beast of the Apocalypse, but scribal Wittenberg was "the whole Antichrist."[15] In persecuting the true believers and followers of Christ as "heretics" and as "*Schwärmer*", not only "the pharisaical works-saints" but also "the scribes of Antichrist"[16] were clearly worse than pagans. Rinck argued further that the readiness of both the Pope and Luther to resort to coercion of the true followers of the precepts of Christ made these "pharisees" and "scribes" worse even than Pontius Pilate who, though he finally consented to the crucifixion, found no wrong in Jesus despite his itinerant and revolutionary preaching, despite his willing entry into Jerusalem as the acclaimed hereditary king of the Jews, and despite his violent cleansing of the Temple.[17] Jesus, Rinck reminded his readers, was condemned not primarily by the Roman Emperor or the local governor who were avowed pagans but rather "by the most pious and the most learned among the Jews."[18] Clearly, "neither Pope nor Luther has the true Gospel while all the time they fight in vain with carnal weapons against the practice of Christ, of Paul, and of all the Apostles."[19] As for the Baptists, said Rinck, they at once profess obedience to their contemporary Roman Emperor and to their local magistrates and Electors and yet also express bafflement among themselves that God should so long allow those whom he had set in authority for the restraint of evil and the collection of taxes for public works to permit Papists and Lutherans to misuse the temporal powers against the faithful disciples of Christ who are obeying to the full every commandment of the heavenly Sovereign including, to begin with, submission to His baptism as scripturally ordained (Mark 16,16): He who believes and is [then] baptized will be saved. Trespass against this clear commandment was for Rinck so grave that infant baptism should be regarded as an offering of children to the devil.[20]

Rinck considered believers' baptism to be the very first act of obedience after experiencing or accepting the faith which "justifies". It is clear that Rinck had not fully grasped Luther's understanding of Paul on justification by faith alone; but with Luther he agreed that both faith and Christian righte-

---

[14] *Ibid.*
[15] *Ibid.*, p. 6. Cf. ascribed article 1; Franz, *op. cit.*, p. 4; Rinck Letter to Eberhard von der Tann, *ibid.*, p. 31.
[16] "Manuscript Rinck," *loc. cit.*, p. 10.
[17] *Ibid.*, p. 13.
[18] *Ibid.*, p. 14.
[19] *Ibid.*, p. 15.
[20] Ascribed article 9; Franz, *op. cit.* p. 5.

ousness *(Gerechtigkeit)* were the gift of God (and therefore not to be coerced or imposed);[21] and he was, in any case, convinced that he followed, if not the Lutheran, at least the Dominical and Apostolic *ordo salutis* when he set forth his belief that "those who *better themselves,* abstain from sin, wish to repent, and have faith in the forgiveness of sin, are justified *(ufgericht).*"[22]

Besides being the most elementary act of obedience in response to Christ's express commandment, baptism was understood by Rinck in a Pauline sense as dying and rising in Christ[23] and in a mystical (but purportedly in a strictly Pauline) sense as a solemnly joyful betrothal to Christ whereby the believer as a faithful bride (joined with others in the true church) becomes spotless and pure (cf. Ephesians 5, 27; II Corinthians 11, 2).[24] Faith in Christ and obedience to him in faithful baptism, understood at once as a dying to self and an abiding covenant or betrothal unto him, was for Rinck that justification by faith that was already the first step in separation from the world and all its works to do his bidding as the bride heeds her husband's every wish. Rinck beheld the Baptist concenticle as the pure bride suffering in utter obedience to her Bridegroom and Lord of all, while the pharisaical Pope and scribal Luther proclaimed in different ways their devotion to the same Lord with their lips only. An associate of Rinck alluded to Luther's own speculation on the presumably disciplined *ecclesiola* ("ein rechte christliche kirche") of the justified in the preface to the German Mass.[25] But then, putting a ceremonial law (infant baptism) before the possibility of repentant faith and moral accountability, the Pope and Luther, according to Rinck, committed the most elementary act of disobedience[26] against a clear Dominical and Apostolic injunction (March 16, 16; Matthew 28, 19 f.) to believe first and then so submit to baptism; and, accordingly, the Romans and the Wittenbergers, far from taking faith seriously, were taken up respectively in "wooden works" and "a strawy faith" that in either case ended up in no change of deportment but in pride, robbery, gluttony, drunkenness, usury, and blasphemy, while at the same time the valiant followers of Christ were made into "a footstool of the pharisees and scribes." Calling themselves either Christians or Evangelicals, all these but obey the commands either of the Pope or of Luther. But obedience to Christ makes true Christians, keeping Christ's commandments (Matt. 15); for "What,"

---

[21] "Manuscript Rinck," *loc. cit.,* p. 16; *Account of his faith,* Art. 3; Franz, *op. cit.,* p. 8.

[22] Rinck, *Account of his faith,* Art. 4; Franz, *op. cit.* p. 8. The same word *uff gerichtet* is used also in "Manuscript Rinck," *loc. cit.,* p. 2. Lutheran usage here would call for *gerechtfertigt.* Clearly Rinck understood "justified" to mean "made just" rather than as "declared just", although he recognizes *Gerechtigkeit* as "gift," citing Romans 5:18. *Account of his faith,* art. 3; Franz, *op. cit.,* p. 8.

[23] *Ibid.,* p. 9.　　　　　　　　　　　[24] *Ibid.,* p. 19.

[25] George Schnabel, Debate with Martin Bucer; Franz, *op. cit.,* p. 219; Luther, Deutsche Messe (1526), WA 19; 75. Schnabel accused Luther of a want of courage to proceed with the establishment of a conventicle because he could not find an adequate number of truly justified saints.

[26] *Ibid.,* p. 17.

asks Rinck, "is then the Gospel other than the affirmation of God that to them that *better themselves* the forgiveness of their sins is promised?"[27]

Balthasar Hubmaier, pupil and then opponent of John Eck, although he twice referred to himself as having been "a Lutheran archheretic," scarcely once in his twenty-five extant writings drew upon or alluded to Luther except to quote from article 17 of the *Sermon von dem neuen Testament, das ist von der heiligen Messe* (1520).[28] And here Hubmaier quotes Luther faultily and tendentiously to the effect that "signs, such as baptism and the Lord's Supper, are *nothing without a preceding faith*." He quoted this passage in both editions of *Der uralten und gar neuen Lehrer Urteil* (1525, 1526).[29]

Hubmaier's express turning of *Gerechtfertigung* into *Gerechtmachung* marks an important shift in our survey. In his *XVIII Schlussreden* (1524) Hubmaier declared that 1) "faith alone makes us just *(frumm)* before God," 2) that "faith is the recognition of the mercy of God," 3) that "such faith may not go idle but must break forth toward God in thanksgiving and towards men in all kinds of works of brotherly love," and 4) that "alone these works are good which God has bidden us do [in Scripture]."[30]

In his *XXVI Schlussreden* (1524) printed in German and Latin *(Axiomata)* against Eck by a "brother in Christ of Ulrich Zwingli," Hubmaier quotes (item 3) Romans 10,10: "For man believes with his heart and so is justified, and he confesses with his lips and so is eternally saved."[31]

On becoming a Baptist, in his *Eine Summe eines ganzen christlichen Lebens* (1 July 1525), Hubmaier would be quite clear that by confession of Christ with the lips he meant believers' baptism as a public testimony. He thought of Christ as the Great Physician, the Good Samaritan, who comes to the turmoiled and the distraught *viator,* beaten up by life, with "the vine for repentance" and "the oil" for the healing of the wounds and in order "to make the sinner just and righteous" *(gerecht vnd fromb).*[32] Having been moved thereto by faith in the heart, the confessor believes "wholly that Christ has forgiven him his sin through His death and has through His resurrection made him righteous *(in fromb gemacht)* in the sight of God."[33]

Within a few days, 11 July 1525, Hubmaier incorporated an adapted version of this *Summe* in his *Von der christlichen Taufe* and entitled the subdivision "Von der ordnung einer Christlichen *frombmachung*."[34] Here Hubmaier coined a word for a concept more commonly rendered *Gerechtmachung* as distinguished from the forensic *Gerechterklärung.* In adapting his earlier *Summe* at this point

---

[27] *Ibid.,* p. 3.   [28] WA 6; 363.

[29] Balthasar Hubmaier, *Schriften,* Gunnar Westin and Torsten Bergsten, eds., (Gütersloh, 1962), Quellen und Forschungen zur Reformationsgeschichte, XXIX (= Täuferquellen, IX), pp. 233,250. The reference to himself as Lutheran, *ibid.,* pp. 273, 279.

[30] *Schriften,* pp. 72 f.   [31] *Ibid.,* p. 91.

[32] *Ibid.,* p. 111. The two words are probably used synonymously, *fromb* not yet meaning "pious."

[33] *Ibid.,* p. 112.   [34] *Ibid.,* pp. 157—163.

Hubmaier made even clearer than before that the "world, which then hates light and life and loves darkness," nevertheless does not think itself as evil "but rather as *fromb vnd gerecht* in its own works, and makes for itself rules and regulations through which it intends to be saved and spurns the simple rule of Christ as unworthy or even bad."[35] It is of considerable interest that Hubmaier uses here the same words "righteous and just" for nominal or world-conforming Christians that he does for his true believers; and the difference between them is that the latter, with Christ working in them, bring forth only those fruits of faith that Scripture enjoins and hold back from all other works and activities.[36]

In *Eine christliche Lehrtafel* (1526), in the form of a dialogue between Hubmaier's protector in Moravia, Leonhard von Liechtenstein, and the much younger nephew, Hans, we learn more fully how Hubmaier himself understood righteousness *(frombkait)* and ultimate salvation: "Although faith alone makes one *fromm*, still it does not by itself lead to salvation." A public confession of faith is necessary in the form of believers' baptism (Peter's faith of Matthew 16, 18 is cited as a model and brought into line with the baptismal covenant of I Peter 3, 2), to be followed by appropriate works of faith and other public testimony to it.[37]

Hans Denck, although he never mentioned Luther or Müntzer by name, must be understood as a Baptist leader who drew alike upon the mystical, the Lutheran, and the revolutionary Spritualist impulses, presenting in his conception of sanctification as divinization a quite distinctive version of perfectionism. To Denck are ascribed *Etliche Hauptreden* "of a diligent disciple of Christ" which was printed in an edition of *Theologia deutsch* (Worms, 1528). The latter, *without Luther's foreword*, reproduces Luther's second (fuller) text of 1518.[38] Here we have Denck as close, as it were, as possible to Luther; and the difference is very great. Sanctification is not taken up in any of the gnomic propositions of *Etliche Hauptreden*, but Denck does propose that "the return from all dividedness *(allem gezweyten)* into the Unity must be studied throughout life" in order that from resignation after the example of the historic Christ into the divine yieldedness of the inner Christ *(gelassenheyt in gelassenheyt)* one may be perfected and eventually saved.

In his *Was geredt sei* (1526), possibly a critical response to Luther's *De servo arbitrio* (1525),[39] Denck did not hesitate, in the tradition of mysticism,

---

[35] *Ibid.*, p. 112.

[36] *Ibid.*, pp. 113. [37] *Ibid.*, p. 316.

[38] The text of the *Hauptreden* is available in many additions of *Theologia deutsch* but most helpfully in Georg Baring and Walter Fellmann, eds., Hans Denck, *Schriften*, Quellen und Forschungen zur Reformationsgeschichte, XXIV (= Täuferquellen, VI) in three parts (Gütersloh, 1955, 1956, 1960), Part II, pp. 111—113.

[39] Note the ejaculation "How gross this rogue!" *Ibid.*, p. 41, 1. 28.

to call the process of return to the divine Unity "divinization" *(vergotten)* as well as an imitation of God or Christ. Deploring that the Lutherans "do not wish for Christ from above, but rather they seek him only in the [historic] flesh," Denck holds that "the Word was in human beings ... that it might divinize them as happens to all the elect; and Scripture therefore calls them 'gods'";[40] and accordingly "man imitates *(nachschlacht)* God, takes on the traits *(ärlet)* of the divine generation, as one who is the son of God and coheir with Christ." Denck goes on immediately to qualify his statement a bit: "All Christians are in some sense like Christ; for, as he offered himself up to the Father, so they are ready to offer themselves. Not, I say, that they are so perfect as Christ was, but rather that they seek exactly the perfection which Christ never lost."[41] Denck, writing presumably against Luther's conception of the bondage of the will and of predestination, believed in the possibility of an eventual salvation of all creatures (universalism); but he warned Christians against falling back into forgetfulness of God and hence into grievous sin even after the experience of saving faith and believers' baptism: "This comfort you can give to none and also none can take it from you. For whoever has yielded himself to the chastisement of the Father [and who] has in a measure tasted the sweetness of the bitter cross [cf. Thomas Müntzer], to him the Father has revealed himself through his Spirit in defiance before that person's enemies; but [he is] not the less to fear God because of that nor to scorn anyone. For whom God has received in faith, he can and wills to reject again in case that person does not remain in faith—for he did not even spare the angels."[42]

The fact that Denck, in speaking of perfection and divinization, seemed in a foregoing passage to minimize the historic flesh and hence the atoning suffering of Christ is confirmed in another passage, in Denck's *Bekenntnis* for the town council of Nuremberg (1525), wherein, dealing with the Lord's Supper, he writes: "Whoever is so minded and drinks from the *invisible* chalice the *invisible* wine, which God from the beginning of the world mixed through his Son, through the Word, ... he will be completely divinized through the love of God; and God in him will be humanized *(vermenscht)*."[43] If Denck seemed to minimize the atoning suffering of the historic word incarnate, it was only because he was moved to maximize and, as it were, universalize the redeeming role of the Logos not only from the beginning of the world but also in the ever enlarging contemporary world of that age of vast exploration and discovery. Another mystical Anabaptist made this point about people beyond the ken of Christendom more explicitly when he declared with reference to "the length, breadth, and depth of Christ":

---

[40] *Ibid.*, p. 39, l. 5.   [41] *Ibid.*, p. 37.
[42] *Ibid.*, p. 42.   [43] *Ibid.*, p. 25.

"The breadth of Christ is as broad as the whole world—in all places where there are human beings who live according to the will of God without respect to persons in obedience to Christ [the Truth written on the heart], whether they be Jews, Turks, or pagans."[44]

IV. Conclusion I:
The Radicals Had a Distinctive Conception of the
Justifying and Sanctifying *Justitia Christi*

Let us now generalize from this admittedly very limited sampling of but one grouping among the radicals. In general the radicals and especially the evangelical Baptists tended to interpret justification in the sense of sanctification; and, although they ascribed the moral change in the believer to God, their terminological imprecision but also resourcefulness has made it possible for their critics to construe their view of sanctification as legalism, married monkery, or fatuous perfectionism. It is today, however, altogether clear that the pair of scriptural-theological terms, justification and sanctification, basic to Lutheran theology and the ethics of vocation in the world, could never become really functional in the thought and action of the radicals. Hence the infrequency of either term in their surviving literature. Nevertheless, with all of them, Baptists and Spiritualists of whatever type, the virtual coalescence of forensic justification and experiential sanctification gradually necessitated the emergence of other sets of terms to express a comparable dynamic in the Christian life as they experienced and interpreted it.

Alienated from their class in society or more likely from society as a whole, the radicals knew something of what Luther called the judgmental *opus alienum* of God and his redemptive *opus proprium*. We have not found that the Baptists actually used this pair of terms which Luther derived from Isaiah 28, 21 and first used in his *marginalia* on a Tauler sermon and then elevated to the rank of technical terms to express a major principle of his whole theology:

"God's alien work [said Luther in 1516] ... is the suffering of Christ and sufferings in Christ, the crucifixion of the old man and the mortification of Adam. God's proper work, however, is the resurrection of Christ, justification in the Spirit, and the vivification of the new man, as Romans 4, [25] says: Christ died for our sins and was raised for our justification. Thus, *conformity with the image of the Son of God includes both these works*."[45] The Baptists

---

[44] Hans Schlaffer (related to the larger circle of Denck and Hans Hut), "Kurzer Bericht" (1528), ed. by Lydia Müller, *Glaubenszeugnisse oberdeutscher Taufgesinnter*, I, Quellen und Forschungen zur Reformationsgeschichte, XX (Leipzig, 1938), p. 96. The preceding page is rich in the Baptist theology of receiving Christ, of being reborn with him, suffering, dying, and rising with him and in references to the relationship thereof to sanctification.

[45] Sermon of 1516; WA 1; 112 f.; St. Louis/Philadelphia Edition, 60, p. 19.

were not so far from the Luther of 1516 as both they and he came to think, for the Baptists in their turn after 1525 came to stress imitation of or conformity to Christ in *both* suffering and resurrection.

Insofar as Christ's life from incarnation through the resurrection was paradigmatic for the Christian, Luther himself could distinguish within that career the *opus alienum* of suffering under the Law and the *opus proprium* of resurrection—the latter, for Christ, a vindication, for the faithful in Christ, their justification. Later, Luther gave even more prominence to his distinction between the two works of God but he also distinguished more clearly between "the suffering of Christ" on Calvary in the act of atonement and "the crucifixion of the old man" in each viator in the present, climaxing in his personal experience or acceptance of justification by faith alone. Luther was thereupon able to construe, at the inaugural action of the second dispensation, *the whole* of Christ's life from incarnation through resurrection as compositely God's *opus proprium* over against the *opus alienum* under the earlier dispensation of the Law. In this context Luther could speak of the whole accomplishment of Christ as God's *opus proprium* making available that *justitia aliena* which the believer has but to accept in faith as God's bestowal of righteousness in Christ after God's *opus alienum* has been wrought in that same person leading him to recognize his sinfulness under the law or the system of congruous merit.

The Baptists did not follow Luther in this further refinement but, going back to that earlier stage in Luther's formulation of the need for conformity on the part of the believer "with the image of the Son of God" with respect to "both these works," they tended to think of the alien work of God as Christ's suffering under the law of nature and of the Old Covenant by which the whole world was freed from the sin of Adam. This was accordingly for them still an alien work in the sense of its being an historically remote work and in the sense also of its being a strange work through which even Indians in the New World and Moslems in the Old World were unwitting beneficiaries, having, of course, no knowledge either of their fall with the first Adam or of the liberation of their wills through the Second.

Hence the guiltlessness, according to Anabaptists, of all infant descendants of the first Adam until they reach the age of "shame" or of "the discrimination of good and evil."

It was, accordingly, at this age of life, when borne down with a sense of personal sins not taken away with original guilt in the action of Calvary, that the Baptists located in believers' baptism what could be called the second work or a second advent of Christ when, voluntarily dying and then rising with Christ, they put on the alien righteousness of Christ, convenanting with him as a bride with the bridegroom to do his will in faith. "Such a faith," said one of the Baptists already quoted, "even when it is not perfect and not yet proven, will nevertheless be reckoned to anyone for righteousness until that one is [fully] awakened and more alive so that he does not bring about sin but rather God [in him] brings forth fruit." [46]

With the postulate of a distant and strange (and surely objective) work accomplished for the whole world, the Baptists were free to think of the "proper work" of God through Christ glorified as the mediation of grace to earnest individuals in both justification and sanctification for the healing of their postbaptismal sins. In the modified language of German mysticism, also familiar to Luther, both the Spiritualists and Baptists knew not only "the breadth of Christ," but also "the depth of Christ." In still other terms they knew first the "bitter Christ" of Judgment, of turmoil, of the descent into hell, and then in covenantal or baptismal betrothal and in the life of discipleship and obedience "the sweet Christ" of consolation for all suffering.

Or again, in the adapted language of a certain strand of natural and evangelical theology peculiar to them, the radicals had beheld in the natural world of common suffering "the gospel *of* all creatures" and then received "the gospel [proclaimed by Christ] *to* all creatures," which, though it turned out to be in a sense the same life of suffering—even compounded—was henceforth invested with redemptive and eschatological meaning; for the covenantal or baptismal believers were now suffering from the world and even from "nominal Christians" because they had withdrawn from the world to heed every commandment of their similarly suffering Lord in the scriptural conviction that the servants should never be above their Master in this respect or any other, although they might look forward to being ranged with him in their final vindication and in his glory at the imminent *eschaton*.

Or again, convinced that Christ on Calvary had restored to all mankind the freedom of the will lost or impaired by the fall of the first Adam, the evangelical Baptists entered freely into that higher bondage which they called fealty to Christ or the "convenant [of accountability] of the good conscience" (Luther's original translation of I Peter 3, 21) and found in this *Bund* a freedom that they had not known before. By this public oath or convenant both the revolutionary Spiritualists and the Baptists ratified their membership in the elect company of those who would persevere through suffering to judge and corrule with Christ at the end of the world. What Luther elaborated as the doctrine of vocation *in the world* as a consequence of justification by faith alone over against the purely religious vocation of the medieval ascetics and clerics, the radicals also construed as "laic" but not in the world: rather for the world to come. In their eschatological vocation of programmatic deprivation and the communal self-discipline of voluntary association and commitment and in suffering from the world for Christ before the eschaton, the Baptists, alienated

---

[46] Schlaffer, *loc. cit.*, p. 95. As to the Anabaptist postulate that Christ's atoning work consisted in the removal of the *poena* for original sin *without individual sacramental appropriation*, see the larger treatment in my "Sectarian Ecumenicity", [Baptist] *Review and Expositor*, LXIII (1967).

from society and hostile or indifferent to it, appropriated to themselves that "alien righteousness" from the other world of Scripture—faith, hope, and also (sometimes quite exclusive) love—which they so made their own that their suffering in the world and from those in authority in it was interpreted as at once a daily increment of Christ in their lives and a further confirmation of their special relationship to him in the select eschatological company of saints, awaiting the divine retribution of the wicked and the false Christians. Their understanding of sanctification was thus that of an anticipatory participation of the "justified" elect—progressively purified by suffering—in the realm of the glorified Sovereign of the world who had like them first borne the cross.

Conclusion II in Response to Professor Joest: The Radicals Had in Their Own Way a Sense of Divine Givenness and Objective "Externality"

Common to many of the Baptists, to perhaps most of the Spiritualists, and also to Luther himself was the appropriation of some of the elements in the tradition of German mysticism (which indeed Luther through his editions of the *Theologia deutsch* did much to popularize). To be sure, Luther himself never confused his own experience and interpretation of justification by faith with the mystical experience in its various stages for which the pious believer might in part prepare himself in self-discipline; and Luther was therefore, against Carlstadt and other *Schwärmer,* able to insist, as Professor Joest has so well said it, upon the external character of the divine initiative in imparting salvation and upon the utter objectivity of the Word heard and upon the sacrament (of the altar) duly administered. But although there was in the *Schwärmer,* as Luther rightly analyzed it, a mystical internalization of works and a new kind of externalization of belief, it should not be overlooked that the *Schwärmer* for their part also thought of the principal religious transactions as objective, outward, and God-ordained: notably the ordinance of baptism for the Baptists and the life of divinely imposed redemptive suffering for both Baptists and Spiritualists. Indeed, it was precisely in how they interpreted this suffering of fallen creation in general, of the Son of God himself on the cross, and in their own lives after accepting first the cross of Christ in faith and then their crosses in the world in discipleship that constituted for them the essential difference between "scribal and pharisaical" Christians (Protestants and Roman Catholics) and those truly reborn in Christ.

Utter objectivity—"externality" beyond human contrivance or pious striving—both for the initial faith and for the subsequent sanctification the *Schwärmer* and particularly the Baptists claimed to have not primarily in the preached Word and the administered sacrament of the altar in the territorial church but rather 1) in the inwardly appropriated printed, vernacular Word as studied under the direction of the Holy Spirit (*Sitzerrecht,* I Cor. 14, 23 ff.) in the pious brotherhood of would-be disciples of Christ; 2) in the sacrament or ordinance of baptism which they held to have been Dominically enjoined with no less urgency and stark simplicity than the commemorative observance of the Supper; and 3) in suffering, in the grips of fallen creation, particularly at the hands of nominally Christian magistrates and ministers.

For Luther the most distinctive social consequence of his doctrine of justification by faith was, of course, his *religiously revolutionary* but *socially conservative* concept of vocation in the world. All forms of licit labor and all ranks and classes of society came in this way to be endowed with the same religious and moral significance as that formerly attached alone to the vocation of monks and clerics. For the *Schwärmer* the social consequence of their understanding of salvation and the modalities of sanctification ranged from revolution (Müntzer, Münsterites) to withdrawal from the world either in conventicles or communitarian plantations (Mennonites, Hutterites). Only corporately, in their churches covenantally conceived, did they hope to achieve by mutual aid and correction (ultimately the ban) the goal of sanctification. The conventicular, communitarian, and even Pneumatocratic organization of the social energies of the various kinds of *Schwärmer* should not obscure for us on the theoretical level of objectivity (versus subjectivity), of externality (versus inwardness), of divine initiative (versus human manipulation), the fundamental fact that almost all kinds of *Schwärmer,* from the Zwickau Prophets to the Amish Mennonites, have understood their suffering as an objective confirmation or an ever renewed authentication of their discipleship, assuring them of their being on the right way to sanctification. In this line, as among pre-Constantinian Christians, although some of their number were tempted to provoke persecution at the hands of the religio-political authorities in order to expedite the consummation of their salvation, their leaders (particularly among the Baptists) regularly counseled prudence and restraint because to seek martyrdom was precisely to strive for salvation rather than faithfully and patiently to await the administration of God's providence in the judicial conduct of the magistrate or in the angry upsurge of the populace. To court martyrdom was to engage in personal strategy where it was the duty of the reborn member of the conventicular *militia Christi* only to await the divine command, to obey, and if required, to submit to suffering accountably wherever and whenever it should be meted out by the "servants of the world."

The readiness to accept, though not to seek, this definitive mortification by water, sword, or pyre was all the more remarkable in the *Schwärmer* in that unlike the pre-Constantinian Christians who generally regarded martyrdom as a direct passage to paradise, many if not most of the Baptists and Spiritualists were psychopanychists. Holding to the death or at best the unconscious sleep of the soul *(Seelenschlaf)* with the death of the body (in this respect closer to the Lutherans than to the Reformed and the Roman Catholics), the *Schwärmer* rested their hope of abiding salvation in a final mighty (and presumably imminent) act of God in the resurrection of all bodies and their reanimation for the Last Judgment. The intensity of their eschatological trust in God's vindication of his own must therefore be put down alongside the printed Word, Dominical baptism, and a life-long *via crucis* as a fourth scripturally objective or "external" element in what the *Schwärmer* considered the unalterable divine plan for the salvation of the saints from their justification by faith to their sanctification through suffering to glorification, ever walking in the resurrection.